Diercke Erdkunde 5/6

**Niedersachsen
Gymnasium**

Lehrerband

Autorin:
Christine Wenzel

westermann

Lehrermaterialien zum Schülerband
Diercke, Erdkunde 5/6, Niedersachsen, Gymnasium
ISBN: 978-3-14-**144670**-8

Arbeitsblätter auf der CD-ROM teils aus anderen Lehrerbänden/Arbeitsheften

Auf verschiedenen Seiten dieses Buches befinden sich Verweise (Links) auf externe Internetadressen. Haftungshinweis: Trotz sorgfältiger inhaltlicher Kontrolle wird die Haftung für die Inhalte der externen Seiten ausgeschlossen. Für den Inhalt dieser externen Seiten sind ausschließlich deren Betreiber verantwortlich. Sollten Sie bei dem angegebenen Inhalt des Anbieters dieser Seite auf kostenpflichtige, illegale oder anstößige Inhalte treffen, so bedauern wir dies ausdrücklich und bitten Sie, uns umgehend per E-Mail unter www.westermann.de davon in Kenntnis zu setzen, damit beim Nachdruck der Verweis gelöscht wird.

© 2015 Bildungshaus Schulbuchverlage
Westermann Schroedel Diesterweg
Schöningh Winklers GmbH, Braunschweig
www.westermann.de

Druck A1[1] / Jahr 2015

Redaktion: Christine Wenzel
Druck und Bindung: westermann druck GmbH, Braunschweig

ISBN 978-3-14-**144673**-9

Inhaltsverzeichnis

auf der CD-ROM:

Anleitung „Wir bauen einen Kompass" (17)

Test/Lösung „Maßstab" (21)
Spiel „Schiffe versenken" (21)

Fantasiereise „Ein Ausflug ins Weltall", Kopiervorlage/ Lösung „Himmelskörperlogbuch" (26)

Spiel „Schiffe versenken im Gradnetz" (29)

Test/Lösung „Unsere Erde" (32)

Arbeitsblatt/Lösung „Städte und Dörfer" (33)

Arbeitsblatt „Deutschlandpuzzle" (45)

Arbeitsblatt „Eine Mindmap zu Berlin" (48)

Stumme Karte „Europa" (54)

Kopiervorlage „Ländersteckbrief" (57)

Inhaltsverzeichnis

auf der CD-ROM:

Fantasiereise „Ein Flug über Deutschland", Arbeitsblatt/Lösung „Begriffsketten", Arbeitsblatt/Lösung „Großlandschaften Deutschlands"

Arbeitsblatt/Lösung „Die Alpen"
Arbeitsblatt/Lösung „Das Lawinenunglück von Galtür vom 23. Februar 1999"
Test/Lösung „Massentourismus – Sanfter Tourismus"

Stumme Karte „Erde"

Kopiervorlage „Sachtext 1", Kopiervorlage „Sachtext 2"

Kopiervorlage „Befragung in einem landwirtschaftlichen Betrieb"

Arbeitsblatt „Positionen zur Intensivlandwirtschaft in El Ejido"

Arbeitsblatt „Rekultivierung des Braunkohlentagebaus Inden II im Rheinischen Revier", Arbeitsblatt/Lösung „Wie aus Kohle Strom gewonnen wird"

Arbeitsblatt „Auswertung der Karte ´Hamburg – Hafen´"

Inhaltsverzeichnis

Vorwort

Liebe Lehrerinnen und Lehrer,

dieser Lehrerband zum Schulbuch Diercke Erdkunde 5/6 Gymnasium Niedersachsen soll Ihnen eine Hilfe bei der Unterrichtsvorbereitung und -durchführung sein.

Auf den folgenden Seiten finden Sie einen **Vorschlag für ein schulinternes Curriculum**, das auf dem aktuellen Kerncurriculum basiert. Um dieses gemäß Ihren Anforderungen verändern zu können, befindet sich zusätzlich auf der beiliegenden CD-ROM eine Word-Version.

Daran schließt sich der **Hauptteil mit Informationen und den Aufgabenlösungen zu den Doppelseiten im Lehrbuch** an. Diese sind folgendermaßen gegliedert:

■ Kompetenzen
→ Aufführung der für die Doppelseite relevanten Kompetenzen
■ Grundbegriffe
→ Auflistung der auf der Doppelseite neu eingeführten Grundbegriffe
■ Zusatzinformationen zu den Materialien
→ interessante weiterführende Informationen zu den Materialien (z. B. Hintergrundwissen, Quellen)
■ Tipps zum Atlaskarteneinsatz
→ Auflistung der konkreten Atlaskarten, die für das Thema bzw. die Aufgaben relevant sind. Berücksichtigt werden Karten aus dem Diercke Weltatlas (Auflage 2015), Diercke Weltatlas 2 sowie Diercke Drei.
■ Vorschlag für ein Tafelbild
→ Vorschlag für ein Tafelbild
■ Vorschlag zur Binnendifferenzierung
→ Möglichkeiten zur Binnendifferenzierung
■ Lösungen der Arbeitsaufträge
→ ausführliche Lösungen der Aufgaben im Lehrbuch
■ Literatur
→ Zum Thema passende Literatur. Nichtabonnenten können die Artikel aus der Zeitschrift „Praxis Geographie" unter http://www.westermann-fin.de gegen eine geringe Gebühr herunterladen. Für Abonnenten ist dieser Service kostenlos.
■ Internet-Adressen
→ Stand 9/2014. Teils mit Informationen zum Inhalt.
■ Filme
→ Die hier aufgeführten ZDF-Kurzfilme finden Sie in den digitalen Lehrermaterialien „BiBox" zu diesem Band (http://www.bibox.schule). Zudem wird auf lieferbare FWU-Filme hingewiesen.
■ Unterrichtsvorschlag
→ Hier finden Sie einen detaillierten Unterrichtsvorschlag, untergliedert in Unterrichtsphase, inhaltlicher Schwerpunkt, Unterrichtsverlauf und mit Angabe der verwendeten Medien und Materialien. Darin werden auch die ZDF-Kurzfilme und die sich auf der CD-ROM befindlichen Arbeitsmaterialien sowie die Arbeitsblätter des zugehörigen Schüler-Arbeitsheftes (ISBN 978-3-14-144672-2) berücksichtigt. Verwendete Abkürzungen: EA = Einzelarbeit, PA = Partnerarbeit, UG = Unterrichtsgespräch, LV = Lehrervortrag, OHP = Overheadprojektor.

Am Ende des Lehrerbandes befinden sich die **Lösungen zu den Arbeitsblättern des Schüler-Arbeitsheftes**.

Auf der beiliegenden **CD-ROM** finden Sie
■ einen Vorschlag für ein schulinternes Curriculum als Word-Datei
■ Arbeitsblätter mit Lösungen und Kopiervorlagen als Word-Dateien zum Unterrichtseinsatz
■ den gesamten Lehrerband als PDF-Datei.
Im Inhaltsverzeichnis (S. 3–5) werden die Zusatzmaterialien den einzelnen Lehrbuchdoppelseiten zugeordnet.

Wir wünschen Ihnen erfolgreiche Unterrichtsstunden mit Lehrbuch und Lehrerband!
Christine Wenzel als Autorin und im Namen des Westermann Schulbuchverlages
Rainer Ellmann-Bahr
Dr. Dirk Felzmann
Martin Freytag
Martin Häusler
Uwe Kehler
Holger Kerkhof
Renate Koch
Prof. Dr. Christiane Meyer
Rainer Niedernostheide
Dr. Henning Schöpke als Autoren des Lehrbuches und der Aufgabenlösungen

Vorschlag für ein schulinternes Curriculum

Woche	Seiten im Lehrbuch	Themen im Lehrbuch (mit Seitenangabe)	Kompetenzen	Bezug zum Kerncurriculum
	6 – 29	**1. Erdkunde = Räume erkunden 6** Erdkunde – Was ist das? 8 Der „geographische Blick" – einen Raum geographisch hinterfragen 10 Neue Schule, neue Wege 12 METHODE: Mit Google Earth den Schulweg erkunden 14 Orientierung im Gelände 16 Vom Luftbild zur Karte 18 Mit Karten arbeiten 20 Der Maßstab 22 METHODE: Mit dem Atlas arbeiten 24 METHODE: Eine Kartenskizze anfertigen 26 Kompetenztraining 28	Die Schülerinnen und Schüler können: • ihr neues Fach Erdkunde charakterisieren (F) • an Räume geographische Fragen stellen (F) • einen Stadtplan lesen (O) • mit Google Earth Standorte und Wegstrecken lokalisieren sowie Entfernungen messen (M) • mithilfe eines Kompass oder anderer Hilfsmittel Himmelsrichtungen bestimmen (O) • die Aussagefähigkeit von Schräg- und Senkrechtluftbildern sowie Karten vergleichen (M) • verschiedene Arten von Karten unterscheiden (F) • Höhenangaben in Karten lesen (F) • mithilfe des Maßstabs Entfernungen in Karten berechnen (F) • mit ihrem Atlas arbeiten (F) • eine Kartenskizze anfertigen (M)	Kern-Thema 1: Orientierung im Raum • Grundlagen zur Orientierung im Raum (u. a. natürliche Gegebenheiten, Sonnenstand, Kompass, GPS, topographische Karten) • Umgang mit physischen, politischen und thematischen Karten (u. a. Erfassen von Maßstabsebenen) • Gliederung von Räumen (naturräumliche Gliederung, politische Gliederung) • Bedeutung von Lage und Lagebeziehungen
	30 – 43	**2. Unsere Erde 30** Unser Sonnensystem 32 ORIENTIERUNG: Unsere Erde – Kontinente und Ozeane 34 Die Erde – vom Globus zur Karte 36 Das Gradnetz der Erde 38 Die Erde dreht sich – Tageszeiten und Zeitzonen 40 Kompetenztraining 42	Die Schülerinnen und Schüler können: • wiedergeben, was ein Planet, ein Stern und eine Galaxie ist (F) • die Planeten unseres Sonnensystems in der richtigen Reihenfolge nennen (F, O) • die Gliederung der Erde in Kontinente und Ozeane beschreiben (F, O) • den Globus als Modell der Erde beschreiben (F) • den Aufbau des Gradnetzes beschreiben (F) • das Gradnetz zur Orientierung nutzen (O, M) • die Notwendigkeit der Einführung des Gradnetzes beurteilen (B) • die Entstehung von Tag und Nacht erklären (F) • die Einteilung der Welt in Zeitzonen erläutern (F, O) • die Zeitzonen anwenden und die Bedeutung dieser Einteilung erörtern (M, B)	Kern-Thema 1: Orientierung im Raum • Aufbau und Anwendung des Gradnetzes • Entwicklung eines topographischen Grundwissens (u. a. Gewässer, Gebirge, Städte, Staaten) • Umgang mit physischen, politischen und thematischen Karten (u. a. Erfassen von Maßstabsebenen) • Gliederung von Räumen (naturräumliche Gliederung, politische Gliederung) • Bedeutung von Lage und Lagebeziehungen

für Sie zum Eintragen

F = Fachwissen, O = Orientierung, M = Methode,
K = Kommunikation, B = Beurteilen und Bewerten

Woche	Seiten im Lehrbuch	Themen im Lehrbuch (mit Seitenangabe)	Kompetenzen	Bezug zum Kerncurriculum
	44 – 69	**3. Städtische und ländliche Räume 44** Wo wir wohnen: Städte und Dörfer 46 METHODE: Tabellen erstellen und auswerten 48 Eine Stadt auf der Spur 50 Hannover – viele Viertel in einer Stadt 52 Hannover – Stadt-Umland-Beziehungen 54 Daseinsgrundfunktionen 56 METHODE: Luftbilder auswerten 58 Leben auf dem Land früher und heute 60 ORIENTIERUNG: Deutschlands Bundesländer 62 Bundeshauptstadt Berlin 64 Berlin – eine Stadt macht mobil 66 Kompetenztraining 68	Die Schülerinnen und Schüler können: • Merkmale von Städten und ländlichen Siedlungen benennen (F) • die Vorteile und Nachteile von Städten und ländlichen Siedlungen diskutieren (K) • Tabellen erstellen und auswerten (M) • ein Luftbild auswerten (M) • die wichtigsten Teile einer Stadt und ihre Funktionen beschreiben (F) • Merkmale und Funktionen von Hannover und Berlin benennen (F) • ein Modell beschreiben (F) • die Daseinsgrundfunktionen nennen (F) • die Wechselbeziehungen zwischen Städten und ländlichen Siedlungen erklären (F) • den Wandel ländlicher Siedlungen beschreiben (F) • die räumliche Lage von Siedlungen bewerten (B) • die Bundesländer und die Nachbarstaaten Deutschlands nennen und auf einer Karte zuordnen (F, O) • die Bevölkerungsdichte berechnen (F) • den Bundesländern die entsprechenden Wappen zuordnen (O, F) • einen Verkehrsnetzplan lesen (M)	**Kern-Thema 1: Orientierung im Raum** • Entwicklung eines topographischen Grundwissens (u. a. Gewässer, Gebirge, Städte, Staaten) • Gliederung von Räumen (naturräumliche Gliederung, politische Gliederung) **Kern-Thema 2: Leben und Wirtschaften in ländlichen und städtischen Räumen** • Raumgliederung nach Grunddaseinsfunktionen • Stadt-Umland-Beziehungen
	70 – 83	**4. Vielfalt in Europa 70** Kinder in Europa 72 Europa – Einheit und Vielfalt 74 ORIENTIERUNG: Europa – ein staatenreicher Kontinent 76 Europa – die Europäische Union 78 METHODE: Einen Ländersteckbrief erstellen 80 Kompetenztraining 82	Die Schülerinnen und Schüler können: • kulturelle Gemeinsamkeiten und Unterschiede innerhalb Europas beschreiben (F) • den Kontinent Europa geographisch einteilen (O) • Mitgliedsstaaten, Strukturen und Ziele der Europäischen Union (EU) benennen (O, F) • eine Internetrecherche durchführen (M)	**Kern-Thema 1: Orientierung im Raum** • Entwicklung eines topographischen Grundwissens (u. a. Gewässer, Gebirge, Städte, Staaten) • Gliederung von Räumen (naturräumliche Gliederung, politische Gliederung) **Kern-Thema 2: Leben und Wirtschaften in ländlichen und städtischen Räumen** • Europa

Woche	Seiten im Lehrbuch	Themen im Lehrbuch (mit Seitenangabe)	Kompetenzen	Bezug zum Kerncurriculum
	84–115	**5. Touristische Räume 84** Ferienorte 86 Wir werten Reisekataloge aus 87 Wo ist was möglich im Ferienort? 88 ORIENTIERUNG: Großlandschaften Deutschlands 90 An der Nord- und Ostseeküste 92 Küstenformen 94 Küstenschutz 96 Flächennutzungskonflikte im Wattenmeer 98 PROJEKT: Geocaching 100 ORIENTIERUNG: Großlandschaften in Europa 102 ORIENTIERUNG: Touristenziele in Europa 104 Ganzjahrestourismus in den Alpen 106 Lawinen – die weiße Gefahr 108 Massentourismus auf Mallorca 110 Sanfter Tourismus auf Mallorca 112 Kompetenztraining 114	Die Schülerinnen und Schüler können: • Deutschland und Europa in Naturräume gliedern (F) • die Raumwirksamkeit des Tourismus beschreiben und erklären (F) • Küstenformen als Ergebnis exogener Prozesse beschreiben und erklären (F) • schadens- und risikomindernde Maßnahmen des Küstenschutzes beschreiben und erklären (F) • mithilfe von GPS den Standort im Realraum bestimmen (O) • Karten unter den Fragestellungen „Wo ist was möglich?" und „Wo gibt es Flächennutzungskonflikte?" auswerten (M) • aufgrund geographischer Kenntnisse und geeigneter Kriterien Veränderungen durch Tourismus, Bedrohungen von Küsten und Flächennutzungskonflikte bewerten (B) • Vor- und Nachteile von Urlaubsorten aus verschiedenen Perspektiven charakterisieren (B) • Interessen und Absichten in Reiseprospekten hinsichtlich ihrer Seriosität analysieren (B) • zur Bedeutung und zum Wert der Nachhaltigkeit im Tourismus Stellung nehmen (B)	**Kern-Thema 1: Orientierung im Raum** • Entwicklung eines topographischen Grundwissens (u. a. Gewässer, Gebirge, Städte, Staaten) • Gliederung von Räumen (naturräumliche Gliederung, politische Gliederung) **Kern-Thema 2: Leben und Wirtschaften in ländlichen und städtischen Räumen** • Raumwirksamkeit des Tourismus **Kern-Thema 3: Formende Kräfte der Natur** • Schadens- und risikominimierende Maßnahmen bei natürlichen Vorgängen (u. a. Vulkanismus, Erdbeben, Tsunami, Überschwemmungen)

Woche	Seiten im Lehrbuch	Themen im Lehrbuch (mit Seitenangabe)	Kompetenzen	Bezug zum Kerncurriculum
	116 – 147	**6. Landwirtschaft in Deutschland und Europa** 116 Wo unsere Nahrungsmittel herkommen 118 Produkte aus ökologischem Landbau 120 Die Idee der Nachhaltigkeit 122 Intensivtierhaltung 124 METHODE: Sachtexte auswerten 126 Landwirtschaft im Wandel 128 METHODE: Diagramme zeichnen und auswerten 130 PROJEKT: Wir erkunden einen Bauernhof 132 Natürliche Faktoren der Landwirtschaft: Boden 134 PROJEKT: Wir untersuchen Bodenproben 136 Natürliche Faktoren der Landwirtschaft: Klima 138 ORIENTIERUNG: Landwirtschaftliche Nutzung in Deutschland 140 Landwirtschaft in südeuropäischen Trockengebieten 142 Intensivlandwirtschaft in El Ejido 144 Kompetenztraining 146	Die Schülerinnen und Schüler können: • Herkunftsgebiete wichtiger Nahrungsmittel bestimmen (O) • Teilbereiche der Landwirtschaft nennen und beschreiben (F) • Unterschiede zwischen herkömmlichem und ökologischem Landbau darstellen (F) • die Idee der Nachhaltigkeit erklären (F) • Sachtexte auswerten (M) • Veränderungen in der Landwirtschaft benennen und bewerten (F, B) • Diagramme zeichnen und auswerten (M) • Exkursionen durchführen und Arbeitsergebnisse präsentieren (M, K) • die Bedeutung von Boden und Klima für die Landwirtschaft erklären (F) • Bodenbestandteile und Bodenarten bestimmen (M) • Besonderheiten und Probleme bei Sonderkulturen benennen (F) • die landwirtschaftliche Nutzung in Deutschland lokalisieren (O) • den Bewässerungsfeldbau in südeuropäischen Trockengebieten erklären (F) • Probleme der Intensivlandwirtschaft erörtern (B)	Kern-Thema 1: Orientierung im Raum • Gliederung von Räumen (naturräumliche Gliederung, politische Gliederung) Kern-Thema 2: Leben und Wirtschaften in ländlichen und städtischen Räumen • Produktionsabläufe im primären und sekundären Sektor • charakteristische Wirtschaftsräume
	148 – 169	**7. Industrie und Dienstleistungen** 148 Wirtschaftssektoren 150 Braunkohle – Energie aus der Erde 152 Kali – Dünger aus der Erde 154 Die Kunststoffindustrie – Produktionsabläufe im sekundären Sektor 156 Die Spielzeugindustrie 158 METHODE: Eine Mindmap erstellen 160 Wirtschaftsraum Hannover-Braunschweig 162 Häfen – Knotenpunkte des Welthandels 164 METHODE: Thematische Karten auswerten – Der Hafen von Rotterdam 166 Kompetenztraining 168	Die Schülerinnen und Schüler können: • Wirtschaftssektoren unterscheiden (F) • Vor- und Nachteile des Bergbaus für Mensch und Umwelt erörtern (B) • Produktionsabläufe im primären und sekundären Sektor darstellen und verstehen (F) • eine Mindmap erstellen und lesen (M) • grundlegende Strukturen von Häfen und Wirtschaftsräumen beschreiben und charakterisieren (F) • Transportwege von Gütern durch verschiedene Staaten beschreiben (O) • eine thematische Karten auswerten (M)	Kern-Thema 2: Leben und Wirtschaften in ländlichen und städtischen Räumen • Produktionsabläufe im primären und sekundären Sektor • Bedeutung des Dienstleistungssektors • charakteristische Wirtschaftsräume

Woche	Seiten im Lehrbuch	Themen im Lehrbuch (mit Seitenangabe)	Kompetenzen	Bezug zum Kerncurriculum
	170 – 209	**8. Endogene und exogene Prozesse verändern die Erde** 170 Mit Naturgefahren leben 172 Der Ätna – Leben am Vulkan 174 Vulkantypen 176 Die Erde bebt 178 Vulkane und Erdbeben in Deutschland 180 Tsunamis 182 Von der Kontinentalverschiebung zur Plattentektonik 184 METHODE: Ein Rollenspiel durchführen – Erdbebenkonferenz in San Francisco 186 Erdkruste entsteht und versinkt 188 ORIENTIERUNG: Erde – Naturgefahren 190 Gesteine entstehen und zerfallen 192 Der Wasserkreislauf 194 Formung der Landschaft durch Flüsse 196 Von der Quelle bis zur Mündung 198 PROJEKT: Wir untersuchen einen Bach 200 Hochwasser und Hochwasserschutz 202 Gletscher transportieren Gestein 204 Eiszeitliche Gletscher formten Norddeutschland 206 Kompetenztraining 208	Die Schülerinnen und Schüler können: • Unterschiede zwischen endogenen und exogenen Prozessen benennen (F) • Vulkane und Erdbeben sowie deren Entstehung als Ergebnis endogener Prozesse erläutern (F) • die Theorie der Plattentektonik erklären (F) • verschiedene Vulkantypen analysieren (F) • die Auswirkungen der endogenen Prozesse auf das Leben der Menschen bewerten (B) • schadens- und risikominimierende Maßnahmen bei Vulkanausbrüchen, Erdbeben und Tsunamis erläutern und bewerten (F, B) • die Notwendigkeit von Küstenschutzmaßnahmen beurteilen (B) • Grundzüge des Wasserkreislaufs und des Gesteinskreislaufs beschreiben (F) • exogene Prozesse als Gestalter der verschiedenen Landschaften erläutern (F) • den Verlauf von Flüssen von der Quelle bis zur Mündung beschreiben und Prozesse in den Flussabschnitten charakterisieren (F) • die Notwendigkeit von Hochwasserschutzmaßnahmen an Flüssen beurteilen (B) • den Einfluss der eiszeitlichen Gletscher auf die Naturlandschaft erläutern (F)	Kern-Thema 1: Orientierung im Raum • Gliederung von Räumen (naturräumliche Gliederung, politische Gliederung) Kern-Thema 3: Formende Kräfte der Natur • Naturlandschaften im Zusammenhang erdgeschichtlicher Vorgänge als Ergebnis endogener Prozesse (u. a. Plattentektonik, Vulkanismus, Erdbeben) • Grundzüge naturgeographischer Kreisläufe (Wasserkreislauf, Gesteinskreislauf) • Naturlandschaften als Ergebnis exogener Prozesse (u. a. Tal- und Küstenformen, Glaziale Prägung) • Schadens- und risikomindernde Maßnahmen bei natürlichen Vorgängen (u. a. Vulkanismus, Erdbeben, Tsunami, Überschwemmungen)

1 Erdkunde = Räume erkunden

S. 6/7 Kapitelauftaktseite

Mithilfe der Kapitelauftaktseite können die Schüler in die zentrale Aufgabe der Erdkunde, die auch Inhalt dieses Kapitels ist, eingeführt werden: die Erkundung von Räumen. Als Raum wurde hier beispielhaft Norddeutschland, die Heimat der Schüler, ausgewählt. Dieser Raum wird anhand einer Panoramakarte, die für Schüler sehr anschaulich ist, dargestellt. Die weiteren Bildelemente zeigen verschiedene Methoden, mit denen dieser Raum erkundet werden kann. Dabei wurden solche Hilfsmittel ausgewählt, die im Kapitel näher dargestellt werden.

Zusatzinformationen

Hintergrund: Panoramakarte Norddeutschland mit Topographie, Oberflächenbedeckung, Autobahnen; perspektivisch verzerrt
Weitere Bildelemente (von links oben im Uhrzeigersinn):
- Screenshot aus Google Maps, der die Strecke zwischen Emden und Oldenburg zeigt, mit Verortung
- topographische Karte von Nordeuropa, in der der Ausschnitt der Panoramakarte eingetragen ist
- Schrägluftbild von Hannoversch Münden mit Verortung
- Maßstabsleiste (wichtig: Aufgrund der verzerrten Darstellung der Panoramakarte nicht auf die gesamte Karte übertragbar!)
- Kompass mit Darstellung der Nordrichtung
- Kartenskizze von Norddeutschland

Einsatz im Unterricht

Zunächst sollte der Blick auf die Panoramakarte gerichtet sein.
- Welcher Raum ist dargestellt?
- Welche Elemente erkennt ihr wieder (z. B. Städte, Inseln, Gebirge)?
- Könnt ihr die Lage des Schulortes bestimmen?
Anschließend werden die Bildelemente beschrieben und es wird erläutert, wie sie dabei helfen können, einen Raum zu erkunden.
Als Ausblick erfahren die Schüler, dass sie sich in diesem Kapitel u. a. mit den dargestellten Hilfsmitteln intensiver beschäftigen werden.

S. 8/9 Erdkunde – Was ist das?

Kompetenzen
Die Schülerinnen und Schüler können
- ihr neues Fach Erdkunde charakterisieren. (Fachwissen)

Grundbegriffe
- Erdkunde/Geographie
- Topographie

Zusatzinformationen zu den Materialien
M1 im Hintergrund: Satellitenbild der Erde; A: Volkswagenwerk in Wolfsburg, B: Spitze von Manhattan/New York, C: Ausbruch des Ätna/Sizilien, D: Amazonastiefland, E: Jumeirah Beach Hotel/Dubai, F: Reisanbau auf Bali
Die Fotos zeigen Motive aus verschiedenen Regionen der Erde, die den Teilbereichen der Erdkunde (s. M3) zugeordnet werden können (s. Aufgabe 1).
M2 Der Infokasten zum Stichwort „Geographie" liefert zwar eine Definition von Geographie, für die Schüler ist dieser kurze Text jedoch verständlicher. Zudem macht er die Bedeutung der Geographie im Alltag deutlich.
M4 Hier handelt es sich nur um eine Auswahl von Arbeitsmitteln und Arbeitsweisen.
Arbeitsmittel: I: Fotoapparat/Foto, C: Stifte und Kartenskizze, S: Laptop/Computer, C: Diagramm, H: Markieren im Text, H: CDs mit Filmen, W: Maßband, A: Experimentieranleitung, A: Diercke Weltatlas und Globus, M: Aufnahmegerät

Vorschlag für ein Tafelbild

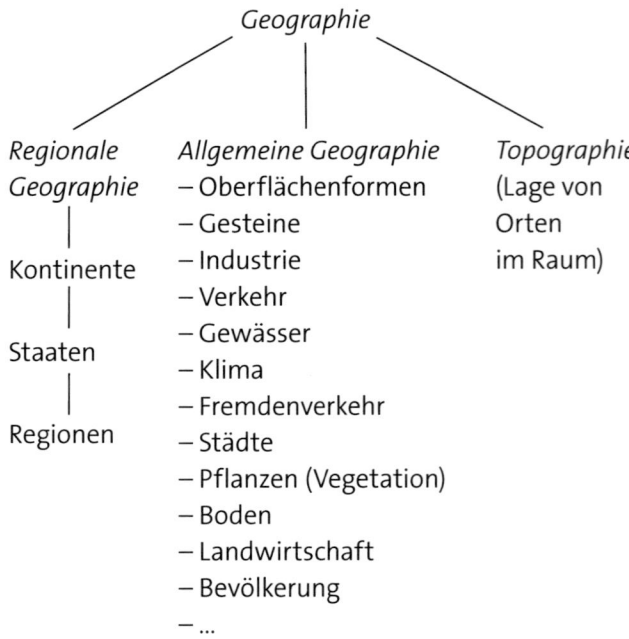

Geographie

Regionale Geographie	Allgemeine Geographie	Topographie
Kontinente	– Oberflächenformen – Gesteine – Industrie	(Lage von Orten im Raum)
Staaten	– Verkehr – Gewässer – Klima	
Regionen	– Fremdenverkehr – Städte – Pflanzen (Vegetation) – Boden – Landwirtschaft – Bevölkerung – ...	

Lösungen der Arbeitsaufträge

1. A – Industrie; B – Städte, Bevölkerung; C – Oberflächenformen, Gesteine; D – Gewässer, Oberflächenformen; E – Fremdenverkehr; F – Landwirtschaft
2. individuelle Lösung
3. Individuelle Lösung. Beispiel: *Erde, Relief, Diagramm, Karte, Umwelt, Nordpol, Datumsgrenze, Ebbe*
4. Fotografieren und Bilder auswerten = I
Kartenskizzen zeichnen   = C

Texte markieren und auswerten	= H
Interviews durchführen	= M
Experimente durchführen	= A
Diagramme zeichnen	= C
Filme auswerten	= H
Flächen und Räume ausmessen	= W
Atlas und Globus benutzen	= A
Internet zur Recherche nutzen	= S

Lösungssatz: *ICH MACH WAS*

Unterrichtsvorschlag

Unterrichtsphase	Inhaltlicher Schwerpunkt	Unterrichtsverlauf	Medien/Materialien
Einstieg	Abfragen der bisherigen Vorstellung der Schüler von „Erdkunde"	Aufgabe 3 in EA	
Erarbeitung 1	Definition von Geographie/Erdkunde	– M2 wird gemeinsam gelesen → Bedeutung der Erdkunde für alle Lebensbereiche – Schüler schreiben Definition von Geographie (= Infokosten) ab – Untergliederung der Erdkunde (M3) – Tafelbild – Aufgabe 1 in EA – Aufgabe 2 mündlich	M1, M2, M3, Infokasten
Erarbeitung 2	Arbeitsmittel und Arbeitsweisen	– Arbeitsmittel und Arbeitsweisen besprechen Welche sind bereits aus der Grundschule bekannt? – Aufgabe 4 in PA	M4
Ergebnissicherung	Abfragen der aktuellen Vorstellung der Schüler von „Erdkunde"	– Aufgabe 3 in EA auf einem anderen Blatt – Vergleich mit dem Ergebnis der Einstiegsphase	

S. 10/11   Der „geographische Blick" – einen Raum geographisch hinterfragen

Kompetenzen

Die Schülerinnen und Schüler können
– an Räume geographische Fragen stellen. (Fachwissen)

Zusatzinformationen zu den Materialien

M1 Das Foto zeigt eine Landschaft bei Jablanica (Bosnien und Herzegowina), zwischen Sarajevo und Mostar gelegen. Das Tal wird vom Fluss Neretva durchflossen. Die Berge gehören zu den Gebirgen Ćvrsnica und Prerij.
M2 In das gleiche Foto wie in M1 wurden beispielhaft einige geographische Fragen eingebaut.
M3 Die geographische Betrachtung eines Raumes kann auf verschiedenen Maßstabsebenen erfolgen. Von der globalen Perspektiven, die die gesamte Erde zeigt, geht es über die regionale Perspektive, die z. B. eine Stadt umfasst, bis auf die lokale Perspektive, die einzelne Gebäude dieser Stadt zeigt.

Tipps zum Atlaskarteneinsatz

zur Verortung des Fotos M1:
Diercke Weltatlas, 138/139: Balkanhalbinsel – Physische Karte
Diercke Weltatlas 2, 92/93.1: Apenninenhalbinsel – physisch
Diercke Drei, 122/123: Südwesteuropa – physisch

Vorschlag für ein Tafelbild

Der geographische Raum
– Geographen beschreiben und untersuchen Räume (= dreidimensionale Ausschnitte der Erdoberfläche)
– Abgrenzung der Räume nach verschiedenen Merkmalen
– Betrachtung der Räume auf unterschiedlichen Maßstabsebenen (global, regional, lokal)

Vorschlag zur Binnendifferenzierung

Aufgabe 3b) kann eine Zusatzaufgabe für schnelle bzw. leistungsstärkere Schüler sein.

1 Erdkunde = Räume erkunden

Lösungen der Arbeitsaufträge

1. Auf dem Bild ist eine Gebirgslandschaft zu sehen. Die Berghänge sind größtenteils bewaldet, in den höheren Bereichen ist Fels erkennbar. Ein Fluss schlängelt sich durch einen Canyon, an dessen Ufern Flussterrassen sichtbar sind. Auf diesen Terrassen befinden sich teilweise Siedlungen bzw. landwirtschaftliche Nutzflächen, die vorwiegend als Wiesen genutzt werden. Verkehrswege (Eisenbahnlinie sowie Straße) sind beidseitig des Flusses angelegt. Sie folgen dem Lauf des Flusses. Der Himmel ist fast wolkenlos.

2. Teilräume, die von Schülern abgegrenzt werden können, sind beispielsweise die Siedlung im rechten unteren Bildbereich, die Flussterrassen oder aber der Wald im Vordergrund des Bildes. Abgrenzungsmerkmale wären im ersten Beispiel die erkennbar bebaute Fläche, im zweiten die flache Oberflächenform der Flussufer und im dritten der zusammenhängende Baumbestand. Bei der Besprechung der Aufgabe sollte darauf geachtet werden, dass die Abgrenzungsmerkmale möglichst klar benannt werden.

3. a) Impliziert wird hier die Differenzierung zwischen physischer Geographie und Humangeographie, die bei der Bearbeitung der Aufgabe aber nicht explizit thematisiert werden muss. Folgende Zuordnungen sind sinnvoll:
Wie wird das Wetter? → Klima
Wie ist das Tal entstanden? → Oberflächenformen
Welche Pflanzen können hier wachsen? → Pflanzen (Vegetation)
Wohin gehen die Menschen zum Einkaufen? → Bevölkerung/Städte
Wohin führt die Eisenbahnstrecke? → Verkehr
Was kann man auf diesem Feld anbauen? → Landwirtschaft
Dorf oder Stadt? → Städte
b) Weitere geographische Fragen könnten sein:
Kann man hier einen Staudamm bauen? Wie viele Menschen leben hier? Wann ist das Gebirge entstanden? Kann man hier Ski fahren? Welche touristischen Möglichkeiten gibt es hier?
4. a) individuelle Lösung
b) individuelle Lösung

Unterrichtsvorschlag

Unterrichtsphase	Inhaltlicher Schwerpunkt	Unterrichtsverlauf	Medien/Materialien
Einstieg	Beschreibung eines geographischen Raumes	Aufgabe 1	M1
Erarbeitung 1	Der geographische Raum	gemeinsames Lesen und Besprechen des Infokastens „Der geographische Raum"	Infokasten, M3
Ergebnissicherung 1	Geographische Räume abgrenzen	Aufgabe 2	M1
Erarbeitung 2	Geographische Fragen stellen	Aufgabe 3	M2
Ergebnissicherung 2 (auch als Hausaufgabe)	Transfer: Geographische Fragen an ein weiteres Bild einer Landschaft stellen	– Aufgabe 4 Alternativen: – Foto vorgeben – Schüler machen selbst Foto einer Landschaft in ihrer Heimatregion	Lehrbuch

S. 12/13 Neue Schule, neue Wege

Kompetenzen
Die Schülerinnen und Schüler können
– einen Stadtplan lesen. (Orientierung)

Grundbegriffe
– Kompass
– Windrose
– Luftlinie

Zusatzinformationen zu den Materialien
M2 Die Stadt Elze hat 8850 Einwohner befindet sich 17 km westlich von Hildesheim.
Der Stadtplan ist stark vereinfacht und konzentriert sich auf das Wesentliche, was in Rahmen dieses Unterrichtsthemas notwendig ist.

Tipps zum Atlaskarteneinsatz
zur Verortung von Elze:
Diercke 2, 6 (Regionalteil Niedersachsen): Niedersachsen – physisch (südöstlicher Teil)

Vorschlag zur Binnendifferenzierung

Aufgabe 5 ist nicht ganz einfach. Bei Bedarf kann auf sie verzichtet und nur Aufgabe 6 bearbeitet werden.

Lösungen der Arbeitsaufträge

1. Marie, Tom und Natascha wohnen nordwestlich von der Schule.

Carmen, Lisa, Niklas und Elias wohnen nordöstlich von der Schule.

Johannes und Paula wohnen westsüdwestlich von der Schule.

Claudia, Sören, Pia, Torben, Fabian und Christopher wohnen südwestlich von der Schule.

2. Christopher geht von seinem Wohnhaus in südliche Richtung, bis er die Hauptstraße erreicht. Dieser folgt er nach Norden, bis er auf die Schmiedetorstraße trifft, in die er Richtung Nordosten einbiegt. Nach kurzer Zeit erreicht er die Hildesheimer Landstraße (B1), der er ein Stück Richtung Nordosten folgt. Von der B1 biegt er Richtung Osten in eine Straße ab, die zur Christophorusschule führt.

3. Straßenkreuzung vor der Brücke, Straßenkreuzung nach der Brücke bei der Eisenbahnlinie, Überquerung der Reichsstraße oder der Hildesheimer Landstraße

4. Marie, Tom und Natascha: 2 km

Carmen, Lisa, Niklas und Elias: 1,8 km

Johanes und Paula: 1,1 km

Claudia und Sören: 1,3 km

Pia, Torben, Fabian und Christopher: 2,6 km

5. individuelle Lösung

6. a) individuelle Lösung

b) individuelle Lösung

Unterrichtsvorschlag

Unterrichtsphase	Inhaltlicher Schwerpunkt	Unterrichtsverlauf	Medien/Materialien
Einstieg	Kompass	Unter Bezug auf die Auftaktseite (S. 6/7), auf der bereits ein Kompass abgebildet war, wird hier der Kompass vorgestellt. Auf jeden Fall Kompass(e) für die Schüler zur Ansicht und zum Ausprobieren mitbringen.	Infokasten „Bestimmung der Himmelsrichtungen mit dem Kompass", Kompass
Ergebnissicherung	Windrose	– Die Schüler zeichnen anhand der Vorlage eine Windrose in ihr Heft. – Die Schüler fragen sich partnerweise ab, was die Abkürzungen der Himmelsrichtungen auf der Windrose (z. B. NNW) bedeuten. – Arbeitsblatt „Himmelsrichtungen"	Infokasten „Bestimmung der Himmelsrichtungen mit dem Kompass", Arbeitsblatt „Himmelsrichtungen" (Arbeitsheft)
Erarbeitung 1	Schulwege (Himmelsrichtungen)	– gemeinsames Lesen des Buchtextes – Aufgabe 1 – Aufgabe 2 – Aufgabe 3	M2
Erarbeitung 2	Schulwege (Luftlinienentfernung)	Aufgabe 4	M2, Infokasten „Luftlinie"
Vertiefung	Schulwege der Schüler	– Aufgabe 5 – Aufgabe 6	Kopie eines Stadtplans
Erweiterung	Schulwege der Schüler	7. Notiere von vier deiner neuen Mitschüler den Wohnort, das Verkehrsmittel, mit dem sie zur Schule kommen, und die Zeit, die sie für den Schulweg benötigen.	

15

1 Erdkunde = Räume erkunden

S. 14/15 Methode: Mit Google Earth den Schulweg erkunden

Kompetenzen
Die Schülerinnen und Schüler können
– mit Google Earth Standorte und Wegstrecken lokalisieren sowie Entfernungen messen. (Methode)

Zusatzinformationen zu den Materialien
M1 Je nach der verwendeten Version von Google Earth sowie der Voreinstellungen kann die Startseite variieren. Für diesen Screenshot wurde die in 6/2014 aktuelle Version verwendet.

Vorschlag zur Binnendifferenzierung
Sicher gibt es in der Klasse Schüler, die mehr, und Schüler, die weniger Erfahrung mit dem Computer haben. Bei der Arbeit am Computer sollten immer gemischte Gruppen gebildet werden.
Aufgabe 3 kann als Zusatzaufgabe für Schüler, die schon sicher im Umgang mit den Grundfunktionen von Google Earth sind, eingesetzt werden.
Schnelle Schüler können sich weitere Aufgaben (ähnlich Aufgabe 3) zu Google Earth überlegen und untereinander austauschen.

Lösungen der Arbeitsaufträge
1. individuelle Lösung
2. individuelle Lösung

3. a) Route vom Bahnhofsplatz zum Schloss Oldenburg: ca. 900 m
– auf Bahnhofsplatz nach Osten Richtung Kaiserstr.
– rechts abbiegen auf Kaiserstr.
– leicht links abbiegen auf Bleicherstr.
– rechts abbiegen auf Stau
– geradeaus auf Poststr.
– rechts Richtung Schlossplatz abbiegen
– links abbiegen auf Schlossplatz
b) 900 m (ca. 12 Minuten) kann man gut zu Fuß gehen.

Literatur
Pingold, M./Feick, S.: Google Earth konkret. Anregungen zum Unterrichtseinsatz jenseits von Spiel und Intuition. In: Praxis Geographie, H. 11/2009, S. 30–32.

Internet-Adressen
http://earth.google.de

Filme
FWU:
4611012 Geographie mit einem virtuellen Globus: Beispiel Google Earth

Unterrichtsvorschlag

Unterrichtsphase	Inhaltlicher Schwerpunkt	Unterrichtsverlauf	Medien/Materialien
Einstieg	Vorstellung von Google Earth	– Unter Bezug auf die Auftaktseite (S. 6/7), auf der bereits ein Screenshot von Google Earth abgebildet ist, wird Google Earth kurz in einem LV vorgestellt. – Falls vorhanden, Erfahrungen der Schüler mit Google Earth erfragen (insbesondere Anwendungsmöglichkeiten).	
Erarbeitung 1	Einführung in Google Earth	– Aufrufen von Google Earth – in M1 dargestellte Funktionen ausprobieren – Aufgabe 1	M1, Computer mit Google Earth (idealerweise für jeweils zwei Schüler)
Erarbeitung 2	Schulweg in Google Earth	Aufgabe 2 in PA	Methodenkästen
Vertiefung	Messung von Strecken zwischen mehreren Punkten	Aufgabe 3	

S. 16/17   Orientierung im Gelände

Kompetenzen

Die Schülerinnen und Schüler können
– mithilfe eines Kompass oder anderer Hilfsmittel Himmelsrichtungen bestimmen. (Orientierung)

Zusatzinformationen zu den Materialien

M1 Da viele Schüler ein Smartphone besitzen, können sie die Kompassanzeige ihres Smartphones mit dem Foto in M1 vergleichen.

M2 Der Polarstern (auch Nordstern oder Polaris) ist nur auf der Nordhalbkugel sichtbar. Während sich im Laufe der Nacht alle anderen Sterne und Sternbilder infolge der Erdrotation auf einer Kreisbahn am Nachthimmel bewegen, verharrt der Polarstern im Zentrum dieser Sternenbahnen, direkt über dem Nordpol. Und so findet man den Polarstern: Man sucht zunächst das gut sichtbare Sternbild des Großen Wagens. Dann verlängert man den Abstand der beiden hinteren Sterne des Großen Wagens etwa fünfmal. So trifft man genau auf den Polarstern, der zum weniger gut sichtbaren Sternbild des Kleinen Wagens gehört.

M4 Bäume die beständigen regenbringenden Winden aus einer Richtung (bei uns aus Westen) ausgesetzt sind, sind häufig auf dieser feuchteren Seite mit Moos bewachsen. Der Regen kommt hier im Bild also von rechts. Dort müsste dann auch Westen sein.

M5 Windflüchter findet man nur an windexponierten Stellen, d. h. im Kammbereich von Gebirgen, auf windoffenen Höhen oder an Küsten. Die so genannte Windfahne zeigt zur windabgewandten Seite. Der Wind kommt also in diesem Foto von links.

Vorschlag zur Binnendifferenzierung

Übungen zur Bestimmung der Himmelsrichtungen können arbeitsteilig durchgeführt werden (einfach: mit dem Kompass, schwieriger: mit der Armbanduhr).

In Aufgabe 4 müssen nicht alle drei Unteraufgaben von allen Schülern bearbeitet werden.

Einzelne Schüler können bei entsprechenden Bedingungen (abends frühe Dunkelheit, klarer Himmel), versuchen, den Polarstern anhand von M2 zu bestimmen.

Interessierte Schüler können sich mithilfe der Anleitung „Wir bauen einen Kompass" einen eigenen Kompass bauen.

Lösungen der Arbeitsaufträge

1. – Muslime können für die täglichen Gebete mit einem Kompass die östliche Richtung bestimmen. (beim Gebet nach Mekka wenden)
– Nachts kann man bei klarem Himmel anhand des Polarsterns die Richtung des Nordpols bestimmen.
– Beim Wandern kann man Westen gut an bemoosten Baumstämmen oder an den geneigten Kronen der Windflüchter erkennen.
– Mit einem GPS-unterstützten Navigationssystem können Routen berechnet werden.

2. a) individuelle Lösung
b) individuelle Lösung

3. individuelle Lösung

4. a) – In Autos und Schiffen können genaue Routen berechnet und werden, bei Unfällen wird die genaue Position angegeben.
– Bei Flugzeugen kann zur Spritminimierung und zum sicheren Fliegen die genaue Streckenlänge und -dauer berechnet werden.
– Flugzeuge und Schiffe können von Autopiloten gesteuert werden.
b) – Richtungsangabe beim Orientierungslauf
– Routenberechnung für Wanderer und Radfahrer
– Geocaching
c) – Orientierung im Raum
– Vermessung

Literatur

Fraedrich, W.: Wie orientiert man sich im Gelände? In: geographie heute, H. 231/232, 2005, S. 4 – 8.

Filme

FWU:
4602762 Orientierung auf der Erde

1   Erdkunde = Räume erkunden

Unterrichtsvorschlag

Unterrichtsphase	Inhaltlicher Schwerpunkt	Unterrichtsverlauf	Medien/Materialien
Einstieg	Problemeinführung	Wo ist eigentlich Norden? → Die Schüler nennen ihnen bekannte Möglichkeiten zur Bestimmung der Himmelsrichtungen.	
Erarbeitung	Möglichkeiten zur Bestimmung der Himmelsrichtungen	Zunächst werden die Texte zu den von den Schülern genannten Möglichkeiten gemeinsam gelesen, anschließend werden die anderen Möglichkeiten besprochen.	M1–M6
Ergebnissicherung		– Aufgabe 1 – praktische Übungen zur Bestimmung der Himmelsrichtungen (mit Kompass, mit Armbanduhr und Sonne [Aufgabe 2] ...) – Aufgabe 3 (als Hausaufgabe)	Kompass bzw. Smartphone mit Kompassfunktion, Armbanduhr
Vertiefung	GPS-Geräte	Aufgabe 4	evtl. GPS-Gerät

S. 18/19   Vom Luftbild zur Karte

Kompetenzen
Die Schülerinnen und Schüler können
– die Aussagefähigkeit von Schräg- und Senkrechtluftbildern sowie Karten vergleichen. (Fachwissen)

Grundbegriffe
– Luftbild
– Senkrechtluftbild
– Schrägluftbild
– Signatur
– Legende

Zusatzinformationen zu den Materialien
M1 Das Senkrechtluftbild zeigt die Innenstadt von Hannover. Deutlich erkennbar sind Straßenzüge, Häuserzeilen, Grünflächen sowie der Hauptbahnhof mit den Gleisen. Zur näheren Bestimmung der erkennbaren Elemente kann die Karte M3 hinzugezogen werden, die aber nur einen Ausschnitt des Satellitenbildes abbildet (etwa die beiden linken Drittel des Satellitenbildes).
M2 Das Schrägluftbild zeigt im Vordergrund das neue Rathaus und wurde Richtung Norden aufgenommen.

Tipps zum Atlaskarteneinsatz
Diercke Weltatlas, 12: Vom Bild zur Karte; 36.1: Hannover – Einkaufs- und Dienstleistungszentrum (vom Ausschnitt her ähnlich wie M3, aber thematische Karte)

Diercke 2, Karten S. 8/9: Vom Bild zur Karte (am Beispiel von Lindau; Schrägluftbilder, Senkrechtluftbild, Karte)
Diercke Drei, 66/67.1: Berlin – vom Bild zur Karte

Vorschlag für ein Tafelbild
Vom Luftbild zur Karte

Senkrechtluftbild $\xrightarrow[\text{Einfügen von zusätzlichen Informationen}]{\text{Weglassen von unwichtigen Einzelheiten}}$ Karte
mit Signaturen, die in der Legende erklärt werden

Lösungen der Arbeitsaufträge
1.

Opernhaus   Hauptbahnhof

Landtag   Neues Rathaus
M1 Senkrechtluftbild der Innenstadt von Hannover

Hauptbahnhof   Opernhaus

Landtag   Neues Rathaus

M2 Schrägluftbild der Innenstadt von Hannover

2. Obwohl auf dem Schrägluftbild beide Gebäude leichter zu erkennen sind, eignet sich das Senkrechtluftbild besser für eine Wegbeschreibung, da hier die Straßenzüge und damit auch die Entfernung eher sichtbar werden.

3. Gegenüber dem Senkrechtluftbild enthält der Stadtplan Informationen über bebaute und nicht bebaute Flächen, Differenzierung der Grünflächen, öffentliche Gebäude, Verkehrswege, nach ihrer Funktion differenziert, Parkmöglichkeiten und Straßennamen.

4. Senkrechtluftbild: einen Weg finden, Entfernungen messen, eine Karte erstellen

Für diese Tätigkeiten ist es erforderlich, die Straßenzüge möglichst genau zu erkennen. Dies ist auf dem Schrägluftbild kaum möglich.

Schrägluftbild: Gebäude- oder Berghöhe bestimmen, einen Touristenprospekt erstellen

Für diese Tätigkeiten ist das Schrägluftbild besser geeignet, da man hierauf Bauwerke oder aber Berge in ihrer Höhe differenzieren kann, was auf dem Senkrechtluftbild nicht möglich ist. Zudem sind hier bedeutende Gebäude oder andere Sehenswürdigkeiten durch die schräge Aufnahmeperspektive besser erkennbar, sodass das Wiedererkennen der auf dem Foto dargestellten Gebäude o. Ä. in der Realität leichter fällt.

Unterrichtsvorschlag

Unterrichtsphase	Inhaltlicher Schwerpunkt	Methodisches Vorgehen	Medien/Materialien
Erarbeitung 1	Vergleich: Senkrechtluftbild – Schrägluftbild	– Beschreibung Senkrechtluftbild (M1) und Schrägluftbild (M2) – Entstehung von Schräg- und Senkrechtluftbild (M4) – Aufgabe 1 – Aufgabe 2	M1, M2, M4
Erarbeitung 2	Vom Senkrechtluftbild zur Karte	– Text im Schülerbuch wird gemeinsam gelesen – Vergleich Senkrechtluftbild (M1) und Karte (M3) unter den Fragestellungen „Was wurde weggelassen?" und „Was wurde ergänzt?" (= Aufgabe 3)	M1, M3
Vertiefung	Luftbilder des Schulortes	Die Schüler betrachten Luftbilder ihres Schulortes (z. B. aus Google Earth) und versuchen, Bekanntes zu entdecken (z. B. Schule, Rathaus, Kirchen).	Senkrecht-/Schrägluftbilder des Schulortes
Ergebnissicherung		– Aufgabe 4 – Arbeitsblatt „Luftbild und Karte"	Arbeitsblatt „Luftbild und Karte" (Arbeitsheft)

S. 20/21   Mit Karten arbeiten

Kompetenzen

Die Schülerinnen und Schüler können
– verschiedene Arten von Karten unterscheiden. (Fachwissen)

Grundbegriffe

– topographische Karte
– thematische Karte
– physische Karte
– Relief

1 Erdkunde = Räume erkunden

- Meeresspiegel
- Höhenschicht
- Höhenlinie

Zusatzinformationen zu den Materialien
M1 TK 100 000
M2 entspricht Diercke Weltatlas, 69.7: Freiburg im Breisgau – Solarprojekte

Tipps zum Atlaskarteneinsatz
Diercke Weltatlas, 13: Eine thematische Karte lesen und auswerten; 16: Physische Karten auswerten; 19.2: Deutschland – Physische Karte; S. 6 – 9: Überblick über die thematischen Karten nach Themen
Diercke 2, 10.1: Stadtplan Köln (= thematische Karte); 10.2 Amtliche topographische Übersichtskarte; S. 5 – 7: Überblick über die thematischen Karten nach Sachgruppen
Diercke Drei, 81.3: Nationalpark Berchtesgaden – Topographische Karte 1 : 50 000

Vorschlag für ein Tafelbild

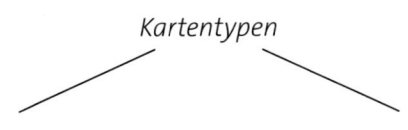

Kartentypen

topographische Karten
- bilden Erdoberfläche möglichst genau ab
- enthalten u. a. Höhenlinien
- dienen vor allem der Orientierung

thematische Karten
- liefern Informationen zu einem bestimmten Thema
- Sonderform: physische Karten (ähnlich topographischen Karten, aber nicht so detailliert; ohne Höhenlinien, stattdessen farbliche Darstellung des Reliefs)

Vorschlag zur Binnendifferenzierung
Der Modellversuch kann auch in Partnerarbeit durchgeführt werden.

Lösungen der Arbeitsaufträge
1. Die topographische Karte M1 wäre beispielsweise sinnvoll einsetzbar, wenn man eine Radtour oder eine Wanderung durchführen möchte und keine Wanderkarte zur Verfügung steht.
Die thematische Karte M2 könnte Einsatz finden, wenn man sich über die Nutzung der Solarenergie in Freiburg informieren möchte.
2. Individuelle Lösung. Bei dieser Aufgabe sollten die Schüler zunächst das Thema der ausgewählten Karte beschreiben, um dann auf die kartographische Ausführung einzugehen (Wie wird das Kartenthema dargestellt? Welche Farben und Signaturen werden gewählt? etc.).
3. Um den Berg herum werden gedanklich (bzw. auf den Fotos M4 und M5 auch tatsächlich) Linien gleicher Höhe über dem Meeresspiegel im Abstand von 25 Höhenmetern gezogen. Diese werden dann beim Zeichnen der Karte mit auf diese übertragen. Um die unterschiedlichen Höhen deutlicher sichtbar zu machen, werden die Flächen zwischen den Höhenlinien bräunlich eingefärbt. Je höher der Bereich, desto dunkler der Farbton.
4. Geeignet zur Lösung dieser Aufgabe ist die Karte „Deutschland nördlicher Teil – Physische Karte" (Diercke Weltatlas, 20/21). Folgende Höhen können hier ermittelt werden:
Hamburg 6 m ü. M.
Ostfriesland nördlich von Emden –2,3 m ü. M.
Hannover 55 m ü. M.
Brocken im Harz 1142 m ü. M.
5. a) – c) individuelle Lösung
d) Je dichter die Höhenlinien, desto steiler ist der Berg.

Literatur
Hüttermann, A.: Kartenkompetenz weiterentwickeln. Vorkenntnisse aus der Grundschule ermitteln, aufgreifen und ausbauen. In: geographie heute, H. 269, 2009, S. 16 – 23.
Schacht, S.: Höhen und Höhenschichten. Arbeitsanregungen zum Thema „Reliefdarstellung". In: Praxis Geographie, H. 7 – 8/2007, S. 46 – 47.

Filme
FWU:
4602762 Orientierung auf der Erde
4602455 Kartenlesen ist ganz einfach

Unterrichtsvorschlag

Unterrichtsphase	Inhaltlicher Schwerpunkt	Unterrichtsverlauf	Medien/Materialien
Einstieg	Vergleich topographische Karte – thematische Karte	Vergleich der Darstellungen von Freiburg in der topographischen (M1) und der thematischen Karte (M2) (Aufgabe 1)	M1, M2
Erarbeitung 1	Kartentypen	Lesen des Lehrbuchtextes (linke Spalte)	M1, M3

Unterrichtsphase	Inhaltlicher Schwerpunkt	Unterrichtsverlauf	Medien/Materialien
Ergebnissicherung 1		– Zusammenfassung Kartentypen (s. Tafelbild) – Aufgabe 2 (s. auch Tipps zum Atlaskarten-einsatz: Übersicht thematische Karten) – evtl. auch andere topographische Karten im Atlas beschreiben (s. Tipps zum Atlaskarten-einsatz)	Atlas
Erarbeitung 2	Höhendarstellungen in Karten	– Lesen des Lehrbuchtextes (rechte Spalte) – Aufgabe 3	M3–M6
Ergebnissicherung 2		– Aufgabe 4 (auch als Hausaufgabe) – Arbeitsblatt „Wie kommt der Berg in die Karte?"	Atlas, Arbeitsblatt „Wie kommt der Berg in die Karte?" (Arbeitsheft)
Vertiefung	Modellversuch: Wie kommt der Berg in die Karte?	– Durchführung des Modellversuchs zu Hause oder in der Schule (längliche Kartoffeln mit-bringen lassen; Messer und Zahnstocher zur Verfügung stellen) (Aufgabe 5a) – Auswertung anhand der Aufgaben 5b)–d)	Kartoffeln, Messer, Zahnstocher

S. 22/23   Der Maßstab

Kompetenzen

Die Schülerinnen und Schüler können
– mithilfe des Maßstabs Entfernungen in Karten lesen. (Methode)

Grundbegriffe

– Maßstab

Zusatzinformationen zu den Materialien

M3 Die Euro-Münze ist nicht mehr zu erkennen. Ihre Lage ist mit einem roten Kreis markiert.
M4 Die letzte Erläuterung sollen die Schüler selbst erstel-len (Aufgabe 4).
M5 Auszug aus der Atlaskarte Diercke Weltatlas, 36.3: Re-gion Hannover – Flächennutzung und Raumplanung.
M6 Auszug aus der Atlaskarte Diercke Weltatlas, S. 24/25: Deutschland südlicher Teil – Physische Karte.

Tipps zum Atlaskarteneinsatz

Diercke Weltatlas, 17: Mit dem Maßstab arbeiten für Aufgabe 7:
Diercke Weltatlas, 20/21: Deutschland nördlicher Teil – Physische Karte
Diercke Weltatlas 2, 16/17: Deutschland nördlicher Teil – physisch
Diercke Drei, 48/49: Deutschland (nördlicher Teil) – phy-sisch

Vorschlag für ein Tafelbild

Maßstab
= Maß für die Verkleinerung eines Raumes in einer Karte

Beispiel:
Maßstab 1 : 10 000 → Der Raum ist in der Karte 1000-mal kleiner dargestellt als in der Wirklichkeit. 1 cm in der Kar-te entsprechen 10 000 cm (= 100 m) in der Wirklichkeit.
großer Maßstab (kleine Maßstabzahl [< 2 000 000]) → große Abbildung der Wirklichkeit
kleiner Maßstab (große Maßstabzahl [>= 2 000 000]) → kleine Abbildung der Wirklichkeit

Vorschlag zur Binnendifferenzierung

Schüler, die die Streckenberechnung mit dem Maßstab verstanden haben, können anderen Schülern das Lesen eines Maßstabs erklären, evtl. auch an der Tafel.
Zur Übung können die Schüler bei Bedarf weitere Aufga-ben auf der Basis von Atlaskarten entwickeln.

Lösungen der Arbeitsaufträge

1. Das Steinhuder Meer liegt in Niedersachsen, ca. 30 km westlich von Hannover. Der Bodensee liegt an der deutsch-schweizerisch-österreichischen Grenze im Sü-den von Baden-Württemberg.
2. Individuelle Lösung. In dem Brief müsste deutlich wer-den, dass der Denkfehler darin besteht, die unterschied-lichen Kartenmaßstäbe bei den Überlegungen nicht be-rücksichtigt zu haben. Die Karte des Steinhuder Meeres hat einen größeren Maßstab als die des Bodensees.
3. Die Uferlänge des Steinhuder Meeres beträgt bei geglät-teten Kurven ohne Inseln ca. 22 km, die des Bodensees ca. 273 km. Bei der Aufgabe muss berücksichtigt werden, dass es zu relativ starken Abweichungen kommen kann, da die Messung mithilfe eines Fadens sehr ungenau ist, insbeson-dere je kleiner der Kartenmaßstab ist.

21

1 Erdkunde = Räume erkunden

4. 1 : 100 000 bedeutet: 1 cm in der Karte entspricht 100 000 cm (= 1000 m = 1 km) in der Wirklichkeit.

5. 1 : 5 000, 1 : 50 000, 1 : 100 000, 1 : 200 000, 1 : 16 000 000

6. Die Abbildung der Münze ist umso größer, je größer der Maßstab ist, und umso kleiner, je kleiner der Maßstab ist.

7. a) Man misst 3 cm. Bei einem Maßstab von 1 : 1 500 000 beträgt damit die Entfernung von Oldenburg nach Vechta ca. 45 km.

b) Hierbei muss man den umgekehrten Rechenweg gehen. Bei einem Maßstab von 1 : 1 500 000 entsprechen 90 km einer auf der Karte gemessenen Strecke von 6 cm. Mögliche Ziele im Umkreis von 90 km wären dann z. B. Lingen oder Osnabrück.

Unterrichtsvorschlag

Unterrichtsphase	Inhaltlicher Schwerpunkt	Unterrichtsverlauf	Medien/Materialien
Einstieg	Darstellung in unterschiedlichen Maßstäben	Betrachtung der Euro-Münze in M1–M3, Darstellung der Unterschiede	M1–M3
Erarbeitung	Der Maßstab	– Einführung in den Maßstab (LV) – Streckenberechnung mit dem Maßstab (Infokasten, Aufgabe 4)	
Vertiefung	Übungen zum Maßstab	– Aufgaben 1–3, 5, 6, 7 (auch teils als Hausaufgabe) – Arbeitsblatt „Maßstab"	Atlas, Arbeitsblatt „Maßstab" (Arbeitsheft)
Test			Test/Lösung „Maßstab" (CD-ROM)

S. 24/25   Methode: Mit dem Atlas arbeiten

Kompetenzen
Die Schülerinnen und Schüler können
– mit dem Atlas arbeiten. (Methode)

Grundbegriffe
– Atlas

Zusatzinformationen zu den Materialien
M1 Der dargestellte Aufbau gilt für die folgenden Atlanten: Diercke Weltatlas, Diercke 2, Diercke Drei sowie viele andere Atlanten.
M2 Kartengrundlage: Diercke Weltatlas, 20: Deutschland nördlicher Teil – physisch

Tipps zum Atlaskarteneinsatz
Für diese Unterrichtseinheit wird der gesamte Atlas benötigt.

Vorschlag für ein Tafelbild
Aufbau des Atlas
1. Kartenübersicht

2. Inhaltsverzeichnis, Karten geordnet nach — Großregionen
— Themenbereichen

3. Kartenteil

4. Register — Namensregister
— Sachwortregister

Vorschlag zur Binnendifferenzierung
Bei Aufgabe 1 und 3 können Berge bzw. Namen entfallen, sodass der Arbeitsaufwand geringer wird.
Die Schüler können sich entsprechend Aufgabe 1 und 3 weitere Aufgaben selbst überlegen und ihren Mitschülern stellen.
Aufgabe 4f) kann bei Bedarf entfallen.

Lösungen der Arbeitsaufträge
1. Lösung für den Diercke Weltatlas:

Berg	Seite/Karte	Planquadrat	Höhe in m
Brocken	19.2	D3	1142
Wurmberg	20	F4	971
Zugspitze	19.2	D5	2962
Schneeberg	19.2	D3	1051
Grünten	24	F4	1738
Großer Feldberg	27	C6	879
Fichtelberg	27	G6	1214
Großer Beerberg	19.2	D3	982

2. individuelle Lösung (z. B. Eisen- und Stahlerzeugung, Buntmetallverhüttung, Aluminiumverhüttung, Metallindustrie, Feinmechanik, Druckgewerbe)

3. Lösung für den Diercke Weltatlas:

	Seite/Karte	Planquadrat	geographisches Objekt
Aconcagua	240.1	F7	Berg (6690 m)
Suriname	228.3	D2	Staat (Südamerika)
Aksay	184	D3	Stadt (Ostasien)
Kotto	155	E4	Fluss (Zentralafrikanische Republik)
Pordenone	134.1	D2	Stadt (Italien)
Dubbo	201.4	D4	Stadt (Australien)
Saskatchewan	206/212	G4/D2	Fluss/Provinz (Kanada)

4. a) Emmerich, **b)** Wesel, **c)** Köln, Flughafen Köln-Bonn, **d)** Peking (Beijing), S. 184/185, Planquadrat F3, 37 m, **e)** Kashi, Wüste Takla Makan, **f)** individuelle Lösung

Literatur

Kraft, P.: Von der Kartenübersicht bis zum Register. Erste Schritte mit dem Atlas. In: Praxis Geographie, H. 6/2014, S. 10–14.

Losch, V.: Atlas-Rallye für den Diercke 2008. Eine Einführung in die Arbeit mit dem neuen Diercke. (7 Seiten; aktualisierte Version nur im Download: http://www.westermann-fin.de)

Unterrichtsvorschlag

Unterrichtsphase	Inhaltlicher Schwerpunkt	Unterrichtsverlauf	Medien/Materialien
Einstieg	individuelles Kennenlernen des Atlas	Die Schüler blättern ohne konkrete Aufgabe in ihrem Atlas.	Atlas
Erarbeitung 1	Aufbau des Atlas	– Der Textabschnitt „So ist dein Atlas aufgebaut" wird gemeinsam gelesen. Dabei schlagen die Schüler die jeweils angesprochenen Teile des Atlas auf. – zur Übung: Aufgaben 1 und 3 – zur Übung im Umgang mit Planquadraten auf Atlaskarten: Spiel „Schiffe versenken"	M1, Atlas, Spiel „Schiffe versenken" (CD-ROM)
Erarbeitung 2	Karten sind eingenordet Signaturen	– Hinweis darauf, dass Karten immer eingenordet sind – Begriff „Signaturen" einführen und in Atlaskarte beispielhaft untersuchen – gemeinsames Lesen der Textabschnitte „Karten sind eingenordet" und „Die Sprache der Karten" – Aufgabe 2	Atlas
Vertiefung		– Aufgabe 4 (in PA oder als Hausaufgabe) – Atlasrallye	Atlas, Arbeitsblätter „Atlasrallye" (Arbeitsheft)

S. 26/27 Methode: Eine Kartenskizze anfertigen

Kompetenzen

Die Schülerinnen und Schüler können
– eine Kartenskizze anfertigen. (Methode)

Zusatzinformationen zu den Materialien

M1 Dies ist die Kartenskizze einer Schülerin, deren Entstehung in den Fotos M2–M5 dokumentiert wird. Sie enthält eine Auswahl der wichtigsten Städte, Gebirge und Flüsse Deutschlands. Die in der Karte eingetragenen Zahlen (für Städte), Großbuchstaben (für Gebirge) und Kleinbuchstaben (für Flüsse) werden in der Legende außen um die Karte erklärt. Dies hätte die Schülerin auch auf einem extra Blatt machen können, wo mehr Platz vorhanden gewesen wäre.

Grundlage für die Kartenskizze ist die Karte 14.1 (Physische Karte Deutschland) im Diercke Weltatlas.

Tipps zum Atlaskarteneinsatz

für Aufgabe 1:

Diercke Weltatlas, 20/21: Deutschland nördlicher Teil – Physische Karte

Diercke 2, Regionalteil Niedersachsen, 3: Physische Übersicht

Diercke Drei, 48/49: Deutschland (nördlicher Teil) – physisch

1 Erdkunde = Räume erkunden

Vorschlag für ein Tafelbild
Kartenskizze
Kennzeichen: generalisiert, Konzentration auf das Wesentliche, mit Legende
Vorteile: übersichtlich, beim Zeichnen prägen sich Inhalte ein

Vorschlag zur Binnendifferenzierung
Lernstarke Schüler benötigen eventuell keine Vorgabe, was sie in die Kartenskizze von Niedersachsen einzeichnen sollen (vgl. Aufgabe 1).

Lösungen der Arbeitsaufträge
1. individuelle Lösung
2. Individuelle Lösung. Die Schüler sollen an ihrer Kartenskizze anhand von Beispielen aufzeigen, dass Grenzen natürlich nicht ganz genau eingezeichnet sind. Die Städte können nicht mit den einzelnen Häusern, Straßen etc. eingetragen werden. Lediglich ein Punkt symbolisiert beispielsweise eine Stadt wie Hannover. Das gleiche gilt auch für Gebirge, die als farbige Flächen einzuzeichnen sind. Wichtig ist, dass sich ein Betrachter der Karte gut vorstellen kann, wie die großen Städte, Flüsse, und Gebirge in Niedersachsen räumlich zueinander verteilt sind.

Literatur
Frank, F./Obermaier, G.: Anfertigung topographischer Skizzen und einfacher Karten. In: Praxis Geographie, H. 11/2009, S. 10–13.

Unterrichtsvorschlag

Unterrichtsphase	Inhaltlicher Schwerpunkt	Unterrichtsverlauf	Medien/Materialien
Einstieg	Kennzeichen und Vorteile einer Kartenskizze	Betrachtung von M1: Kennzeichen und Vorteile einer Kartenskizze im UG besprechen	M1
Erarbeitung 1	Schlüsseldenkweise: Generalisieren	Erläuterung des Generalisierens anhand des Beispiels Verden (s. Kasten Schlüsseldenkweise)	Kasten Schlüsseldenkweise „Generalisieren"
Erarbeitung 2	Anfertigen einer Kartenskizze	Anfertigen einer Kartenskizze von Niedersachsen entsprechend der Anleitung (Aufgabe 1), evtl. auch als Hausaufgabe	M1–M4, Zeichenmaterialien, Atlas
Ergebnissicherung		Aufgabe 2	

S. 28/29   Kompetenztraining

Lösungen der Arbeitsaufträge
1. Individuelle Lösung. Beispiel: Im Fach Erdkunde untersucht man die Erdoberfläche, ihre Beschaffenheit und ihre Bedeutung für das Leben der Menschen. Man erfährt, wie die Menschen in verschiedenen Räumen leben. Die Erdkunde soll Probleme und Lösungen aufzeigen, wie wir mit unserem Planeten verantwortungsbewusst umgehen können.
2. a) Süden
b) Südosten
c) Nordosten
d) Osten
e) Westen
f) Nordwesten
g) Norden
h) Südwesten

3. M4: Blickrichtung nach Süden
M5: Blickrichtung nach Norden
M6: Blickrichtung nach Süden
4. 1 – C, 2 – A, 3 – B
5. a) Individuelle Lösung. Lösungshinweis: 1 cm auf dem Papier = 100 cm in Wirklichkeit (also 1 m).
b) 1 cm auf der Karte entsprechen 1 500 000 cm (= 15 000 m = 15 km) in der Wirklichkeit. Somit entsprechen 8 cm auf der Karte 120 km in der Wirklichkeit.
6. a) 25, F4; Signatur: Schloss, Burg
b) Das Foto wurde aus Süden aufgenommen, die Blickrichtung geht nach Norden, denn im Hintergrund sind keine Berge der Alpen zu sehen, sondern relativ flaches bis leicht welliges Gelände (Alpenvorland) mit dem Forggensee.

7.

	Seite/Karte	Planquadrat	Höhe in m
Pico de Aneto	132.1	F2	3404
Großglockner	86.1	E4	3798
Mindra	138	D3	2519
Piz Bernina	86.1	D4	4049
Parnass	139	D6	2457
Mont Blanc	86.1	D4	4810
Kebnekajse	106.2	D2	2111
Triglav	115	L3	2864

8. a) 1 cm = 50 km = 5 000 000 cm. Maßstab 1 : 5 000 000.
b) 1 Lüneburg, 2 Wolfsburg, 3 Braunschweig, 4 Hildesheim, 5 Göttingen, 6 Osnabrück, 7 Meppen, 8 Emden, 9 Oldenburg, 10 Wilhelmshaven, 11 Cuxhaven

c) Individuelle Lösung. 1 Hannover – Lüneburg: ca. 110 km; 2 Hannover – Wolfsburg: ca. 75 km; 3 Hannover – Braunschweig: ca. 55 km; 4 Hannover – Hildesheim: ca. 28 km; 5 Hannover – Göttingen: ca. 90 km; 6 Hannover – Osnabrück: ca. 110 km; 7 Hannover – Lingen: ca. 160 km; 8 Hannover – Emden: ca. 200 km; 9 Hannover – Oldenburg: ca. 130 km; 10 Hannover – Wilhelmshaven: ca. 170 km; 11 Hannover – Cuxhaven: ca. 170 km (jeweils Luftlinie)
9. Individuelle Lösung. Lösungshinweis: In der Legende sollten Straßen, Flüsse, Seen, Eisenbahnlinien, Bahnhof, Bebauung und landwirtschaftliche Fläche vorkommen.

2 Unsere Erde

S. 30/31 Kapitelauftaktseite

Auch wenn das Kapitel „Unsere Erde" heißt, so muss die Erde im Sonnensystem betrachtet werden, was nicht nur auf der ersten Themendoppelseite (S. 32/33: Unser Sonnensystem), sondern auch in der Grafik der Auftaktseite geschieht.

Zusatzinformationen

Die Grafik zeigt des Sonnensystems mit maßstabsgerechter Darstellung der Planeten. Von innen nach außen: Sonne, Merkur, Venus, Erde, Mars, Jupiter, Saturn, Uranus, Neptun (s. auch S. 32, M1). Die Erde, die im Zentrum dieses Kapitels steht, wurde vergrößert hervorgehoben.

Einsatz im Unterricht

Mithilfe der Grafik kann das Vorwissen der Schüler abgefragt werden (z. B. Was ist ein Sonnensystem? Welche Planeten kennt ihr bereits?). Zudem dient sie zur Einstimmung auf die folgende Themendoppelseite (S. 32/33: Unser Sonnensystem).

S. 32/33 Unser Sonnensystem

Kompetenzen

Die Schülerinnen und Schüler können
- wiedergeben, was ein Planet, ein Stern und eine Galaxie ist. (Fachwissen)
- die Planeten unseres Sonnensystems in der richtigen Reihenfolge nennen. (Fachwissen, Orientierung)

Grundbegriffe

- Stern
- Galaxie
- Milchstraße
- Sonne
- Sonnensystem
- Planet
- Rotation

Zusatzinformationen zu den Materialien

M2 Die Anzahl der Monde ist bei einigen Planeten (z. B. Jupiter) variabel. Hier sind die aktuellen Zahlen angegeben. Die Angaben zu Rotationsdauer und Umlaufzeit wurden gerundet.
M3 Diese Merkmale wurden von der Internationalen Astronomischen Union (IAU) im August 2006 aufgestellt. Dies führte dazu, dass Pluto seinen vormaligen Status als Planet verlor, da er Punkt 3 nicht erfüllt.
M4 Hier sind nur einige weitere Sonnensysteme beispielhaft markiert. Die Grafik soll den Schülern verdeutlichen, dass die Erde im Weltall nur einer von Milliarden Himmelskörpern ist.

Tipps zum Atlaskarteneinsatz

Diercke Weltatlas, 323.8: Größenvergleich der Planeten unseres Sonnensystems; 323.9: Umlaufbahnen um die Sonne; 323.11: Milchstraßensystem (Galaxis); 323.12: Aufbau des Universums

Diercke Weltatlas 2, 197.8: Größenvergleich der Planeten unseres Sonnensystems; 197.9: Umlaufbahnen um die Sonne; 197.11: Milchstraßensystem (Galaxis); 197.12: Aufbau des Universums
Diercke Drei, 242.1: Milchstraßensystem (Galaxie); 242/243.2: Das Sonnensystem; 242.3: Größenvergleich Sonne und Planeten

Vorschlag für ein Tafelbild

Weltall
  besteht aus vielen:
    Galaxien (z. B. Milchstraße)
      bestehen aus vielen:
        Sonnensysteme
          bestehen aus:
            Sonne (= Stern) und Planeten (z. B. Erde)
              Planeten können besitzen:
                Monde (= Trabanten)

Vorschlag zur Binnendifferenzierung

Im Rahmen der Gruppenarbeitsphase kann sich eine zusätzliche, besonders leistungsstarke Gruppe mit Pluto beschäftigen und dabei den Verlust seines Planetenstatus thematisieren. Dann würde die im Unterrichtsvorschlag eingeplante Vertiefung 1 entfallen.

Lösungen der Arbeitsaufträge

1. Merkur, Mars, Venus, Erde, Neptun, Uranus, Saturn, Jupiter
2. Der Merksatz steht für die Anordnung der Planeten unseres Sonnensystems, ausgehend von der mittleren Entfernung zur Sonne, beginnend mit der kleinsten Entfernung. Die Anfangsbuchstaben der Wörter sind gleichzeitig die Anfangsbuchstaben der Planeten in der richtigen Reihenfolge.

3. Ein Stern ist das Zentrum eines Sonnensystems, um welches die Planeten auf festen Bahnen kreisen. Die Trabanten kreisen um einzelne Planeten und im Gegensatz zu den Sternen leuchten Planeten und Trabanten nicht selbst, sie werden nur angestrahlt.

4. individuelle Lösung

Filme

FWU:

4632703 Das Wunder unseres Sonnensystems

4602642 Das Sonnensystem

Internet-Adressen

http://www.blinde-kuh.de/weltall

http://www.kindernetz.de, Suchwort: Planeten → SWR

Unterrichtsvorschlag

Unterrichtsphase	Inhaltlicher Schwerpunkt	Unterrichtsverlauf	Medien/Materialien
Einstieg		Der Einstieg erfolgt über die Kapitelauftaktseite. alternativ: Fantasiereise „Ein Ausflug ins Weltall" und anschließende Betrachtung der Kapitelauftaktseite	S. 30/31, Fantasiereise „Ein Ausflug ins Weltall" (CD-ROM)
Erarbeitung 1	Aufbau des Universums	gemeinsames Lesen des Lehrbuchtextes, dabei Entwicklung des Tafelbildes	M4
Ergebnissicherung 1		– Tafelbild – Aufgabe 3	
Erarbeitung 2	Unser Sonnensystem mit den Planeten	– arbeitsteilige Gruppenarbeit: Neun Gruppen mit jeweils ca. drei Schülern erstellen einen Steckbrief eines Himmelskörpers (Sonne bzw. Planeten) unseres Sonnensystems. Eintrag der Arbeitsergebnisse in das Himmelskörperlogbuch. Vortrag im Rahmen des Projekts „Das Sonnensystem auf dem Schulhof" oder im Anschluss an die Gruppenarbeitsphase. – Aufgabe 1 – Aufgabe 2	M1, M2, Lexika, Sachbücher, Internet, Kopiervorlage/Lösung „Himmelskörperlogbuch" (CD-ROM)
Ergebnissicherung 2		Arbeitsblatt „Unser Sonnensystem"	Arbeitsblatt „Unser Sonnensystem" (Arbeitsheft)
Vertiefung 1	Klassifizieren – Fallbeispiel Pluto	Problemfrage: Warum ist Pluto seit 2006 kein Planet mehr?	Kasten Schlüsseldenkweise „Klassifizieren", M3
Vertiefung 2	Das Sonnensystem auf dem Schulhof	Aufgabe 4	s. Projektanleitung

S. 34/35   Orientierung: Unsere Erde – Kontinente und Ozeane

Kompetenzen

Die Schülerinnen und Schüler können

– die Gliederung der Erde in Kontinente und Ozeane beschreiben. (Fachwissen, Orientierung)

Grundbegriffe

– Kontinent

– Ozean

– Tiefland

– Mittelgebirge

– Hochgebirge

Zusatzinformationen zu den Materialien

M1 Edgar Mitchell, geb. 1930, war der sechste Mensch, der den Mond betrat. Dies geschah im Rahmen der Mission Apollo 14 im Jahr 1971.

Dass die Oberfläche der Meere und Ozeane vom Weltall aus gesehen blau erscheint, weswegen die Erde seit dem

27

Beginn der Raumfahrt auch der „Blaue Planet" genannt wird, ist auf die stärkere Absorption roten Lichtes im Wasser zurückzuführen.

M3 Hier wird die Erde aus zwei ungewohnten Perspektiven gezeigt. Dabei soll den Schülern deutlich werden, dass wir die europazentrierte Perspektive gewohnt sind, das aber nur eine willkürliche Festlegung ist (s. auch M3 und M4 auf S. 37).

Tipps zum Atlaskarteneinsatz

Diercke Weltatlas, 240/241.1: Physische Übersicht
Diercke Weltatlas 2, 172/173.1: Physische Übersicht
Diercke Drei, 6.1: Physische Übersicht; 6.2: Die längsten Flüsse der Erde; 6.3: Die höchsten Berge der Erde; 6.4: Die größten Seen der Erde

Vorschlag für ein Tafelbild

Kontinente und Ozeane
Kontinente (nach Größe):
– Asien
– Afrika
– Nordamerika
– Südamerika
– Antarktis
– Europa
– Australien

Ozeane (nach Größe):
– Pazifischer Ozean (Pazifik)
– Atlantischer Ozean (Atlantik)
– Indischer Ozean (Indik)

Vorschlag zur Binnendifferenzierung

In Aufgabe 3 kann auch arbeitsteilig gearbeitet werden: Alle Schüler bestimmen die Kontinente und Ozeane, aber nur jeweils die Hälfte benennt die Gebirge bzw. die Flüsse (aufwändiger).

Lösungen der Arbeitsaufträge

1. A: Atlantischer Ozean, B: Pazifischer Ozean, C: Indischer Ozean
I: Europa, II: Asien, III: Afrika, IV: Nordamerika, V: Südamerika, VI: Australien, VII: Antarktis
2. Rocky Mountains: Nord- und Südamerika; Mt. Everest: Asien; Witjas-Tief: Asien; Ufer des Toten Meeres: Asien; Nil: Afrika; Baikalsee: Asien; größte Insel: Nordamerika; größter See: Asien
3. Gebirge: 1 Rocky Mountains, 2 Anden, 3 Brasilianisches Bergland, 4 Alpen, 5 Kaukasus, 6 Himalaya, 7 Pamir, 8 Altai, 9 Drakensberge, 10 Ostafrikanisches Seenhochland, 11 Hochland von Äthiopien, 12 Australisches Bergland
Ozeane: A Atlantischer Ozean, B Pazifischer Ozean, C Indischer Ozean
Flüsse: a Mississippi, b Amazonas, c Nil, d Kongo, e Rhein, f Donau, g Wolga, h Ob, i Jenissej, k Indus, l Ganges, m Lena, n Huang He, o Jangtsekiang, p Mekong
4. Der größte Kontinent hat den Namen *Asien* und ist *44* Mio. km² groß. Der kleinste Kontinent hat den Namen *Australien* und ist *9* Mio. km² groß. Insgesamt gibt es *7* Kontinente und *3* Ozeane. Der größte Ozean ist der *Pazifische Ozean*.
5. Istanbul; Europa und Asien

Unterrichtsvorschlag

Unterrichtsphase	Inhaltlicher Schwerpunkt	Unterrichtsverlauf	Medien/Materialien
Einstieg	Der blaue Planet	– Vorlesen des Zitats in M1 – Erklärung „blauer Planet"	M1
Erarbeitung	Ozeane und Kontinente	– Auflistung Ozeane und Kontinente (s. Tafelbild) – Aufgabe 1 – Zur weiteren Übung Spiel: Wasserballglobus wird von Schüler zu Schüler geworfen. Der, der fängt, nennt Kontinente bzw. Ozeane, die unter seinen Daumen liegen.	M3, M4, Atlas, Wasserballglobus
Ergebnissicherung		– Aufgabe 4 – Arbeitsblatt „Kontinente"	Arbeitsblatt „Kontinente" (Arbeitsheft)
Vertiefung		– Aufgabe 2 – Aufgabe 3 (auch als Hausaufgabe) – Aufgabe 5	M2, M4, Atlas

S. 36/37   Die Erde – vom Globus zur Karte

Kompetenzen

Die Schülerinnen und Schüler können
– den Globus als Modell der Erde beschreiben. (Fachwissen)

Grundbegriffe

– Globus

Zusatzinformationen zu den Materialien

M4 Diese Sichtweise ist für die Schüler ungewohnt. Sie wird aber häufig bei Karten verwendet, die z. B. den pazifischen Feuerring darstellen sollen (s. auch S. 190/191). Zudem macht sie die Größe des Pazifischen Ozeans deutlich.

Vorschlag zur Binnendifferenzierung

Aufgabe 3 kann auch nur von einigen Schülern durchgeführt werden. Diese präsentieren dann ihren Mitschülern die Folie mit ihrem Ergebnis.

Aufgabe 4 kann auch nur von zwei Schülern durchgeführt werden. Diese stellen dann ihren Mitschülern das Ergebnis vor.

Lösungen der Arbeitsaufträge

1. a) Der Globus kommt der Wirklichkeit am nächsten, da er uns eine richtige Vorstellung von der Erdoberfläche, der Kugelgestalt und der Lage der Ozeane und Kontinente vermittelt und dabei kaum Verzerrungen aufweist.
b) individuelle Lösung
2. Die beiden Weltkarten zeigen die Welt aus europäischer (M3) und australischer (M4) Sicht, wobei jeweils der angesprochene Kontinent im Zentrum der Karte liegt. Dadurch werden die weiteren Kontinente unterschiedlich angeordnet, sodass z. B. Südamerika in M3 im Westen (links) abgebildet ist, in M4 hingegen im Osten (rechts).
3. Bei der Ergänzung der Lücken zwischen den Streifen fällt den Schülern auf, dass sie Flächen in der Karte ergänzen müssen, teilweise die Land- bzw. Wasserflächen vergrößern und sie damit das Kartenbild verzerren bzw. strecken.
4. a) und **b)** individuelle Lösung
c) Die unterschiedlichen Verläufe ergeben sich aus der Kugelgestalt des Globus (Luftlinie) und der zweidimensionalen, verzerrten Darstellung in der Karte.

Unterrichtsvorschlag

Unterrichtsphase	Inhaltlicher Schwerpunkt	Unterrichtsverlauf	Medien/Materialien
Einstieg	Vom Globus zur Karte	Problemfrage: Wie kann man die Erde auf einer Karte abbilden? Problematik am Globus (oder Wasserballglobus) und einer Weltkarte verdeutlichen.	Globus/Wasserballglobus, Weltkarte, M1
Erarbeitung	Probleme bei der Darstellung der Erde auf Karten	Lehrbuchtext, dazu: – Aufgabe 1a) – Aufgabe 3 – Aufgabe 2 – Aufgabe 4	M2, M3, M4
Vertiefung	Basteln eines Globus	Aufgabe 1b) (auch als Hausaufgabe)	M2, M5, M6

S. 38/39   Das Gradnetz der Erde

Kompetenzen

Die Schülerinnen und Schüler können
– den Aufbau des Gradnetzes beschreiben. (Fachwissen)
– das Gradnetz zur Orientierung nutzen. (Orientierung, Methode)
– die Notwendigkeit der Einführung des Gradnetzes beurteilen. (Beurteilen und Bewerten)

Grundbegriffe

– Gradnetz
– Längengrad
– Breitengrad
– Äquator
– Meridian
– Nullmeridian

Vorschlag für ein Tafelbild

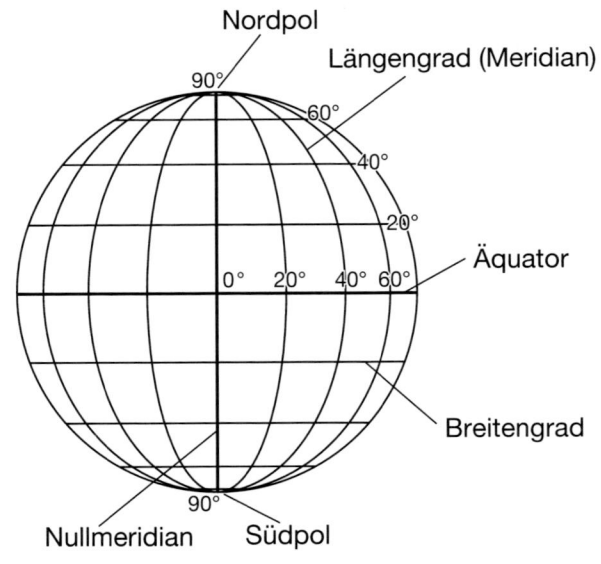

22898E © *westermann*

Lösungen der Arbeitsaufträge

1. Die Carpathia konnte mithilfe der Gradnetzangaben des Funkspruchs lokalisiert werden.

2. a) 3° s. Br., 3° w. L.

b) 1   3° s. Br., 8° w. L.

2   4° s. Br., 5° ö. L.

3   3° n. Br., 6° ö. L.

4   2° n. Br., 2° w. L.

5   4° n. Br., 6° w. L.

c) Schiff 1

d) Togo: Lomé, 6° n. Br., 1° ö. L. (genau: 6° 08' n. Br., 1° 13' ö. L.)

Gabun: Libreville, 0° n. Br., 9° ö. L. (genau: 0° 30' n. Br., 9° 25' ö. L.)

Nigeria: Lagos, 6° n. Br., 4° ö. L.

(genau: 6° 25' n. Br., 3° 32' ö. L.)

Hinweis: Aus Gründen der didaktischen Reduktion wurde die Angabe in Minuten im Lehrbuch nicht eingeführt.

e) Lomé

f) Abidjan

Vorschlag zur Binnendifferenzierung

Haben einzelne Schüler Schwierigkeiten bei der Bestimmung der geographischen Lage, so sollten diese weitere Übungsaufgaben mit einem Partner, der die Vorgehensweise bereits verstanden hat, lösen. Auch das Spiel „Schiffe versenken im Gradnetz" bietet sich zur Übung an.

Literatur

Lindau, A.-K.: Breite, Länge, Höhe. Die Vermessung der Erde in Vergangenheit und Gegenwart. In: Praxis Geographie, H. 12/2007, S. 14–19.

Schacht, S.: Unsichtbare Linien und Netze. Arbeitsanregungen zum Thema „Gradnetz". In: Praxis Geographie, H. 7–8/2006, S. 52–53.

Unterrichtsvorschlag

Unterrichtsphase	Inhaltlicher Schwerpunkt	Unterrichtsverlauf	Medien/Materialien
Einstieg	Das Gradnetz dient zur Positionsbestimmung	M1 vorlesen (Schüler haben Bücher geschlossen), dazu Aufgabe 1 (Vermutungen/Vorwissen der Schüler)	M1
Erarbeitung 1	Aufbau des Gradnetzes	LV: Aufbau des Gradnetzes (s. Text im Schülerbuch), dabei an der Tafel Demonstration (s. Tafelbild)	
Ergebnissicherung 1		Arbeitsblatt „Gradnetz", Aufgabe 1 und 2	Arbeitsblatt „Gradnetz" (Arbeitsheft)
Erarbeitung 2	Bestimmung der geographischen Lage mithilfe des Gradnetzes	gemeinsame Bestimmung der geographischen Lage eines Ortes anhand der Anleitung	Atlas
Ergebnissicherung 2		– Schüler bestimmen selbstständig die geographische Lage eines Ortes – Arbeitsblatt „Gradnetz", Aufgabe 3 und 4 – Spiel „Schiffe versenken im Gradnetz"	Atlas, Arbeitsblatt „Gradnetz" (Arbeitsheft), Spiel „Schiffe versenken im Gradnetz" (CD-ROM)
Vertiefung		Aufgabe 2 (auch als Hausaufgabe)	M3, Atlas

S. 40/41   Die Erde dreht sich – Tageszeiten und Zeitzonen

Kompetenzen

Die Schülerinnen und Schüler können
– die Entstehung von Tag und Nacht erklären. (Fachwissen)
– die Einteilung der Welt in Zeitzonen erläutern. (Fachwissen, Orientierung)
– die Zeitzonen anwenden und die Bedeutung dieser Einteilung erörtern. (Methode, Beurteilen und Bewerten)

Grundbegriffe

– Ortszeit
– Zeitzone
– Datumsgrenze

Zusatzinformationen zu den Materialien

M1 Das Satellitenbild von Europa zeigt die Grenze zwischen Tag und Nacht (hell und dunkel). Im Grenzbereich, der sich u. a. quer durch Deutschland zieht, dämmert es. Im östlichen Teil Europas, in dem bereits Dunkelheit herrscht, zeigen die hellen Lichtflecke die Standorte größerer Städte an (z. B. Rom und Neapel).
Ein Satellitenbild der Erde mit der aktuellen Tag-Nacht-Grenze lässt sich unter http://www.fourmilab.ch/cgi-bin/uncgi/Earth/action?opt=-p abrufen.
M3 Auf den Kontinenten können die jeweiligen Staaten ihre Zeitrechnung gesetzlich regeln. Die USA, Kanada, Russland, Brasilien, Mexiko, Indonesien, die Mongolei und Australien haben wegen der großen Ost-West-Ausdehnung mehrere Zonenzeiten. China hat dagegen heute nur noch eine. Es gibt Länder mit spezifischen Zonenzeiten, deren Abweichungen zu den Zonenzeiten benachbarter Länder keine vollen Stunden betragen. Die Gründe für diese Sonderfälle sind meist die geographische Lage zwischen zwei Zeitzonen, wie auch historischer oder politischer Natur.

Tipps zum Atlaskarteneinsatz

Diercke Weltatlas, 283.3: Zeitzonen
Diercke Weltatlas 2, 195.3 Zeitzonen
Diercke Drei, 37.3: Zeitzonen

Vorschlag zur Binnendifferenzierung

Die Aufgaben 3 und 4 müssen nicht von allen Schülern bearbeitet werden. Hier können einzelne Schüler ihre Ergebnisse der Klasse vortragen.
Bei Aufgabe 5 müssen nicht alle Schüler alle Unteraufgaben bearbeiten.

Lösungen der Arbeitsaufträge

1. Individuelle Lösung. Beispiel: Tag: Island, Tag/Nacht: Deutschland, Nacht: Italien.
2. Individuelle Lösung. Beispiel: USA, Russland, Kanada.
3. Es hätte in einzelnen kleineren Staaten zu unterschiedlichen Zeiten geführt, wodurch dann z. B. die Ausarbeitung von Fahrplänen sehr schwierig geworden wäre.
4. In diesem Bereich gibt es sehr wenige Landmassen und dadurch auch nur sehr wenige Staaten. Daher kann die Datumsgrenze hier verlaufen, ohne dass es in einem Staat zwei verschiedene Daten gibt.
5. a) 9 Uhr
b) 7 Uhr
c) 15 Uhr
d) 20 Uhr
6. Tokio: Samstag, 3.45 Uhr
San Francisco: Freitag: 10.45 Uhr

Internet-Adressen

http://www.fourmilab.ch/cgi-bin/uncgi/Earth/action?opt=-p (Satellitenbild mit aktueller Tag-/Nachtgrenze)

Filme

FWU:
4611032 Tageszeiten und Jahreszeiten

Unterrichtsvorschlag

Unterrichtsphase	Inhaltlicher Schwerpunkt	Unterrichtsverlauf	Medien/Materialien
Einstieg	Zeitzonen im Alltag	– ersten Abschnitt des Lehrbuchtextes vorlesen → Problemfrage: Warum ist es auf der einen Seite der Erde Tag, während auf der anderen Nacht herrscht? – Vermutungen/Vorkenntnisse der Schüler – eigene Erfahrungen mit der Zeitumstellung bei weiteren Reisen	
Erarbeitung 1	Entstehung von Tag und Nacht, Tag-Nacht-Grenze	– Erklärung anhand von M2 oder eines Globus, der mit dem OHP oder einer Taschenlampe beschienen und gedreht wird – Aufgabe 1	M1, M2, evtl.: Globus, OHP oder Taschenlampe
Ergebnissicherung 1		Schüler erklären ihrem Sitznachbarn die Entstehung von Tag und Nacht	
Erarbeitung 2	Zeitzonen	– Problemfrage: Wann hätte Jonas das Finale der Australian Open live im deutschen Fernsehen sehen können? – Erarbeitung Zeitzonen (Infokasten, M3) – Aufgabe 2 – Aufgabe 3 – Aufgabe 4 – Beantwortung der Problemfrage	Infokästen, M3
Ergebnissicherung 2		– Aufgabe 5 und 6 (auch als Hausaufgabe) – Arbeitsblatt „Zeitzonen" (auch als Hausaufgabe)	M3, Arbeitsblatt „Zeitzonen" (Arbeitsheft)

S. 42/43   Kompetenztraining

Lösungen der Arbeitsaufträge

1. a: Europa, b: Asien, c: Afrika, d: Indischer Ozean, e: Australien, f: Pazifischer Ozean, g: Nordamerika, h: Südamerika, i: Atlantischer Ozean

2. Menorca

3.

Koordinaten	Stadt	Land	Kontinent
52° n. Br., 10° ö. L.	Hannover	Deutschland	Europa
42° n. Br., 12° ö. L.	Rom	Italien	Europa
34° s. Br., 18° ö. L.	Kapstadt	Südafrika	Afrika
52° n. Br., 8° ö. L.	Brüssel	Belgien	Europa
23° s. Br., 43° w. L.	Rio de Janeiro	Brasilien	Südamerika
0°, 78° w. L.	Quito	Ecuador	Südamerika
30° n. Br., 32° ö. L.	Kairo	Ägypten	Afrika

4. San Francisco: Mittwoch, 11.15 Uhr
Buenos Aires: Dienstag, 21.30 Uhr
Kapstadt: Montag, 7.00 Uhr
Sydney: Sonntag, 2.15 Uhr

5. 1a), 2b), 3c), 4b), 5b), 6a), 7a), 8b), 9a), 10c)
Lösungswort: *Sternwarte*

3 Städtische und ländliche Räume

S. 44/45 Kapitelauftaktseite

In diesem Kapitel geht es um städtische und ländliche Räume, daher ist auch die Kapitelauftaktseite zweigeteilt: S. 44 zeigt mit Wolfsburg einen städtischen, S. 45 mit Almke einen ländlichen Raum. Beide Räume werden auf der folgenden Doppelseite zum Thema „Wo wir wohnen: Städte und Dörfer" (S. 46/47) vertiefend betrachtet.

Zusatzinformationen

S. 44: Wolfsburg

Das Schrägluftbild zeigt einen Ausschnitt von Wolfsburg. Im Vordergrund ist der Kleine Schiller-Teich zu erkennen, rechts davon das VW-Bad und darüber das Porschestadion mit mehreren Nebenplätzen. Nach unten hin schließen sich Waldflächen an. Die restliche Stadtfläche ist überwiegend bebaut. Die Straßen sind schematisch angeordnet – Kennzeichen für die recht späte, planmäßige Stadtgründung. Die Bebauung besteht überwiegend aus Mehrfamilienhäusern, oben links und unten rechts sind auch Hochhaussiedlungen zu erkennen. Die Fußgängerzone, die Porschestraße, zieht sich vom Bahnhof oben rechts schräg durch das Bild. An ihr befinden sich z. B. das Kunstmuseum, das durch sein großflächiges, flaches Dach erkennbar ist. Die Bahngleise verlaufen am Mittellandkanal entlang, der sich im Hintergrund quer durch das Bild zieht. Dahinter schließt sich das Werksgelände von VW an.

S. 45: Almke

Das Schrägluftbild zeigt fast das gesamte Dorf Almke, das seit seiner Eingemeindung 1972 ein Ortsteil von Wolfsburg ist. Almke hat 744 Einwohner. Das ursprüngliche Zentrum befindet sich im oberen Bildteil. Dort laufen die Straßen radial auf einen Platz zu. Die Bebauung ist hier relativ dicht, es sind mehrere Höfe zu erkennen. Im unteren Bildteil befinden sich neuere Erweiterungen, überwiegend Einfamilienhäuser mit großen Gärten. Quer durch das Dorf zieht sich eine größere Straße, von der weitere Straßen die Wohngebiete erschließen.Um das Dorf liegen Felder und einzelne Waldstücke. Ganz oben befindet sich ein Jungendzeltplatz (rechts der Straße).

Einsatz im Unterricht

Die Schüler können anhand der beiden Fotos städtische und ländliche Räume vergleichen. Dazu beschreiben sie die beiden Fotos und stellen die Unterschiede heraus. Dabei nutzen sie ihre Vorkenntnisse.
Bei der Bearbeitung der folgenden Doppelseite zum Thema „Wo wir wohnen: Städte und Dörfer" (S. 46/47) werden sie im Rahmen von Aufgabe 1 und 2 die Fotos noch einmal beschreiben, dann aber mit entsprechendem Hintergrundwissen.

S. 46/47 Wo wir wohnen: Städte und Dörfer

Kompetenzen

Die Schülerinnen und Schüler können
- Merkmale von Städten und ländlichen Siedlungen benennen. (Fachwissen)
- die Vorteile und Nachteile von Städten und ländlichen Siedlungen diskutieren. (Kommunikation)

Grundbegriffe

- Dorf
- Stadt
- Kleinstadt
- Mittelstadt
- Großstadt
- Millionenstadt

Zusatzinformationen zu den Materialien

M1 Die Porschestraße ist die Haupteinkaufsstraße von Wolfsburg. Sie wurde nach Ferdinand Porsche benannt, der von 1938 bis 1945 Hauptgeschäftsführer von VW war. Ab 1977 wurde sie teils zur Fußgängerzone umgebaut. Zwischen 2004 und 2010 wurde diese neu gestaltet.
M2 Am Dorfplatz in Almke befinden sich rote Backsteingebäude, teils mit Fachwerk. Der Dorfplatz bildet das Zentrum von Almke.
M4 Abruf der Internetseite im Juli 2014
M6 Abruf der Internetseite im Juli 2014 (im Dezember unverändert, neue Internetpräsenz in Planung)

Tipps zum Atlaskarteneinsatz

Diercke Weltatlas, 37.4: Wolfsburg – geplante Industriestadt
Diercke Weltatlas 2, 28.1: Wolfsburg

3 Städtische und ländliche Räume

Vorschlag für ein Tafelbild

Teil 1

Unterschiede zwischen Städten und Dörfern

	Städte	Dörfer
Beispiel	Wolfsburg	Almke
Einwohnerzahl	groß	gering
Bebauung	dicht (vor allem im Zentrum), teils Hochhäuser, Gewerbe-/Industriegebiete	locker, meist Einfamilienhäuser mit Garten, Bauernhöfe
Verkehr	dichtes Verkehrsnetz, starke Nutzung	nur wenige Straßen, geringe Nutzung
Freizeiteinrichtungen	vielfältiges Angebot	geringes Angebot

Teil 2

Stadtgrößenklassen

	Einwohner	Beispiel
Kleinstadt	unter 20 000	
Mittelstadt	20 000 – < 100 000	
Großstadt	100 000 – < 1 Mio.	
Millionenstadt	ab 1 Mio.	

Vorschlag zur Binnendifferenzierung

Falls einzelne Schüler zu Hause keinen Internet-Anschluss haben, können sie Aufgabe 3b) nicht als Hausaufgabe erledigen.

Lösungen der Arbeitsaufträge

1. Auf dem Schrägluftbild von Wolfsburg sind folgende allgemeine Kennzeichen einer Stadt erkennbar: Industriegebiet (VW-Werksgelände), dichtes Verkehrsnetz (Straßen, Eisenbahn, Mittellandkanal), dichte Bebauung (mit Hochhäusern), Fußballstadion und andere Sportstätten.

2. Auf dem Schrägluftbild von Almke sind folgende allgemeine Kennzeichen eines Dorfes erkennbar: ländlich geprägt mit einzelnen Bauernhöfen, lockere Bebauung, überwiegend Einfamilienhäuser mit Garten, dünnes Verkehrsnetz, Fußballplatz.

3. a) Die Internet-Präsentation von Wolfsburg ist sehr umfassend und professionell. Sie richtet sich sowohl an die Einwohner als auch an die Touristen. Es ist erstaunlich, dass Almke überhaupt eine Internet-Präsentation hat. Angesichts der geringen Größe des Dorfes ist die Homepage längst nicht so umfangreich wie die von Wolfsburg. Es sind fast alle in Almke vorhandenen Geschäftsleute präsent. Auch auf die Vereine wird hingewiesen (ein Reiter ist allein für die Feuerwehr reserviert). Die Homepage ist längst nicht so professionell gestaltet wie die von Wolfsburg. Sie richtet sich vor allem an die Einwohner von Almke.
b) individuelle Lösung
4. Individuelle Lösung. Die Schüler könnten Wolfsburg als Wohnort wegen des regen Lebens, der Einkaufsmöglichkeiten, der Arbeitsstätte der Eltern oder der guten Zuganbindung präferieren. Die Vorteile von Almke beruhen auf der eher beschaulichen Lebensweise, der eher familiären Atmosphäre und Nachbarschaftshilfe, der Tiere und der Spielmöglichkeiten.
5. a) individuelle Lösung
b) Die vier Millionenstädte Deutschlands sind Berlin, Hamburg, München und Köln.

Internet-Adressen

http://www.wolfsburg.de
http://www.almke.de

34

Unterrichtsvorschlag

Unterrichtsphase	Inhaltlicher Schwerpunkt	Unterrichtsverlauf	Medien/Materialien
Einstieg	Fantasiereise	Lehrer liest Lehrbuchtext langsam vor, Schüler schließen dabei die Augen und stellen sich den Flug über Dörfer und Städte vor	
Ergebnissicherung	Kennzeichen von Städten und Dörfern	Sammeln der Eindrücke der Fantasiereise an der Tafel → Tafelbild Teil 1 (ohne „Beispiel:")	
Erarbeitung 1	Kennzeichen von Städten und Dörfern am Beispiel von Wolfsburg und Almke	– Lokalisierung von Wolfsburg und Almke anhand von M5, evtl. zusätzlich Atlaskarte – arbeitsteilige Gruppenarbeit: eine Hälfte der Klasse untersucht Wolfsburg (Aufgabe 1, M1, M4, Aufgabe 3a: Wolfsburg), die andere Hälfte Almke (Aufgabe 2, M2, M6, Aufgabe 3a: Almke) – Austausch der Arbeitsergebnisse – Vervollständigung des Tafelbildes 1 („Beispiel:")	Schrägluftbilder S. 44/45, M1, M2, M4, M5, M6, Internet (falls vorhanden, im Notfall reichen auch die Screenshots)
Ergebnissicherung 1	Wo würdest du lieber wohnen, in Wolfsburg oder in Almke?	Aufgabe 4 (Diskussion)	
Erarbeitung 2	Stadtgrößenklassen	– Besprechung anhand von M3 – Abschreiben des Tafelbildes Teil 2 mit Einfügen eigener Beispiele – Aufgabe 5/Ergänzung des Tafelbildes (auch als Hausaufgabe)	M3, Internet, Atlas; s. auch S. 68, Aufgabe 2
Ergebnissicherung 2		Arbeitsblatt „Städte und Dörfer"	Arbeitsblatt „Städte und Dörfer" (CD-ROM)
Hausaufgabe	Internet-Präsentation des Heimatortes	– Aufgabe 3b) – Vergleich mit der Internet-Präsentation von Wolfsburg und Almke (in der nächsten Unterrichtsstunde)	Internet

3 Städtische und ländliche Räume

S. 48/49 Methode: Tabellen erstellen und auswerten

Kompetenzen

Die Schülerinnen und Schüler können
– Tabellen erstellen und auswerten. (Methode)

Grundbegriffe

– Bevölkerungsdichte

Zusatzinformationen zu den Materialien

M1 Quelle: http://www.destatis.de (Statistisches Bundesamt)

M3 Quelle: Wikipedia; verschiedene Ursprungsquellen
Basis der Einwohnerzahlen ist die Abgrenzung der Kernstadt. Durch seine besondere Verwaltungsstruktur, bei der das offizielle Stadtgebiet nur den zentralen Teil der geschlossenen Siedlungsfläche ausmacht, ist Paris unterbewertet. Zusammen mit den drei angrenzenden Departements, in denen wichtige Institutionen der Metropole liegen, hat Paris 6,7 Mio. Einwohner.

M4 Datenbasis der Einwohnerzahlen und -prognosen s. http://www.gtai.de/GTAI/Navigation/DE/Trade/maerkte, died=636046.html (Ursprungsquelle der Prognose: UN; aktuellere verlässliche Daten nicht verfügbar). Je nach Quelle können die Einwohnerzahlen variieren. Bezugsfläche ist hier die Agglomeration, nicht die Kernstadt.

Vorschlag zur Binnendifferenzierung

Wichtig ist, dass genügend Gelegenheit zur Übung besteht. Tun sich einzelne Schüler schwer mit dem Erstellen und insbesondere Auswerten von Tabellen, so sollten noch weitere Aufgaben angeboten werden.

Lösungen der Arbeitsaufträge

1. Salzgitter hat die größte Fläche. → richtig.
Die Stadt mit der größten Fläche hat die größte Einwohnerzahl. → falsch; richtig: Die Stadt mit der größten Fläche hat nur eine geringe Einwohnerzahl (unter 100 000).
Die Stadt mit der größten Bevölkerungsdichte hat die höchste Einwohnerzahl. → richtig
Braunschweig ist etwa doppelt so groß wie Göttingen. → falsch; richtig: Braunschweig ist etwa doppelt so groß wie Hildesheim.
Je mehr Einwohner eine Stadt hat, desto größer ist sie. → falsch; keine Korrektur möglich
2. In der Tabelle sind die Einwohnerzahlen, die Fläche und die Bevölkerungsdichte der neun größten Städte Niedersachsens dargestellt.
Dabei handelt es sich um die Städte Hannover, Braunschweig, Osnabrück, Oldenburg, Göttingen, Wolfsburg, Salzgitter, Hildesheim und Wilhelmshaven.

Die Einwohnerzahl ist für 2013 angegeben, die Fläche in km^2 und die Bevölkerungsdichte in Einwohner/km^2.
Die meisten Menschen leben in Hannover, nämlich 518 000. Die zweitgrößte Stadt, Braunschweig, hat weniger als die Hälfte der Einwohner Hannovers (247 000). Wilhelmshaven ist die bevölkerungsmäßig kleinste der neun Städte mit nur 76 000 Einwohnern. Die bevölkerungsreichste Stadt ist aber nicht die größte. Hier führt Salzgitter mit 224 km^2 vor Hannover und Wolfsburg mit jeweils 204 km^2. Die geringste Fläche hat Hildesheim mit 93 km^2. Durch die hohe Bevölkerung auf einer großen, aber nicht der größten Fläche, hat Hannover auch mit Abstand die größte Bevölkerungsdichte (2539 Ew./km^2). Schlusslicht ist Salzgitter mit 439 Ew./km^2, wo auf der größten Fläche der neun Städte nur eine geringe Anzahl von Menschen lebt.

3. *Die Städte Europas mit der größten Einwohnerzahl (2013)*

Stadt	Staat	Einwohnerzahl (in Mio.)
Moskau	Russland	12,0
Istanbul	Türkei	8,9
London	Großbritannien	8,3
Sankt Petersburg	Russland	5,0
Berlin	Deutschland	3,4
Madrid	Spanien	3,2
Kiew	Ukraine	2,8
Rom	Italien	2,6
Paris	Frankreich	2,2
Bukarest	Rumänien	1,9
Minsk	Weißrussland	1,9

4. *Die Städte der Welt mit der größten Einwohnerzahl 2011 und 2025 (Prognose)*

Stadt	Staat	Einwohnerzahl 2011 (in Mio.)	Einwohnerzahl Prognose 2025 (in Mio.)
Tokio	Japan	37,2	38,7
Neu-Delhi	Indien	22,7	32,9
Mexiko Stadt	Mexiko	20,5	24,6
New York	USA	20,4	23,6
Shanghai	China	20,2	28,4

5. a) *Die fünf Städte Nordrhein-Westfalens mit der größten Einwohnerzahl (Stand 31.12.2013)*

Stadt	Einwohner
Köln	1 034 000
Düsseldorf	599 000

Stadt	Einwohner
Dortmund	576 000
Essen	570 000
Duisburg	487 000

b) *Die fünf Städte Nordrhein-Westfalens mit der größten Fläche*

Stadt	Fläche (in km²)
Köln	405
Münster	303
Dortmund	281
Bielefeld	259
Duisburg	233

c) *Die fünf Städte Nordrhein-Westfalens mit der höchsten Bevölkerungsdichte (Stand 31.12.2013)*

Stadt	Bevölkerungsdichte (Ew./km²)
Herne	3 003
Düsseldorf	2 754
Oberhausen	2 712
Essen	2 709
Köln	2 553

Quelle: https://www.destatis.de

Unterrichtsvorschlag

Unterrichtsphase	Inhaltlicher Schwerpunkt	Unterrichtsverlauf	Medien/Materialien
Einstieg	Tabellen im Lehrbuch	Schüler suchen im Lehrbuch Tabellen und beschreiben allgemeine Kennzeichen sowie Vorteile der tabellarischen Darstellung	Lehrbuch
Erarbeitung 1	Aufbau von Tabellen	Besprechung des Aufbaus von Tabellen anhand von M1	M1
Ergebnissicherung		– Aufgabe 3 mithilfe der Anleitung „So erstellst du eine Tabelle" – zusätzlich ergänzen die Schüler in ihrer Tabelle mit einem farbigen Stift folgende Begriffe: Titel, Randspalte, Spalte, Kopfzeile, Zeilen	M3, Anleitung „So erstellst du eine Tabelle", Karte „Europa – physisch" (S. 212/213)
Erarbeitung 2	Auswertung von Tabellen	Aufgabe 2 mithilfe der Anleitung „So wertest du eine Tabelle aus"	M1, Anleitung „So wertest du eine Tabelle aus"
Vertiefung/Hausaufgabe	Übungsaufgaben	– Aufgabe 1 – Aufgabe 4 – Aufgabe 5	M1, M2, M4, Internet

S. 50/51   Einer Stadt auf der Spur

Kompetenzen

Die Schülerinnen und Schüler können
– ein Luftbild auswerten. (Methode)

Zusatzinformationen zu den Materialien

M1 Eingenordetes Senkrechtluftbild der Stadt Nienburg. Nienburg liegt an der Weser, die durch den linken Bildteil mäandriert. Westlich der Weser befinden sich mehrere größere Teiche, ein kleines Gewerbegebiet sowie landwirtschaftlich genutzte Flächen. Die Altstadt von Nienburg liegt direkt auf der anderen Seite der Weser und ist durch die dichte Bebauung und die roten Dachflächen erkennbar. Rund um die Altstadt befinden sich Wohngebiete, die sich weit nach Norden, Osten und Süden ausdehnen. Oben am Bildrand sowie im Osten liegen größere Gewerbegebiete. Rechts oben ziehen sich zwei Verkehrslinien durch das Bild: eine größere Straße (B 6) sowie eine Bahnlinie mit dem Hauptbahnhof. An den Bildrändern befinden sich Wiesen und Felder, im Südwesten ein größeres Waldgebiet und im Nordosten weitere Teiche.

3 Städtische und ländliche Räume

Tipps zum Atlaskarteneinsatz

Diercke Weltatlas, 20/21: Deutschland nördlicher Teil – Physische Karte

Diercke Weltatlas 2, 16/17: Deutschland nördlicher Teil – physisch

Diercke Drei, 48/49: Deutschland (nördlicher Teil) – physisch

Die vier zur Auswahl stehenden Städte sind auf allen Atlaskarten eingezeichnet.

Vorschlag zur Binnendifferenzierung

Spätestens mit dem Informationskärtchen 18 sollten eigentlich alle Gruppen auf Nienburg gekommen sein. Falls dies nicht der Fall sein sollte, könnte als zusätzliches Hilfsmittel das Internet angeboten werden. Damit ist es sehr einfach, auf die Lösung zu kommen.

Lösungen der Arbeitsaufträge

1. Die gesuchte Stadt ist Nienburg/Weser.
2. Individuelle Lösung. Beispiel:
– liegt an der Weser
– Hafen mit Schiffsanleger
– Altstadt
– ICE-Anschluss
– Mittelstadt
– Umfeld landwirtschaftlich geprägt

Internet-Adressen

http://www.nienburg.de

Unterrichtsvorschlag

Unterrichtsphase	Inhaltlicher Schwerpunkt	Unterrichtsverlauf	Medien/Materialien
Erarbeitung	Einer Stadt auf der Spur	– gemeinsame Besprechung von Aufgabe 1 – Bearbeitung von Aufgabe 1 in PA	M1, M2, Atlas
Ergebnissicherung		Besprechung der Lösung und des Lösungsweges	
Vertiefung		Aufgabe 2 (auch als Hausaufgabe)	

S. 52/53   Hannover – viele Viertel in einer Stadt

Kompetenzen

Die Schülerinnen und Schüler können
– die wichtigsten Teile einer Stadt und ihre Funktion beschreiben. (Fachwissen)
– Merkmale und Funktionen von Hannover beschreiben. (Fachwissen)
– ein Modell beschreiben. (Fachwissen)

Grundbegriffe

– Stadtviertel
– City
– Altstadt
– Wohngebiet
– Erholungsgebiet
– Industriegebiet
– Gewerbegebiet
– Modell

Zusatzinformationen zu den Materialien

M1 Blick vom Rathausturm Richtung Norden. Im Vordergrund zieht sich der Friedrichswall quer durch das Bild. Daran liegt das Maritim Grand Hotel Hannover (das große, längliche Gebäude). Rechts davon befindet sich die Aegidienkirche, links davon, etwas weiter im Hintergrund, die Marktkirche mit der Altstadt. Zentral im Hintergrund kann man den Hauptbahnhof (hell mit Grün) vor dem schwarzen, großen Bürogebäude erkennen.

M2 Die Farbsignaturen in M2 und M7 wurden zur besseren Vergleichbarkeit angeglichen. Dieses Modell gilt für deutsche Großstädte.

M3 Das VW-Werk in Hannover-Stöcken ist der Hauptsitz von VW Nutzfahrzeuge. Seit 1956 werden dort Nutzfahrzeuge produziert, z. B. der VW Transporter. Das Werksgelände umfasst rund 1,1 Mio. m², von denen 624 249 m² bebaut sind. Dort arbeiten fast 14 500 Menschen (Stand Juni 2014).

M4 Die Kronsbergsiedlung in Hannover-Bemerode entstand am Westhang des Kronsberges Ende der 1990er-Jahre im Zusammenhang mit der EXPO 2000 unter ökologischen Gesichtspunkten. Durch eine flächensparende Bauweise, hohe Bebauungsdichte und kompakte Baukörper entstand ein städtischer Charakter. Das Infrastrukturangebot ist gut. Das Wohngebiet besteht aus rund 3000 Wohneinheiten in zwei- bis viergeschossiger Bauweise. Anfang 2013 wohnten 7150 Menschen im Stadtviertel in 2600 Mietwohnungen, 150 Eigentumswohnungen und etwa 400 Reihenhäusern, Doppelhaushälften und Einfamilienhäusern.

M5 Der Maschsee ist ein in den 1930er-Jahren künstlich angelegter, 2,4 km langer und 180 bis 530 m breiter See südlich des Stadtzentrums von Hannover. Der See ist ein beliebtes Naherholungsgebiet.

Vorschlag zur Binnendifferenzierung

Aufgabe 4 kann auch nur von einzelnen Schüler bearbeitet werden, die ihre Ergebnisse dann der Klasse vorstellen.

Bevor die Schüler sich auf den folgenden Seiten mit verschiedenen stadtgeographischen Aspekten am Beispiel von Hannover beschäftigen, könnte ein Schüler ein kurzes Referat über Hannover halten.

Lösungen der Arbeitsaufträge

1. Das Foto wurde Richtung Norden aufgenommen.
2. Bei der Abbildung M2 handelt es sich um ein Kreismodell, bestehend aus einem inneren Kreis mit der City und der Altstadt und einem äußeren Kreis mit den Wohngebieten sowie Industrie-/Gewerbegebieten und Grünflächen. Die City nimmt den größten Teil des inneren Kreises ein. Um diesen legt sich von Süden bis Osten ein schmaler Streifen mit Grünflächen, die auch noch im Westen am Rande des äußeren Kreises zu finden sind. Hier liegen auch die beiden Industrie- und Gewerbegebiete, jedoch im Norden und Süden. Der größte Teil des äußeren Kreises ist Wohngebiet.

3. a) M3 = Industrie-/Gewerbegebiet, M4 = Wohngebiet, M5 = Grünfläche/Erholungsgebiet, M6 = City
b) M3 = Gewerbegebiet in Hannover-Stöcken, im Nordwesten
M4 = Wohngebiet in Hannover-Bemerode, im Südosten
M5 = Erholungsgebiet südlich von Hannover-Mitte
M6 = Geschäftszentrum in Hannover-Mitte
4. Die wichtigsten Flächennutzungen aus der Karte werden auch im Modell dargestellt, jedoch nicht immer mit derselben Lage. So befindet sich das Industriegebiet in Stöcken im Nordwesten Hannovers, nach dem Modell müsste es eher im Nordosten sein. Damit wird deutlich, dass das Modell nicht auf alle deutschen Großstädte genau zu übertragen ist. Die Altstadt, im Modell gut zu erkennen, ist in der Karte nicht eingezeichnet. Straßen, Eisenbahn und Flüsse/Kanäle werden im Modell nicht berücksichtigt. Daran erkennt man, dass Modelle nur das Wesentliche abbilden.

Internet-Adressen

http://www.hannover.de

Unterrichtsvorschlag

Unterrichtsphase	Inhaltlicher Schwerpunkt	Unterrichtsverlauf	Medien/Materialien
Einstieg	Hannover	Brainstorming zu Hannover → Abfragen der Vorkenntnisse der Schüler	
Erarbeitung	Stadtviertel von Hannover	– abschnittsweises gemeinsames Lesen des Lehrbuchtextes – nach 1. Abschnitt: Aufgabe 1 – nach Nennung der einzelnen Viertel jeweils Lokalisierung in M2 (Aufgabe 2) – Modellbegriff (evtl. Rückbezug auf das Planetenmodell auf dem Schulhof, S. 33) – Aufgabe 3	M1 – M7
Ergebnissicherung	Modell einer Großstadt	Abzeichnen von M2 (ohne Legende, Bezeichnungen direkt in das Modell reinschreiben)	
Vertiefung	Vergleich Modell – Realität	Aufgabe 4	M2, M7
Hausaufgabe	Wiederholung	Arbeitsblatt „Stadtviertel"	Arbeitsblatt „Stadtviertel" (Arbeitsheft)

39

3 Städtische und ländliche Räume

S. 54/55 Hannover – Stadt-Umland-Beziehungen

Kompetenzen
Die Schülerinnen und Schüler können
– Merkmale und Funktionen von Hannover benennen. (Fachwissen)

Grundbegriffe
– Pendler
– Umland

Zusatzinformationen zu den Materialien
M3 vereinfacht nach Diercke Weltatlas, 36.3: Region Hannover – Flächennutzung und Raumplanung

Tipps zum Atlaskarteneinsatz
Diercke Weltatlas, 36.3: Region Hannover – Flächennutzung und Raumplanung

Vorschlag zur Binnendifferenzierung
Aufgabe 6 kann auch arbeitsteilig bearbeitet werden, sodass jeder Schüler nur eine geringere Anzahl von Aufgaben von Stadt und Umland verortet.

Lösungen der Arbeitsaufträge
1. Mieten und Grundstücke sind billiger, guter Anschluss an das öffentliche Verkehrsnetz, Hektik und Lärm in der Stadt
2. Menschen, die im Umland wohnen und regelmäßig morgens in die Stadt fahren, um dort zu arbeiten, zur Schule zu gehen oder eine Ausbildung zu machen, und abends wieder zurückfahren, werden als Pendler bezeichnet.
3. Zu den Hauptverkehrszeiten sind die Straßen überlastet und es gibt lange Wartezeiten an den Ampeln. So entstehen jeden Tag morgens und nachmittags während der sogenannten Rushhour lange Staus. Die Autos belasten die Umwelt durch ihre Abgase und den Lärm. Die Pendler verlieren viel Zeit durch die Staus.
4. individuelle Lösung
5. In M2 kann man erkennen, dass die Stadt Aufgaben für das Umland mit übernimmt (schulische, medizinische und kulturelle Einrichtungen sowie Arbeitsplätze, Behörden und Einkaufsmöglichkeiten), das Umland jedoch auch Aufgaben für die Stadt (Versorgung mit Lebensmitteln, Entsorgung, Naherholung, Versorgung mit Trinkwasser). Somit ergänzen sich Umland und Stadt.
6. Beispiele: Umland – Stadt: Versorgung mit Trinkwasser: Wasserwerk bei Laatzen; Entsorgung: Abfallbeseitigungsanlage in Altwarmbüchen; Versorgung mit Lebensmitteln: landwirtschaftliche Betriebe in Mellendorf; Naherholung/Freizeit: Steinhude/Steinhuder Meer; Wohnen im Grünen: Wohngebiete am Deister
Stadt – Umland: schulische, medizinische und kulturelle Einrichtungen: Uni Hannover, Medizinische Hochschule, Landesmuseum (in M3 nicht erkennbar); Freizeit: Zoo Hannover, HDI Arena (in M3 nicht erkennbar); Einkaufsmöglichkeiten: Galerie Ernst August (in M3 nicht erkennbar); Behörden, Ämter; Arbeitsplätze: Finanzbehörde, Hauptpostamt, Continental (in M3 nicht erkennbar)

Unterrichtsvorschlag

Unterrichtsphase	Inhaltlicher Schwerpunkt	Unterrichtsverlauf	Medien/Materialien
Einstieg	Umfrage zum Pendlerverhalten	Umfrage: Wer von den Schülern kommt täglich aus einer anderen Stadt zur Schule? Wer von den Eltern arbeitet in einer anderen Stadt als am Wohnort? (Aufgabe 4)	
Erarbeitung 1	Pendler	– Begriffsklärung „Pendler" (Infokasten, M1) – Aufgabe 2 – Aufgabe 1 – Aufgabe 3	M1, Infokästen
Ergebnissicherung 1		Abzeichnen von M1 mit Ergänzung des Begriffs „Pendler"	
Erarbeitung 2	Funktionen von Stadt und Umland	– Lehrbuchtext – Aufgabe 5	M2
Ergebnissicherung 2		Arbeitsblatt „Stadt-Umland-Beziehungen"	Arbeitsblatt „Stadt-Umland-Beziehungen" (Arbeitsheft)
Vertiefung		Aufgabe 6	M2, M3

S. 56/57 Daseinsgrundfunktionen

Kompetenzen

Die Schülerinnen und Schüler können
- die Daseinsgrundfunktionen nennen. (Fachwissen)

Grundbegriffe

- Daseinsgrundfunktionen

Zusatzinformationen zu den Materialien

M1 In den Ausschnitt des Stadtplans von Hannover sind die einzelnen Stationen von Maries Tagesablauf, so, wie er im Lehrbuchtext beschrieben wird, eingezeichnet.

A beim Eis essen in der City

B beim Einsteigen in die Stadtbahn

C vor dem Gymnasium Schillerschule

D beim Einkaufen mit dem Hund

E auf dem Weg zum Tennis

M3 Quelle: http://www.wolfsburg.de/irj/go/km/docs/imperia/mam/portal/wirtschaft/existenzgruendung/shoppingguide.pdf (hinter S. 70)

Vorschlag für ein Tafelbild

Daseinsgrundfunktionen
= grundlegende Aktivitäten des Menschen
Dazu gehören:
- wohnen
- arbeiten
- sich erholen
- am Verkehr teilnehmen
- sich bilden
- sich versorgen
- in Gemeinschaft leben

Lösungen der Arbeitsaufträge

1. a) Morgens und immer, wenn Marie zu Hause ist, ist die Daseinsgrundfunktion „wohnen" erfüllt. Am Vormittag geht Marie der Daseinsgrundfunktion „sich bilden" nach. Am Nachmittag „erholt" sie sich beim Eis essen (zudem „lebt sich in Gemeinschaft") und später beim Tennis spielen. In der Zwischenzeit geht sie beim Hausaufgaben machen der Daseinsgrundfunktion „sich bilden" nach und beim anschließenden Einkauf „versorgt" sie sich und die Familie. Bei allen Aktivitäten, die nicht zu Hause stattfinden, muss Marie „am Verkehr teilnehmen".

b) Foto A = sich erholen/in Gemeinschaft leben, Foto B = am Verkehr teilnehmen, Foto C = sich bilden, Foto D = sich versorgen, Foto E = sich erholen

2. individuelle Lösung

3. Beispiele: Mit dem Bus kann man zur Porschestraße fahren (am Verkehr teilnehmen). Beim Besuch des Kunstmuseums bildet man sich, beim Besuch des Cinemaxx erholt man sich. In der City-Galerie lassen sich diverse Einkäufe tätigen (sich versorgen) und als Stadtangestellter arbeitet man im Rathaus. In Penthaus-Wohnungen geht man der Daseinsgrundfunktion „wohnen" nach.

Unterrichtsvorschlag

Unterrichtsphase	Inhaltlicher Schwerpunkt	Unterrichtsverlauf	Medien/Materialien
Einstieg	Mein Tagesablauf	Schüler schreiben stichwortartig ihren Tagesablauf vom vorherigen Tag auf	
Erarbeitung	Daseinsgrundfunktionen	– Maries Tagesablauf (Lehrbuchtext) wird auf der Karte M1 verfolgt – Einführung Begriff „Daseinsgrundfunktionen" (M2) – Aufgabe 1 – Aufgabe 2 (Zuordnung der Daseinsgrundfunktionen zu den im Einstieg bereits notierten Tagesablauf; Lokalisierung in Stadtplan-Kopie)	M1, M2, Kopie des Stadtplans vom Schulort
Ergebnissicherung		Tafelbild	
Vertiefung	Transfer: Daseinsgrundfunktionen in der Porschestraße in Wolfsburg	Aufgabe 3 (auch als Hausaufgabe)	M2, M3

S. 58/59   Methode: Luftbilder auswerten

Kompetenzen
Die Schülerinnen und Schüler können
– ein Luftbild auswerten. (Methode)

Grundbegriffe
– Fehnsiedlung

Zusatzinformationen zu den Materialien
M1 s. Lösung Aufgabe 1
M2 s. M3

Tipps zum Atlaskarteneinsatz
Diercke Weltatlas, 20/21: Deutschland nördlicher Teil – Physische Karte
Diercke Weltatlas 2, 16/17: Deutschland nördlicher Teil – physisch
Diercke Drei, 48/49: Deutschland (nördlicher Teil) – physisch

Lösungen der Arbeitsaufträge
1. 1. Schritt: Das Satellitenbild zeigt das Dorf Fehndorf bei Haren/Ems. Der Ort liegt an der Ems im nordwestlichen Niedersachsen. Der Bildausschnitt umfasst eine Fläche von etwa 1,9 km Länge und 1,2 km Breite. Wahrscheinlich zeigt das Luftbild die gesamte Siedlung. Die Häuser liegen an rechtwinkligen Straßen und sind umgeben von landwirtschaftlich genutzten Flächen. Das Bild wurde wahrscheinlich im Frühjahr aufgenommen (momentan kein Getreideanbau, Grünflächen).

2. Schritt: Folgende Bildelemente fallen auf: die beiden parallel laufenden Straßen, der Kanal an der östlichen Straße, die Siedlung hauptsächlich zwischen den Straßen und angrenzend an die östliche Straße, die rechteckig geschnittenen Flächen, die angedeuteten Entwässerungsgräben, die landwirtschaftlich genutzten Flächen (Ackerbau und Grünland), die große Wasserfläche (abgetorfte Fläche, Teich?). Nördlich dieser Fläche wird offenbar noch abgetorft. Es gibt Einzelhöfe am Ortsrand.

3. Schritt: Das Fehndorf ist infolge des Torfabbaus entstanden. Es wurde Torf gestochen, um Siedlungs- und Wirtschaftsfläche zu gewinnen. Der Torf wurde über einen Kanal abtransportiert. Die rechtwinkligen Flächen entstanden durch den Torfabstich, der hinter den Wohngebäuden ansetzte. Mit dem Torfabstich wurde die Oberfläche abgesenkt und näherte sich dem Grundwasser. Deshalb dominiert die Grünlandwirtschaft bzw. Viehzucht. Um den Grundwasserspiegel zu senken, wurden Entwässerungsgräben gezogen. Um größere Nutzflächen zu gewinnen, erfolgte eine dichte Besiedlung. Alle Bewohner widmeten sich dem Torfabstich.

4. Schritt: Das Fehndorf vermittelt einen Einblick in die Besiedlung einer Moorlandschaft. Das Moor wurde durch den Torfabstich urbar gemacht und konnte besiedelt werden. Der Torf wurde zu Heizzwecken verschifft; die gewonnenen Flächen hinter den Wohngebäuden wirtschaftlich genutzt.

Unterrichtsvorschlag

Unterrichtsphase	Inhaltlicher Schwerpunkt	Unterrichtsverlauf	Medien/Materialien
Einstieg	Siedlungen im Luftbild	Anknüpfen an die bisherigen Erfahrungen der Schüler mit Luftbildern: – Wo im Lehrbuch seid ihr schon auf Luftbilder gestoßen? (→ S. 15, M2; S. 20, M1, M2; S. 21, M4, M5; S. 26, Kasten; S. 44 und S. 45; S. 50, M1) – Wiederholung: Schrägluftbilder – Senkrechtluftbilder – Vorteile und Nachteile von Senkrechtluftbildern	Lehrbuch
Erarbeitung	Auswertung eines Luftbildes, Beispiel: Ausschnitt von Göttingen (M2)	– selbstständige Betrachtung des Luftbildes von Göttingen (M2) – Besprechung der Anleitung „So wertest du das Luftbild einer Siedlung aus"; nach jedem Punkt wird die entsprechende Information in M3 genannt und mithilfe des Luftbildes überprüft (Bild möglichst als Farbkopie für den OHP)	M2, Anleitung „So wertest du das Luftbild einer Siedlung aus"
Vertiefung/Übung	Auswertung eines Luftbildes, Beispiel: Fehndorf bei Haren/Ems (M1)	Aufgabe 1 (auch als Hausaufgabe)	M1, Anleitung „So wertest du das Luftbild einer Siedlung aus"

S. 60/61   Leben auf dem Land früher und heute

Kompetenzen

Die Schülerinnen und Schüler können
- die Wechselbeziehungen zwischen Städten und ländlichen Siedlungen erklären. (Fachwissen)
- den Wandel ländlicher Siedlungen beschreiben. (Fachwissen)
- die räumliche Lage von Siedlungen bewerten. (Beurteilen und Bewerten)

Grundbegriffe

- Infrastruktur

Zusatzinformationen zu den Materialien

M1/M2 Hierbei handelt es sich um ein fiktives Dorf.
M3 s. Lösung Aufgabe 5
M4 Die Einwohnerzahl von 1960 war nicht zu ermitteln.
M7 Der Wendenborsteler Hofladen entstand 1995. Damals schlossen sich drei Landwirtschaft betreibende Familien zusammen, um einen Laden zum Verkauf ihrer Produkte zu eröffnen. Mittlerweile ist dieser auf 100 m² angewachsen und bietet Wurst, Fleisch, Gemüse, Obst, Marmeladen, Kürbisse, Tannenbäume und Weiteres an.
Das Café Kännchen und der Blumenladen existieren seit 2009. Eine Mutter und ihre Tochter hatten das ehemalige Bauernhaus 2007 ersteigert und dann grundlegend saniert. Nun teilen sie sich die Räumlichkeiten.

Tipps zum Atlaskarteneinsatz

weiteres Beispiel für den Wandel eines Dorfes:
Diercke Weltatlas, 76.1: Neu-Anspach (Hessen) – Siedlungsschwerpunkt; 76.2: Anspach – Wandel der Dorfstruktur
Diercke Weltatlas 2, 54.1: Neu-Anspach – Siedlungsschwerpunkt im Planungsverband Frankfurt/Rhein-Main; 54.2: Anspach (Taunus) – Wandel der Dorfstruktur

Vorschlag zur Binnendifferenzierung

Falls einzelne Schüler aus Dörfern kommen, können sie die vorbereitende Hausaufgabe bekommen, sich bei ihren Eltern nach Wandel in ihrem Dorf zu erkundigen, und dann in der Einstiegsphase davon berichten.
Aufgabe 1 kann in Dreiergruppen arbeitsteilig bearbeitet werden, indem jeder Schüler der Gruppe nur eine Daseinsgrundfunktion untersucht.

Auch Aufgabe 3 kann arbeitsteilig bearbeitet werden, indem die Klasse in vier Gruppen (Vorteile früher, Vorteile heute, Nachteile früher, Nachteile heute) eingeteilt wird. Die Arbeitsergebnisse der einzelnen Gruppen werden dann an der Tafel zusammengeführt.
Aufgabe 7 kann als Hausaufgabe/Referat an einzelne Schüler, die aus Dörfern kommen, vergeben werden.

Lösungen der Arbeitsaufträge

1. Das Leben im ländlichen Raum hat sich verändert. Die Bauernhöfe sind verschwunden oder sie wurden umfunktioniert (Wohnhaus, Café, Hofladen, Kindergarten). Das Land wurde oftmals verpachtet. Nur wenige Bauern bewirtschaften ihren Hof noch als Haupterwerbsbetrieb, die meisten im Nebenerwerb. In vielen Dörfern hat der letzte Laden geschlossen. Die Versorgung erfolgt durch den Einkauf im nächsten größeren Dorf oder in der Stadt. Im Dorf gibt es kaum noch Dienstleistungsbetriebe – am ehesten eine Sparkasse. Oft wurde ein ehemals vorhandener Bahnanschluss stillgelegt. Viele Dörfer sind zu Schlafdörfern degradiert worden: Man wohnt im Eigenheim und fährt zur Arbeit in die Stadt. Grund- und Hauptschüler pendeln mit dem Bus in größere Dörfer, Realschüler und Gymnasiasten in die Stadt. Infolge der hohen Miet- und Grundstückspreise in der Stadt siedeln vor allem Familien im Umland. Dort bauen sie ihr Eigenheim.

2. Im Unterschied zum Dorf des Jahres 1960 hat sich das heutige Dorf wie folgt verändert: Die Ziegelei wurde aufgegeben, es gibt keine eigene Feuerwehr, Tankstelle und Post mehr; die Anzahl der landwirtschaftlichen Gebäude ist reduziert, ein Landwirt bezog einen Aussiedlerhof; es sind zwei Neubaugebiete mit je einer Gaststätte entstanden, andere Baugebiete wurden verdichtet; es gibt keine Handwerksbetriebe mehr; der Lebensmittelladen, die Schule und ein Wirtshaus wurden zu Wohnhäusern umgebaut; der Bahnhof wurde geschlossen und als Ersatz eine Bushaltestelle neben dem Neubau einer Festhalle eingerichtet; der Bäckerladen wurde zu einem Lebensmittelgeschäft mit Postannahmestelle umfunktioniert; Sparkasse und Kindergarten wurden aufgelöst; der Bach wurde (im Zuge der Flurbereinigung) begradigt, das Straßennetz ausgebaut.

3. Vor- und Nachteile des Lebens im Dorf früher und heute

Dorfleben früher		Dorfleben heute	
Vorteile	Nachteile	Vorteile	Nachteile
Arbeit auf dem Bauernhof und Nahrung vom Bauernhof	mitunter von der Stadt verkehrlich abgeschnitten	Umbau von Bauernhöfen zu Cafés und Hofläden	wenige Bauern erwirtschaften ihr Einkommen mit ihrem Hof
Handwerksbetriebe	erschwerter Einkauf von höherwertigen Lebensmitteln	Zuzug aus der Stadt	Aufgabe von Bauernhöfen
Lebensmittelladen	Geruchsbelästigung durch Schweinemast und Misthaufen	ausgewiesene Neubaugebiete	kein Geschäft und keine Dienstleistungsbetriebe mehr
Arzt	Lärm- und Verkehrsbelästigung durch innerörtliche Bauernhöfe	guter Verkehrsanschluss	Gebäudeleerstand nach Fortzug junger Arbeitskräfte
Post und Sparkasse	Ruhestörung durch frühmorgens krähende Hähne	begrenzt guter Anschluss mit öffentlichen Verkehrsmitteln	u. U. keine bzw. langsame Internet-Verbindung oder schlechter Handyempfang
gute Kommunikation mit der Nachbarschaft		erhöhte Investitionen in die Infrastruktur infolge gestiegener Steuereinnahmen nach der Eingemeindung	Verlust der herkömmlichen Bauweise
		Aussiedlerhöfe (Umsiedlung an den Dorfrand zwecks Hoferweiterung)	Dorf wird zum Schlafdorf
			zum Schulbesuch, evtl. zum Kindergarten und zur Arbeit pendeln

4. Als Schlafdorf wird ein Dorf bezeichnet, in dem die Bewohner weitgehend nur noch schlafen und zur Arbeit sowie zum Einkaufen in die Stadt pendeln.

5. Das Luftbild zeigt eine relativ kleine Siedlung mit nicht sehr dicht stehenden Gebäuden. Die Wohnhäuser sind meist freistehend und besitzen große Gärten. Bauernhöfe und Ackerflächen weisen auf eine landwirtschaftliche Nutzung hin. Es gibt nur wenige, kleinere Straßen. Um das Dorf befinden sich neben Feldern Wiesen und einzelne Waldstücke.

6. Wendenborstel hat sich seit 1960 von einem landwirtschaftlich dominierten Dorf zu einem Schlafdorf gewandelt. Die Anzahl der landwirtschaftlichen Betriebe ist von 22 auf neun zurückgegangen. Ein Bauernhof wurde zu einem Café umgebaut, ein anderer Hof betreibt einen Hofladen. Die Einwohnerzahl ist jedoch seit 1985 gestiegen. Neue Häuser sind im Neubaugebiet entstanden. Da in Wendenborstel vermutlich keine neuen Arbeitsplätze geschaffen, sondern eher welche abgebaut wurden, werden die Zugezogenen in den umliegenden Städten arbeiten und täglich pendeln. Das müssen auch die Schüler tun, da die letzte Schule bereits 1968 geschlossen wurde.

7. Individuelle Lösung. Weitere mögliche Fragen: Lebt der Bauer noch allein von seinem Hof? Wie viele Bauernhöfe stehen leer? Gibt es ein eigenes Postamt oder nur noch eine Postannahmestelle in einem Laden? In welche Stadt pendeln die meisten Bewohner zur Arbeit? Welcher beruflichen Tätigkeit gehen die meisten Pendler nach? Wie bewerten Sie das Vereinsleben und welche Art dominiert? Wie bewerten Sie das Miteinander im Dorf? Wie verhalten sich die neu Hinzugezogenen (Interesse am Dorfleben? Angepasste Architektur des Eigenheimes?)? Haben sich Ausländer angesiedelt? Pflegen sie ihr Eigenleben oder haben sie sich in die Dorfgemeinschaft integriert? Weshalb kann sich das letzte Geschäft im Dorf halten? Wer betreibt den Hofladen und gibt es dort nur regionale Produkte? Wie rentabel erweist sich der Betrieb einer Windkraftanlage?

Unterrichtsvorschlag

Unterrichtsphase	Inhaltlicher Schwerpunkt	Unterrichtsverlauf	Medien/Materialien
Einstieg	Mein Dorf im Wandel	falls Schüler aus einem Dorf kommen, berichten sie über Wandel in ihrem Dorf	
Erarbeitung 1	Wandel von Dörfern	– Aufgabe 2 in PA – gemeinsames Lesen des Lehrbuchtextes und Vergleich mit den Arbeitsergebnissen aus Aufgabe 2	M1, M2
Ergebnissicherung		– Aufgabe 1 – Aufgabe 3 – Aufgabe 4	
Erarbeitung 2	Fallbeispiel: Wendenborstel	– Beschreibung von M3 – Aufgabe 5 (vorher Wiederholung: Kennzeichen eines Dorfes) – Aufgabe 6	M3, M4, M6
Vertiefung	Untersuchung eines Dorfes	Aufgabe 7 (je nach Gegebenheiten als Exkursion oder Hausaufgabe)	M5

S. 62/63   Orientierung: Deutschlands Bundesländer

Kompetenzen
Die Schülerinnen und Schüler können
– die Bundesländer nennen und auf einer Karte zuordnen. (Fachwissen, Orientierung)
– die Bundesländer nach der Größe (Fläche, Einwohnerzahl) ordnen. (Methode)
– die Bevölkerungsdichte berechnen. (Fachwissen)
– die Nachbarstaaten Deutschlands benennen. (Fachwissen)
– den Bundesländern deren Wappen zuordnen. (Orientierung, Fachwissen)

Grundbegriffe
– Flächenstaat
– Stadtstaat

Zusatzinformationen zu den Materialien
M1 zugehörige Bundesländer (beginnend rechts von der Deutschland-Flagge, im Uhrzeigersinn): Schleswig-Holstein, Niedersachsen, Brandenburg, Thüringen, Baden-Württemberg, Hessen, Bayern, Mecklenburg-Vorpommern, Saarland, Bremen, Schleswig-Holstein, Nordrhein-Westfalen, Rheinland-Pfalz, Sachsen, Sachsen-Anhalt, Berlin

Tipps zum Atlaskarteneinsatz
Karte mit Bundesländern, Landeshauptstädten und Nachbarländern:
Diercke Weltatlas, 28/29: Deutschland – Verwaltungsgliederung, 75.4: Bundesrepublik Deutschland seit dem 3. 10.1990

Diercke Weltatlas 2, 58.4: Bundesrepublik Deutschland seit dem 3. Oktober 1990
Diercke Drei, 64.1: Politische Übersicht (mit Wappen der Bundesländer)

Vorschlag zur Binnendifferenzierung
Da das Arbeitstempo beim Lösen der Aufgaben 1–6 vermutlich stark variiert, können die Aufgaben 7 und 8 als Zusatzaufgaben mit einem bereits ebenfalls fertigen Lernpartner bearbeitet werden.

Lösungen der Arbeitsaufträge
1. Baden-Württemberg: L, Bayern: A (blau-weiß), Berlin: N (Bär), Brandenburg: D, Bremen: E (Schlüssel), Hamburg: S, Hessen: W, Mecklenburg-Vorpommern: A (viergeteilt), Niedersachsen: P (Pferd), Nordrhein-Westfalen: P (dreigeteilt), Rheinland-Pfalz: E (dreigeteilt), Saarland: N (viergeteilt), Sachsen: Q, Sachsen-Anhalt: U, Schleswig-Holstein: I, Thüringen: Z
Lösungswort: *Landeswappenquiz*
2. Die drei Bundesländer mit der größten Fläche sind Bayern, Niedersachsen und Baden-Württemberg. Die drei Bundesländer mit den meisten Einwohnern sind Nordrhein-Westfalen, Bayern und Baden-Württemberg.
3. A Schleswig-Holstein, 1 Kiel
B Mecklenburg-Vorpommern, 2 Schwerin
C Hamburg, 3 Hamburg
D Bremen, 4 Bremen
E Niedersachsen, 5 Hannover
F Berlin, 6 Berlin
G Nordrhein-Westfalen, 7 Düsseldorf

H Sachsen-Anhalt, 8 Magdeburg

I Brandenburg, 9 Potsdam

J Hessen, 10 Wiesbaden

K Rheinland-Pfalz, 11 Mainz

L Saarland, 12 Saarbrücken

M Thüringen, 13 Erfurt

N Sachsen, 14 Dresden

O Baden-Württemberg, 15 Stuttgart

P Bayern, 16 München

4. Die drei Stadtstaaten Deutschlands sind Hamburg, Bremen und Berlin.

5. a) Baden-Württemberg: 297 Ew./km^2, Bayern: 179 Ew./km^2, Berlin: 3843 Ew./km^2, Brandenburg: 83 Ew./km^2, Bremen: 1638 Ew./km^2, Hamburg: 2307 Ew./km^2, Hessen: 287 Ew./km^2, Mecklenburg-Vorpommern: 69 Ew./km^2, Niedersachsen: 164 Ew./km^2, Nordrhein-Westfalen: 515 Ew./km^2, Rheinland-Pfalz 201 Ew./km^2, Saarland: 381 Ew./km^2, Sachsen: 220 Ew./km^2, Sachsen-Anhalt: 110 Ew./km^2, Schleswig-Holstein: 178 Ew./km^2, Thüringen: 133 Ew./km^2

b) höchste Bevölkerungsdichte: Berlin, Hamburg, Bremen → Stadtstaaten

niedrigste Bevölkerungsdichte: Mecklenburg-Vorpommern, Brandenburg, Sachsen-Anhalt → ostdeutsche Bundesländer

6. DK Dänemark, PL Polen, CZ Tschechische Republik, A Österreich, CH Schweiz, F Frankreich, L Luxemburg, B Belgien, NL Niederlande

7. Folgende Bundesländer gehören nicht in die Reihe:

A Thüringen (neues Bundesland)

B Niedersachsen (grenzt an ein Meer bzw. an eine Küste)

C Bayern (keine gemeinsame Grenze mit einem der anderen drei Bundesländer)

D Mecklenburg-Vorpommern (keine gemeinsame Grenze mit einem der anderen drei Bundesländer)

E Brandenburg (grenzt nicht an die Küste)

8. individuelle Lösung

Unterrichtsvorschlag

Unterrichtsphase	Inhaltlicher Schwerpunkt	Unterrichtsverlauf	Medien/Materialien
Erarbeitung	Deutschlands Bundesländer	– selbstständige Bearbeitung der Aufgaben 1–6 durch die Schüler – selbstständige Kontrolle durch ausgelegte Lösungen – mit Lernpartner, der ebenfalls mit den Aufgaben 1–6 fertig ist, Bearbeitung der Aufgaben 7 und 8	M1–M4, Atlas (Aufgabe 1 kann nicht mit dem Diercke Weltatlas 2 bearbeitet werden, Alternative: Internet), mehrere Kopien der Lösungen im Klassenraum auslegen
Ergebnissicherung		Arbeitsblatt „Politische Gliederung Deutschlands"	Arbeitsblatt „Politische Gliederung Deutschlands" (Arbeitsheft)
Vertiefung 1	Bundesländerquiz	Schüler erstellen ein Bundesländerquiz (jeder Schüler schreibt eine Aufgabe auf einen Zettel inklusive Lösung; Beispiele: Nenne ein Bundesland an der Nordseeküste. Wie heißt die Landeshauptstadt von Sachsen-Anhalt?) und spielen es (Vorschlag: Klasse wird in zwei Hälften eingeteilt, Lehrer liest Aufgabe vor, Punkt für die Hälfte, die zuerst die richtige Antwort weiß.)	
Vertiefung 2	Deutschlandpuzzle	Zusatzaufgabe für schnelle Schüler	Arbeitsblatt „Deutschlandpuzzle" (CD-ROM), dünner Karton, Klebestift, Schere

S. 64/65　Bundeshauptstadt Berlin

Kompetenzen
Die Schülerinnen und Schüler können
– Merkmale und Funktionen von Berlin benennen. (Fachwissen)

Grundbegriffe
– Weltstadt

Zusatzinformationen zu den Materialien
M1 Das Reichstagsgebäude (kurz: Reichstag) ist seit 1999 Sitz des Deutschen Bundestages. Schon seit 1994 wählt hier die Bundesversammlung den Bundespräsidenten. Das Gebäude wurde 1884 bis 1894 im Stil der Neorenaissance errichtet und beherbergte sowohl den Reichstag des Deutschen Kaiserreiches als auch den Reichstag der Weimarer Republik. Durch den Reichstagsbrand von 1933 und den Zweiten Weltkrieg wurde es schwer beschädigt. In den 1960er-Jahren wurde der Reichstag wiederhergestellt und von 1991 bis 1999 grundlegend umgestaltet.

M2 Das Bundeskanzleramt ist Sitz der gleichnamigen Bundesbehörde. Im Rahmen des Umzugs der Bundesregierung von Bonn nach Berlin zog das Amt in den von 1997 bis 2001 errichteten Neubau.

M3 Die Internationalen Filmfestspiele Berlin (Berlinale) sind ein seit 1951 jährlich in Berlin stattfindendes Filmfestival und gelten als eines der weltweit bedeutendsten Ereignisse der Filmbranche. Aus über 400 am Wettbewerb teilnehmenden Filmen werden die Sieger von einer internationalen Jury mit dem Goldenen und Silbernen Bären ausgezeichnet.

Tipps zum Atlaskarteneinsatz
Diercke Weltatlas, 38.2: Berlin – Dienstleistungsstadt 2015; 39.3: Berlin – Innenstadt
Diercke Weltatlas 2, 26.2: Berlin 2007; 27.4: Berlin – Innenstadt 1932/um 1980/2008
Diercke Drei, 66.2: Berlin – City (westliche und östliche Innenstadt)

Vorschlag für ein Tafelbild

Berlin

politisches Zentrum	Weltstadt
– seit 1990 Hauptstadt Deutschlands – Landeshauptstadt des Bundeslandes Berlin – im Reichstag Sitz des Bundestages – im Bundeskanzleramt Sitz des Bundeskanzlers – Regierungsviertel – im Schloss Bellevue Sitz des Bundespräsidenten – Vertretungen der Bundesländer – ausländische Botschaften – Verwaltungsbehörden – Parteizentralen – Medien	– 5 Mio. Touristen pro Jahr – große Veranstaltungen (Messen, Kongresse, Berlinale, Sportevents) – großes kulturelles Angebot – sehr gute Ausbildungsmöglichkeiten

Vorschlag zur Binnendifferenzierung
Aufgabe 4 kann auch nur von einigen Schülern bearbeitet und den Mitschülern vorgestellt werden.

Lösungen der Arbeitsaufträge
1. Das Bundeskanzleramt ist südlich des Hauptbahnhofes zu finden. Der Sitz des Bundespräsidenten, das Schloss Bellevue, befindet sich westlich davon an der Spree. Das Parlament tagt im Bundestag, der südöstlich des Kanzleramtes liegt.
Die Schüler können aber andere markante Punkte für die relative Verortung heranziehen.

2. Berlin ist das politische Zentrum Deutschlands und übernimmt damit viele Funktionen für die Amtsgeschäfte der Politiker. Die Vertretungen aller anderen Staaten sind in Berlin, um den Austausch zu gewährleisten. Berlin bietet also die Voraussetzungen, die das Regieren/das politische Arbeiten auf Bundes- und internationaler Ebene ermöglichen. Zum anderen hat die Stadt diese politische Funktion auch für das Bundesland Berlin. Alle Grunddaseinsfunktionen können in der Stadt erfüllt werden. Im Bereich der Bildung bietet Berlin z. B. 160 000 Studienplätze und ist damit ein Magnet für Studenten aus dem gesamten In- und Ausland.

3 Städtische und ländliche Räume

3. Berlin kann als Weltstadt bezeichnet werden, da es eine internationale Bedeutung hinsichtlich der kulturellen, politischen und sportlichen Aktivitäten innehat wie keine andere Stadt in Deutschland. Allein schon die Bedeutung der Berlinale, bei der viele Weltstars anwesend sind, zeigt diesen internationalen Status. Hier können viele weitere Belege angeführt werden wie z. B. der Berlin-Marathon.

4. individuelle Lösung

5. individuelle Lösung

Internet-Adressen

http://www.berlin.de
http://www.berlinale.de

Filme

in den digitalen Lehrermaterialien „BiBox":
Berlin – eine Stadt mit Zukunft (2:20 min; kurzer Überblick über die jüngste Geschichte Berlins mit vielen Bildern von Sehenswürdigkeiten)
FWU:
4611033 Städte in Europa: Berlin

Unterrichtsvorschlag

Unterrichtsphase	Inhaltlicher Schwerpunkt	Unterrichtsverlauf	Medien/Materialien
Einstieg	Vorstellungen von Berlin	Brainstorming zu „Berlin" oder Eindrücke von Schülern, die bereits in Berlin waren alternativ: Film „Berlin – eine Stadt mit Zukunft"	Zettel, auf die Schüler ihre Assoziationen zu Berlin notieren; Film „Berlin – eine Stadt mit Zukunft"
Erarbeitung	Berlin – politisches Zentrum und Weltstadt	– gemeinsames Lesen des Lehrbuchtextes, dabei Aufgabe 1 – Schüler notieren aus dem Lehrbuchtext wichtige Informationen (Grundstruktur vorgeben; s. Tafelbild) – Aufgabe 2 – Aufgabe 3	M1, M2, M3, M5
Vertiefung		– Aufgabe 4 (als Hausaufgabe) – Aufgabe 5 (evtl. als Hausaufgabe)	

S. 66/67 Berlin – eine Stadt macht mobil

Kompetenzen

Die Schülerinnen und Schüler können
– einen Verkehrsnetzplan lesen. (Methode)

Grundbegriffe

– ÖPNV (öffentlicher Personennahverkehr)

Zusatzinformationen zu den Materialien

M2 Der Flughafen Berlin-Brandenburg befindet sich seit 2006 in Bau, seine Inbetriebnahme ist derzeit nicht absehbar. Er liegt an der südlichen Stadtgrenze Berlins im brandenburgischen Schönefeld. Geplant ist eine Kapazität von 27 Millionen Passagieren pro Jahr. Nach seiner Fertigstellung soll er die derzeitigen Flughäfen Schönefeld (dessen Gelände er teilweise umfasst) und Tegel ersetzen. Das Foto zeigt die Terminals mit den Zubringerstraßen sowie die Start- und Landebahnen im Hintergrund.

M3 Aus Gründen der Übersichtlichkeit wurden nur ausgewählte Bezeichnungen von Haltestellen in den Verkehrsnetzplan aufgenommen.

M4 Der Berliner Hauptbahnhof ist der wichtigste Eisenbahnknoten Berlins und wurde 2006 in Betrieb genommen. Gemessen an den Reisendenzahlen liegt er mit etwa 300 000 Fahrgästen pro Tag auf Platz vier der Bahnhöfe in Deutschland. Auf seinem Areal nördlich des Spreebogens standen bereits von 1868 bis 1951 der Lehrter Bahnhof und von 1882 bis 2002 der Lehrter Stadtbahnhof.

Tipps zum Atlaskarteneinsatz

Diercke Weltatlas, 38.2: Berlin – Dienstleistungsstadt 2015; 39.3: Berlin – Innenstadt
Diercke Weltatlas 2, 26.2: Berlin 2007; 27.4: Berlin – Innenstadt 1932/um 1980/2008
Diercke Drei, 66.2: Berlin – City (westliche und östliche Innenstadt)

Vorschlag für ein Tafelbild

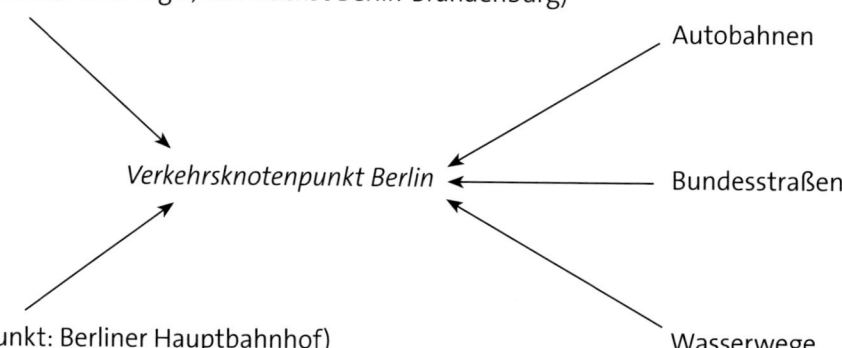

Fluglinien (Flughäfen Schönefeld und Tegel, demnächst Berlin-Brandenburg)

Autobahnen

Verkehrsknotenpunkt Berlin

Bundesstraßen

Eisenbahnlinien (Knotenpunkt: Berliner Hauptbahnhof)

Wasserwege

Vorschlag zur Binnendifferenzierung

Bei Aufgabe 3 könnte auch nur ein Schüler die Daten für die Heimatregion im Internet recherchieren, der Vergleich sollte dann aber von allen Schüler durchgeführt werden.

Lösungen der Arbeitsaufträge

1. In Berlin treffen Autobahnen, Bahnlinien und Wasserwege aufeinander, die Berlin über Deutschland hinaus mit den Nachbarländern verbinden. Auch der internationale Flughafen ist ein Teil des internationalen Verkehrsknotenpunktes.

2. individuelle Lösung

3. individuelle Lösung

4. In Berlin ist ein dichtes Verkehrsnetz notwendig, damit die berufstätigen Menschen ihren Arbeitsplatz erreichen können, was ebenfalls auf die 160 000 Studierenden zutrifft. Ferner müssen z. B. internationale Geschäftsleute oder Mitarbeiter von Botschaften oder anderen politischen Institutionen sich in der Stadt fortbewegen können. Die Anbindung vom Flughafen in die Stadt, z. B. zu Hotels, ist für Messen wie die IFA oder auch für Besucher der Berlinale wichtig. Da die Stadt von vielen Touristen aufgesucht wird, müssen auch diese in der Stadt ein gut ausgebautes Verkehrsnetz vorfinden.

Internet-Adressen

http://www.bvg.de (alle Linien der Berliner Verkehrsgesellschaft im Überblick: S- und U-Bahn-Netz, interaktives Liniennetz und Straßenbahnnetz)

Unterrichtsvorschlag

Unterrichtsphase	Inhaltlicher Schwerpunkt	Unterrichtsverlauf	Medien/Materialien
Einstieg	Wie kommt man nach Berlin?	– Schüler, die bereits in Berlin waren, berichten, wie sie dort hingekommen sind – Aufgabe 2	M1, M3
Erarbeitung	Verkehrsknotenpunkt Berlin	Lehrbuchtext	M1, M2, M3, M5
Ergebnissicherung		– Aufgabe 1 – Aufgabe 4 – Arbeitsblatt „Eine Mindmap zu Berlin"	Arbeitsblatt „Eine Mindmap zu Berlin" (CD-ROM)
Vertiefung		Aufgabe 3 (auch als Hausaufgabe)	M4, Internet

3 Städtische und ländliche Räume

S. 68/69 Kompetenztraining

Lösungen der Arbeitsaufträge

1. Individuelle Lösung. Beispiel:

Vater Peter: Wir wohnen in Braunschweig, wo ich eine Tankstelle gepachtet habe. Da das Geschäft nicht so gut läuft, habe ich mich nach Alternativen umgesehen. Mir liegen Angebote aus Wendenborstel (zwischen Nienburg/Weser und Schwarmstedt/Autobahnanschluss A 7) sowie am Ortsrand von Hannover vor. Damit wäre ein Umzug erforderlich. Hierzu möchte ich eure Meinung hören. Meine persönliche Meinung: Ich ziehe den ländlichen Standort Wendenborstel vor, denn nach der Arbeit sehne ich mich nach Ruhe und brauche weder Kino noch Theater, eher einen Garten.

Mutter Heike: Ich bin anderer Meinung. Ich ziehe die Stadt vor, denn in Hannover habe ich alles, was ich zur Versorgung benötige: Lebensmittelgeschäfte, Ärzte, Fitnesscenter …

Tochter Lea: Einerseits stimme ich Vati zu, weil ich im Dorf die Möglichkeit zum Reiten habe. Andererseits stimme ich Mutti zu, denn in Hannover kann man super shoppen. In Wendenborstel lebt man weniger beengt; es gibt wenig Lärm und Verkehr, viel frische Luft und Natur. Doch zur Schule müsste ich den Schulbus nutzen.

Sohn Ben: Fußballspielen könnte ich auch in Wendenborstel oder im benachbarten Steimbke. Doch in Hannover könnte ich immer zu den Heimspielen von Hannover 96 gehen.

Vater: Ben, die Heimspiele von Hannover 96 sind kein Argument, in der Stadt zu wohnen. Alle zwei Wochen könntest du von Nienburg aus mit der Bahn nach Hannover fahren. Ich würde dich zum Bahnhof fahren.

Mutter: Lea, reiten könntest du auch im Raum Hannover.

Vater: Heike, es ist zwar zutreffend, dass du in Hannover alle Besorgungen auf kurzem Weg und mit wenig Zeitaufwand erledigen könntest. Andererseits gibt es in das 15 km entfernte Nienburg täglich genug Busverbindungen. In Nienburg gibt es mehrere Supermärkte, Fachärzte und Fitnesscenter.

Mutter: Lea und Ben, ihr habt gehört, dass es sowohl für einen Umzug nach Wendenborstel als auch nach Hannover Argumente gibt. Der Grund für einen Umzug ist Papas Wunsch, eine andere Tankstelle zu übernehmen. Wenn Papa meint, er könne in Wendenborstel mehr verdienen und wenn er sich dort wohler fühlt, dann sollte das entscheidend sein.

2. Beispiele:

Kleinstädte	Mittelstädte	Großstädte	Millionenstädte
Alfeld 19 000	Salzgitter 98 000	Hannover 518 000	–
Bückeburg 19 000	Wilhelmshaven 76 000	Braunschweig 247 000	
Wildeshausen 19 000	Lüneburg 72 000	Oldenburg 160 000	
Bad Münder 17 000	Celle 69 000	Osnabrück 156 000	
Diepholz 16 000	Buxtehude 40 000	Wolfsburg 122 000	

3. arbeiten: landwirtschaftliche Betriebe, Geschäft, Gaststätte, Gemeindeamt
wohnen: viele Einfamilienhäuser
in Gemeinschaft leben: Gaststätten, Kapelle, Festhalle, Sportplatz
sich erholen: Badesee
am Verkehr teilnehmen: Bus, Straßen
sich versorgen: Lebensmittelladen, Post
Zusätzlicher Hinweis: Die Daseinsgrundfunktion „sich bilden" wird nicht mehr angeboten. Folgende Daseinsgrundfunktionen sind eingeschränkt: Es gibt keine Tankstelle mehr (sich versorgen), keine Feuerwehr mehr (in Gemeinschaft leben), keinen Bahnanschluss (am Verkehr teilnehmen), weniger Arbeitsstätten (es gibt nicht mehr: Schmied, Schneider, Bäcker, Mühle, Ziegelei). Schule und

Kindergarten (sich bilden) wurden ebenso geschlossen wie die Sparkasse (sich versorgen).

4. a) Individuelle Lösung. Als Ziele könnten genannt werden: Regierungsviertel, East-Side-Gallery (Berliner Mauer), KaDeWe, Fernsehturm, Alexanderplatz, Potsdamer Platz, Zoo, Brandenburger Tor, Hackescher Markt, Straßen „Unter den Linden" und „Kurfürstendamm", Gedächtniskirche (die beiden letztgenannten Ziele liegen außerhalb des Kartenausschnittes), Holocaust-Denkmal, Hauptbahnhof.

b) Der Weg vom Brandenburger Tor zum Ostbahnhof: mit S2 bis Friedrichstraße, mit U6 bis Hallesches Tor, mit U1 bis Ostbahnhof.
Der Weg vom Zoologischen Garten zum ehemaligen Flughafen Tempelhof: mit U2 bis Stadtmitte, mit U6 bis Tempelhof.

5. Das Bundesland Niedersachsen hat eine Fläche von 47 000 km², auf der 7 779 000 Einwohner wohnen. Das Wappen von Niedersachsen zeigt einen Schimmel (Pferd) auf rotem Untergrund (evtl. zusätzlich Skizze). Das Bundesland wirkt durch die Weser zweigeteilt. Es grenzt an die Bundesländer Nordrhein-Westfalen, Hessen, Thüringen, Sachsen, Brandenburg, Mecklenburg-Vorpommern und Schleswig-Holstein und schließt den Stadtstaat Bremen ein. Im Westen grenzt Niedersachsen an die Niederlande. Hannover ist die Landeshauptstadt. Die Städte mit der größten Einwohnerzahl sind Braunschweig, Oldenburg, Osnabrück, Wolfsburg und Göttingen. (+ Umrissskizze)

4 Vielfalt in Europa

S. 70/71 Kapitelauftaktseite

Europa ist mit seinen ganz unterschiedlichen Landschaften, seinen 47 Staaten und ihren unterschiedlichen Kulturen ein sehr vielfältiger Kontinent. Diese Vielfalt steht im Zentrum dieses Kapitels. Der Kapitelauftaktseite zeigt ein Satellitenbild Europas, das die landschaftliche Vielfalt deutlich macht, sowie sechs Fotos aus verschiedenen Staaten, die Beispiele für die kulturelle, wirtschaftliche und landwirtschaftliche Vielfalt zeigen.

Zusatzinformationen

Foto „Schotte": Das Foto zeigt einen Schotten im Kilt (Schottenrock), der auf einem Dudelsack spielt.
Der Kilt ist ein knielanger Wickelrock aus Wolle. Er wird von schottischen Männern getragen, heutzutage nur noch an Festtagen. Der Dudelsack (auch Sackpfeife) hingegen ist weltweit verbreitet, hat aber in Schottland eine lange Tradition und wird oft als schottisches Nationalinstrument bezeichnet.
Foto „Fjord in Norwegen": Ein Fjord ist ein weit ins Festland hineinreichender Meeresarm. Er ist durch einen Talgletscher entstanden, der sich ins Meer erstreckte. Norwegen ist bekannt für seine Fjordküste im Westen des Landes.
Foto „Basilius-Kathedrale in Moskau": Die Basilius-Kathedrale befindet sich am südlichen Ende des Roten Platzes in Moskau und ist eines der Wahrzeichen der Stadt. Sie wurde 1561 errichtet und besteht im Inneren aus neun Kirchen, von außen erkennbar durch die neun Hauptkuppeln.

Foto „Brücke über den Bosporus": Die Bosporus-Brücke ist die ältere von zwei Brücken in Istanbul, die den Bosporus überspannen und so den europäischen mit dem asiatischen Teil der Stadt verbinden. Die Hängebrücke wurde 1973 eröffnet und ist 1560 m lang.
Foto „Weinernte in Italien": Der Weinbau ist in Italien ein wesentlicher Wirtschaftsfaktor. Italien gehört zu den wichtigsten europäischen Weinproduzenten. Auf einer Fläche von etwa 840 000 ha werden mehr als 60 Mio. Hektoliter Wein erzeugt. Die Ernte erfolgt in Handarbeit.
Foto „Eiffelturm in Paris": Der Eiffelturm ist ein 324 Meter hoher Eisenfachwerkturm am Ufer der Seine in Paris. Das von 1887 bis 1889 errichtete Bauwerk wurde als Eingangsportal und Aussichtsturm für die Weltausstellung errichtet. Der nach dem Erbauer Gustave Eiffel benannte Turm war bis 1930 das höchste Bauwerk der Welt. Heute wird er als Fernsehturm genutzt. Als höchstes Bauwerk von Paris prägt er das Stadtbild und zählt mit rund sieben Millionen Besuchern pro Jahr zu den meistbesuchten Wahrzeichen der Welt.

Einsatz im Unterricht

Die Schüler erklären mithilfe des Satellitenbildes und der Fotos den Titel des Kapitels („Vielfalt in Europa"). Sechs Schüler könnten auch Kurzreferate zu den sechs Fotos vorbereitet haben und vortragen.

S. 72/73 Kinder in Europa

Kompetenzen
Die Schülerinnen und Schüler können
- kulturelle Gemeinsamkeiten und Unterschiede innerhalb Europas beschreiben. (Fachwissen)

Grundbegriffe
- Kultur

Tipps zum Atlaskarteneinsatz
Diercke Weltatlas, 85.5: Europa – Politische Übersicht; 86/87.1: Europa – Physische Übersicht
Diercke Weltatlas 2, 61.5: Europa – politische Übersicht; 62/63.1: Europa – physische Übersicht
Diercke Drei, 84.2: Physische Übersicht; 93.5: Politische Übersicht

Vorschlag zur Binnendifferenzierung
Interessierte Schüler können einen eigenen Text wie in M1–M3 über sich formulieren.
Aufgabe 3 kann auch an einzelne Schüler in Form eines Referates vergeben werden.

Lösungen der Arbeitsaufträge
1. Amela wohnt in Bosnien und Herzegowina, Luca in Italien und Inga in Lettland.
2. individuelle Lösung
3. Individuelle Lösung. Folgende kulturelle Merkmale könnten als Anregung gegeben werden: Sprache, Religionen, Bräuche und Feste, Volksmusik, Literatur und Sport.

4. Individuelle Lösung. Für die Abgrenzung unterschiedlicher Kulturen sprechen u. a. die trotz gewisser Gemeinsamkeiten deutlich erkennbare Sprachenvielfalt, unterschiedliche Architektur und Siedlungsstrukturen, für eine einheitliche europäische Kultur dagegen das weitgehend einheitliche Wertesystem.

Unterrichtsvorschlag

Unterrichtsphase	Inhaltlicher Schwerpunkt	Unterrichtsverlauf	Medien/Materialien
Einstieg	Einheit und Vielfalt in Europa – eigene Erfahrungen	Schüler berichten über ihre (Urlaubs-)Erfahrungen in Bezug auf Unterschiede und Gemeinsamkeiten in Europa	
Erarbeitung 1	Lebenswelten europäischer Kinder	– drei Schüler lesen die Texte in M1, M2 und M3 vor – Aufgabe 1 – Aufgabe 2	M1, M2, M3
Erarbeitung 2	Begriff „Kultur"	– Was ist Kultur? → Infokasten	Infokasten
Ergebnissicherung	Diskussion: Kulturen in Europa	Aufgabe 4	
Vertiefung/Hausaufgabe	Recherche: Kulturelle Merkmale eines selbst gewählten europäischen Staates	Aufgabe 3	Internet, Atlas

S. 76/77 Europa – Einheit und Vielfalt

Kompetenzen
Die Schülerinnen und Schüler können
– kulturelle Gemeinsamkeiten und Unterschiede innerhalb Europas beschreiben. (Fachwissen)

Grundbegriffe
– UNESCO-Welterbe

Zusatzinformationen zu den Materialien
M1 Bereits im 6. Jh. v. Chr. siedelten Menschen der Jungsteinzeit an den Ufern des vier Millionen Jahre alten Ohridsees in Mazedonien. Die Stadt Ohrid ist eine der nachweislich ältesten Siedlungen auf dem europäischen Kontinent sowie Schatzkammer byzantinischer Malerei. Heutzutage ist Ohrid mit seinen 42 000 Einwohnern aufgrund seiner gut erhaltenen Altstadt, der mittelalterlichen Festung, der vielen Kirchen, Klöster und Moscheen sowie des Sees ein überregionales Touristenziel. Die UNESCO erklärte im Jahr 1979 den Ohridsee und ein Jahr später die Stadt Ohrid zum UNESCO-Welterbe.
M2 In der 2600 Jahre langen Geschichte Istanbuls haben viele verschiedene Kulturen und Religionen die Stadt geprägt. In der Altstadt, die seit 1985 Weltkulturerbe ist, hinterließen Römer, Griechen, Byzantiner, Osmanen und Türken beeindruckende Gebäude.

M3 Der 240 Hektar große barocke Bergpark Wilhelmshöhe in Kassel ist angelegt im Stil eines englischen Landschaftsgartens und gilt als Europas größter Bergpark. Entstanden ist er zwischen 1696 und 1717. Vom 70 Meter hohen Sockel, auf dem eine Kupferstatue des Herkules thront, ergießen sich 750 000 Liter Wasser in 12 km langen Wasserläufen hinab zur 52 m hohen Großen Fontäne im Teich am Schloss Wilhelmshöhe. Der Bergpark ist seit 2013 Weltkulturerbe.
M4 Die Pont du Gard ist eine im 1. Jh. n. Chr. erbaute Aquäduktbrücke der Römer in Südfrankreich, nahe der Ortschaft Remoulins. Sie ist Teil eines 50 km langen Aquäduktes, welches von der Stadt Uzès bis nach Nimes reichte. Als Baumaterial wurde grober Muschelkalk ohne jeglichen Mörtel verwendet. Die Steine halten heute noch allein durch den gegenseitigen Druck und die daraus resultierenden Reibungskräfte zusammen. Die Brücke ist seit 1985 Weltkulturerbe.

Tipps zum Atlaskarteneinsatz
Diercke Weltatlas, 85.5: Europa – Politische Übersicht
Diercke Weltatlas 2, 61.5: Europa – politische Übersicht
Diercke Drei, 93.5: Politische Übersicht

4 Vielfalt in Europa

Vorschlag zur Binnendifferenzierung

Bei langsameren Schülern können auch jeweils zwei Schüler bei Aufgabe 1b) zusammenarbeiten.

Es müssen nicht alle Schüler ein Referat zu den in M1–M4 dargestellten UNESCO-Welterbestätten machen (Aufgabe 2). Er reicht, wenn vier Schüler jeweils eine der vier Welterbestätten vorstellen. Idealerweise liegen die Referate bereits zur Unterrichtsstunde vor, werden also schon vorher zu Hause angefertigt.

Lösungen der Arbeitsaufträge

1. a) Erkennbar sind die germanischen, romanischen, slawischen und die baltischen Sprachen anhand ähnlicher Wörter.

b) Bom dia! – Portugal; Bonjour! – Frankreich; Buon giorno! – Italien; Dobro jutro! – Bosnien und Herzegowina; Dobro utro! – Makedonien; Dzień dobry! – Polen; Dobroje utro! – Russland; Labrit! – Lettland; Labas rytas! – Litauen; God morgon! – Schweden; Guten Morgen! – Deutschland; Good morning! – Großbritannien

c) Bukarest/Rumänien: Bună dimineața!; Dublin: Good morning!; Belgrad: Dobro jutro!

2. individuelle Lösung

3. außereuropäische Teilnehmerländer: Marokko, Armenien, Aserbaidschan, Georgien, Israel

4. Lösung abhängig vom aktuellen Jahr

Literatur

Fiene, T./Karg, K.: Europas Grenzen: Eindeutig uneindeutig. Europa als Unterrichtsgegenstand und Unterrichtsproblem. In: Praxis Geographie, H. 3/2008, S. 10–13.

Internet-Adressen

http://www.eurovision.de/teilnehmer/index.html (Teilnehmerländer am Eurovision Song Contest)

http://www.unesco-welterbe.de (UNESCO-Welterbestätten in Deutschland)

http://www.weltkulturerbe.com/weltkulturerbe/europa.html (Informationen zu zahlreichen Weltkulturerbestätten in Europa)

http://de.wikipedia.org/wiki/Liste_des_UNESCO-Welterbes_%28Europa%29 (Liste aller Welterbestätten in Europa)

Unterrichtsvorschlag

Unterrichtsphase	Inhaltlicher Schwerpunkt	Unterrichtsverlauf	Medien/Materialien
Einstieg	Europa – Einheit und Vielfalt	– Thema „Europa – Einheit und Vielfalt" als stummen Impuls an die Tafel schreiben – Assoziationen der Schüler	Tafel
Erarbeitung	Beispiele für Einheit und Vielfalt Europas	– Begrüßungen in verschiedenen Sprachen (Aufgabe 1) – Lehrbuchtext – UNESCO-Welterbestätten in Europa (M1–M5) – Eurovision Song Contest (Aufgabe 3 und 4 [falls Internet zur Verfügung steht])	M1–M7, Internet
Vertiefung	UNESCO-Welterbestätten	Aufgabe 2 (Referate)	M1–M5, Atlas, Internet

S. 76/77 Orientierung: Europa – ein staatenreicher Kontinent

Kompetenzen

Die Schülerinnen und Schüler können
– den Kontinent Europa geographisch einteilen. (Orientierung)

Grundbegriffe

– Zwergstaaten
– Inselstaaten
– Küstenstaaten
– Binnenstaaten

Zusatzinformationen zu den Materialien

M2 Quelle: Diercke Weltatlas, S. 321; Einwohnerzahlen (2013) von Wikipedia

Tipps zum Atlaskarteneinsatz

Diercke Weltatlas, 85.5: Europa – Politische Übersicht; 86/87.1: Europa – Physische Übersicht
Diercke Weltatlas 2, 61.5: Europa – politische Übersicht; 62/63.1: Europa – physische Übersicht
Diercke Drei, 93.5: Politische Übersicht; 84/85.2: Physische Übersicht

Vorschlag für ein Tafelbild

Staaten Europas

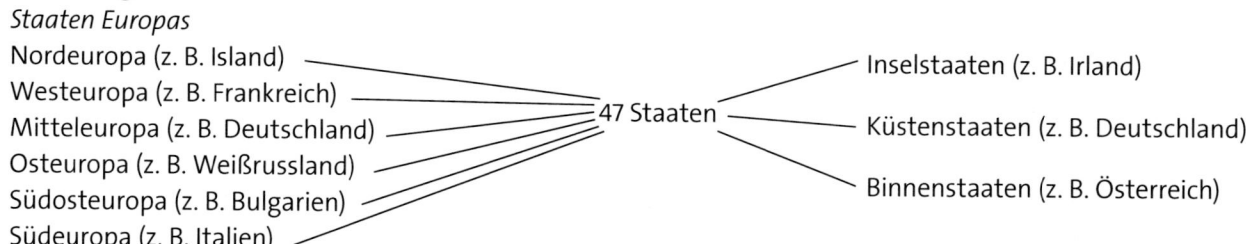

Nordeuropa (z. B. Island)
Westeuropa (z. B. Frankreich)
Mitteleuropa (z. B. Deutschland)
Osteuropa (z. B. Weißrussland)
Südosteuropa (z. B. Bulgarien)
Südeuropa (z. B. Italien)

47 Staaten

Inselstaaten (z. B. Irland)
Küstenstaaten (z. B. Deutschland)
Binnenstaaten (z. B. Österreich)

Vorschlag zur Binnendifferenzierung

Bei Aufgabe 1 können schnelle Schüler auch noch einen zweiten Großraum bearbeiten.

Bei Aufgabe 4 können einzelne Schüler auch noch weitere Spalten bearbeiten.

Lösungen der Arbeitsaufträge

1. Nordeuropa: 1 Island Reykjavik, 2 Norwegen Oslo, 3 Schweden Stockholm, 4 Finnland Helsinki, 5 Dänemark Kopenhagen, 40 Estland Tallinn, 41 Lettland Riga, 42 Litauen Vilnius

Westeuropa: 6 Irland Dublin, 7 Vereinigtes Königreich London, 8 Niederlande Amsterdam, 9 Belgien Brüssel, 10 Luxemburg Luxemburg, 11 Frankreich Paris, 12 Monaco Monaco

Südeuropa: 13 Portugal Lissabon, 14 Spanien Madrid, 15 Andorra Andorra, 16 Italien Rom, 17 San Marino San Marino, 18 Vatikanstadt Vatikanstadt, 19 Malta Valletta

Südosteuropa: 20 Griechenland Athen, 21 Zypern Nikosia, 30 Slowenien Ljubljana, 31 Kroatien Zagreb, 32 Bosnien und Herzegowina Sarajevo, 33 Serbien Belgrad, 34 Rumänien Bukarest, 35 Montenegro Podgorica, 36 Kosovo Pristina, 37 Albanien Tirana, 38 Makedonien Skopje, 39 Bulgarien Sofia, 48 Türkei Ankara

Mitteleuropa: 22 Deutschland Berlin, 23 Schweiz Bern, 24 Liechtenstein Vaduz, 25 Österreich Wien, 26 Tschechische Republik Prag, 27 Polen Warschau, 28 Slowakei Bratislava, 29 Ungarn Budapest

Osteuropa: 43 Weißrussland Minsk, 44 Ukraine Kiew, 45 Moldau Chişinău, 46 Russland Moskau, 47 Kasachstan Astana

2. individuelle Lösung

3. 1 Italien, 2 Estland, 3 Vereinigtes Königreich, 4 Rumänien, 5 Schweden, 6 Slowenien, 7 Österreich, 8 Griechenland, 9 Lettland, 10 Frankreich

4. individuelle Lösung

Unterrichtsvorschlag

Unterrichtsphase	Inhaltlicher Schwerpunkt	Unterrichtsverlauf	Medien/Materialien
Einstieg	Quiz: Kennst du dich aus in Europa?	kleines Quiz zu Europa, das den Schülern zeigen soll, wo sie noch Wissenslücken haben (Beispielfragen: Wie heißt die Hauptstadt von Lettland? Gehört Russland zu Europa? Welches ist der längste Fluss Europas? Von welchem Staat ist die Hauptstadt Sarajevo?)	
Erarbeitung 1	Abgrenzung Europas	– Die Schüler umfahren auf einer physischen (Wand-)Karte von Europa die Grenzen Europas. Problemfrage: Wo ist die Grenze Europas im Osten? – Lehrbuchtext 1. Abschnitt vorlesen, Schüler zeigen auf der Karte die im Text beschriebene Ostgrenze	physische Wandkarte Europas bzw. Atlaskarte
Erarbeitung 2	Staaten Europas	– Lehrbuchtext 2. Abschnitt – Tafelbild – Aufgabe 1 – Aufgabe 3	M1, M3
Ergebnissicherung		Arbeitsblatt „Europa – Großregionen und Staaten"	Arbeitsblatt „Europa – Großregionen und Staaten" (Arbeitsheft)
Vertiefung		– Aufgabe 2 – Aufgabe 4 (auch als Hausaufgabe)	M2, stumme Karte von Europa (CD-ROM)

4 Vielfalt in Europa

S. 78/79 Europa – die Europäische Union

Kompetenzen
Die Schülerinnen und Schüler können
– Mitgliedsstaaten, Strukturen und Ziele der Europäischen Union (EU) benennen. (Orientierung, Fachwissen)

Grundbegriffe
– Binnenmarkt
– Zölle

Zusatzinformationen zu den Materialien
M5 a) Irland, b) Österreich, c) Belgien, d) Spanien, e) Finnland, f) Frankreich, g) Deutschland, h) Griechenland, i) Italien, j) Luxemburg, k) Niederlande, l) Portugal

Tipps zum Atlaskarteneinsatz
Diercke Weltatlas, 84.4: Europäische Zusammenschlüsse
Diercke Weltatlas 2, 60.4: Europäische Zusammenschlüsse
Diercke Drei, 94.2: Europäische Zusammenschlüsse

Vorschlag für ein Tafelbild
Europäische Union (EU)
Mitglieder:
– zur Zeit 28 Mitgliedsstaaten
– 6 Beitrittskandidaten

Organisation:
– EU-Kommission (= Regierung)
– EU-Parlament (wird von Bürgern alle fünf Jahre gewählt)

Ziele:
– Sicherung des Friedens
– gemeinsame Umweltpolitik
– gemeinsamer Binnenmarkt
– gemeinsame Währung (Euro; zur Zeit in 19 Staaten eingeführt)
– Abschaffung der Grenzkontrollen

Vorschlag zur Binnendifferenzierung
Aufgabe 2 kann auch nur von einzelnen Schülern bearbeitet und vorgestellt werden.
Aufgabe 4 kann auch in Kleingruppen diskutiert werden.

Lösungen der Arbeitsaufträge
1. EU-Mitglieder sind zur Zeit: Belgien, Bulgarien, Dänemark, Deutschland, Estland, Finnland, Frankreich, Griechenland, Irland, Italien, Kroatien, Lettland, Litauen, Luxemburg, Malta, Niederlande, Österreich, Polen, Portugal, Rumänien, Schweden, Slowakei, Slowenien, Spanien, Tschechische Republik, Ungarn, Vereinigtes Königreich und Zypern.
Euro-Staaten sind, nach ihrem Beitrittsjahr aufsteigend geordnet: Belgien, Deutschland, Finnland, Frankreich, Irland, Italien, Luxemburg, Niederlande, Österreich, Portugal, Spanien, Griechenland, Slowenien, Malta, Zypern, Slowakei, Estland, Lettland und Litauen.
2. individuelle Lösung
3. Die in M4 aufgeführten Städte beherbergen die sieben Organe der Europäischen Union. In Brüssel ist der Sitz der Kommission, des Europäischen Rates sowie ein Plenarsaal des Europäischen Parlaments, in Straßburg ist das Europäische Parlament, in Luxemburg der Gerichtshof der Europäischen Union sowie der Europäische Rechnungshof, in Frankfurt die Europäische Zentralbank.
4. Individuelle Lösung. Ausgangspunkt können, neben Kenntnissen der Schüler über die aktuelle Tagespolitik, die Aussagen der Kinder in den Sprechblasen in M3 sein.

Literatur
Claaßen, K.: Praxisblatt: Ein langer Weg nach Europa. Die Etappen der Europäischen Integration. In: Praxis Geographie, H. 9/2012, S. 12.

Internet-Adressen
http://www.bpb.de
http://www.auswaertiges-amt.de/DE/Europa/Uebersicht_node.html
http://www.eu-kommission.de
http://www.europarl.de

Unterrichtsvorschlag

Unterrichtsphase	Inhaltlicher Schwerpunkt	Unterrichtsverlauf	Medien/Materialien
Einstieg	Die EU in unserem Alltag	– vom Lehrer oder als vorbereitende Hausaufgabe von Schülern mitgebrachte Zeitungsausschnitte mit Erwähnung der EU (Gesetze, Regelungen, Europawahl …) – M1, M2 → Bedeutung der EU für unseren Alltag alternativ: – Table-Set zum Thema „Welche Bedeutung hat die EU für uns?"	Zeitungsausschnitte, M1, M2, für Table-Set: DIN-A3-Blätter
Erarbeitung	Die EU	– Lehrbuchtext – Tafelbild zur Sicherung – Aufgabe 1 – Aufgabe 3 – Aufgabe 4	M3, M4, Internet
Vertiefung		– Arbeitsblatt „Die Entwicklung der EU" – Aufgabe 2 (als Hausaufgabe)	Arbeitsblatt „Die Entwicklung der EU" (Arbeitsheft), M5

S. 80/81   Methode: Einen Ländersteckbrief erstellen

Kompetenzen
Die Schülerinnen und Schüler können
– eine Internetrecherche durchführen. (Methode)

Zusatzinformationen zu den Materialien
M1 http://www.auswaertiges-amt.de/DE/Aussenpolitik/Laender/Laenderinfos/01-Nodes_Uebersichtsseiten/Portugal_node.html

Tipps zum Atlaskarteneinsatz
Je nach ausgewähltem Staat können die Schüler verschiedene Atlaskarten hinzuziehen.

Vorschlag zur Binnendifferenzierung
Damit möglichst viele europäische Staaten von den Schülern vorgestellt werden, kann der Lehrer die Auswahl steuern.

Zur Unterstützung bei Aufgabe 3 kann den Schülern eine Vorlage für einen Ländersteckbrief gegeben werden (Kopiervorlage auf der beiliegenden CD-ROM).

Lösungen der Arbeitsaufträge
1. Individuelle Lösung. Beispiel: http://www.auswaertiges-amt.de/DE/Aussenpolitik/Laender/Laenderinfos/01-Laender/Tuerkei.html, abgerufen am 19.04.2014
2. Ellmann-Bahr, Rainer u. a. (2015): Diercke Erdkunde 5/6 Niedersachsen Gymnasium.
3. individuelle Lösung
4. individuelle Lösung

Unterrichtsvorschlag

Unterrichtsphase	Inhaltlicher Schwerpunkt	Unterrichtsverlauf	Medien/Materialien
Einstieg	Beispiel für einen Ländersteckbrief	aus M1 ergeben sich folgende Fragen: – Welchen Nutzen bringt ein Ländersteckbrief? – Wie ist ein Ländersteckbrief aufgebaut?	M1
Erarbeitung 1	Wie erstellt man einen Ländersteckbrief?	– Besprechung der Anleitung zum Erstellen eines Ländersteckbriefes – Besprechung der Tipps zur Internetrecherche – Besprechung des Beispiels in M2	Anleitung „So erstellst du einen Ländersteckbrief", Infokasten, M2
Ergebnissicherung		– Aufgabe 1 – Aufgabe 2	Internet
Erarbeitung 2	Erstellen eines Ländersteckbriefes	Erstellen eines eigenen Ländersteckbriefes (Aufgabe 3)	evtl. Kopiervorlage „Ländersteckbrief" (CD-ROM)
Präsentation		Präsentation der Ländersteckbriefe in Kurzreferaten (Aufgabe 4), Steckbriefe werden im Klassenraum aufgehängt	

S. 82/83   Kompetenztraining

Lösungen der Arbeitsaufträge

1. a) Die Binnenstaaten Europas sind: Schweiz, Liechtenstein, Österreich, Tschechien, Slowakei, Ungarn, Serbien, Mazedonien, Kosovo, Andorra, Luxemburg, San Marino, Vatikanstadt, Moldawien, Weißrussland, Kasachstan.

b) Man durchfährt folgende Staaten (Landeswährung): Deutschland (Euro), Österreich (Euro), Slowenien (Euro), Kroatien (Kuna), Bosnien und Herzegowina (Konvertible Mark).

c) EU-Staaten: Belgien, Bulgarien, Dänemark, Deutschland, Estland, Finnland, Frankreich, Griechenland, Vereinigtes Königreich, Irland, Italien, Kroatien, Lettland, Litauen, Luxemburg, Malta, Portugal, Rumänien, Niederlande, Österreich, Polen, Schweden, Slowakei, Slowenien, Spanien, Tschechische Republik, Ungarn, Zypern

Euro-Staaten: Belgien, Deutschland, Estland, Finnland, Frankreich, Griechenland, Irland, Italien, Lettland, Litauen, Luxemburg, Malta, Niederlande, Österreich, Portugal, Slowakei, Slowenien, Spanien, Zypern

EU-Beitrittskandidaten mit laufenden Verhandlungen: Island, Montenegro, Serbien, Türkei

EU-Beitrittskandidaten ohne laufende Verhandlungen: Albanien, Mazedonien

potenzielle Beitrittskandidaten: Bosnien und Herzegowina, Kosovo

Nicht-EU-Staaten: Albanien, Andorra, Bosnien und Herzegowina, Island, Kasachstan, Kosovo, Mazedonien, Moldawien, Monaco, Montenegro, Norwegen, Russland, Schweiz, Serbien, Türkei, Ukraine, Weißrussland

2. individuelle Lösung

3. individuelle Lösung

4. a) – Marokko (kein europäischer Staat)

– Bonjour (romanische Sprache)

– Berlin (hier keine Institution der EU ansässig) oder Straßburg (keine europäische Hauptstadt)

– Marktkirche Hannover (keine UNESCO-Welterbestätte) oder Hagia Sophia (im heutigen Zustand keine religiös genutzte Stätte)

b) mögliche Alternativen: Frankreich, Dobro utro!, Frankfurt, Sultan Ahmed Moschee in Istanbul

c) individuelle Lösung

S. 84/85   Kapitelauftaktseite

Die Kapitelauftaktseite zeigt vier Postkarten aus unterschiedlichen Feriengebieten, die im folgenden Kapitel näher betrachtet werden.

Zusatzinformationen

S'Arenal – Sonne pur: s. Lehrbuch S. 110/111: Massentourismus auf Mallorca

Grüße von der Nordsee: s. Lehrbuch S. 92/93: An der Nord- und Ostsee, S. 94/95: Küstenformen, S. 96/97 Küstenschutz, S. 98/99 Flächennutzungskonflikte im Wattenmeer

Urlaub im Harz: s. Lehrbuch S. 98/99: Wo ist was möglich am Ferienort?

Skiparadies Alpen: s. Lehrbuch S. 106/107: Ganzjahrestourismus in den Alpen, S. 108/109 Lawinen – die weiße Gefahr

Einsatz im Unterricht

Auf einer Europakarte können die vier Urlaubsziele verortet werden (evtl. mit Post-its markieren). Die Schüler beschreiben die unterschiedlichen Tourismusformen. Zusätzlich kann der Lehrer/können die Schüler weitere Urlaubskarten mit in den Unterricht bringen. Die Schüler können berichten, wo sie ihren letzten Urlaub verbracht haben. Alle zusätzlichen Urlaubsziele können ebenfalls auf der Europakarte mit Post-its verortet werden.

S. 86   Ferienorte

Kompetenzen

Die Schülerinnen und Schüler können
– Ferienorte nach bestimmten Kriterien charakterisieren. (Fachwissen)

Grundbegriffe

– Hauptsaison
– Nebensaison
– Individualtourismus
– Pauschaltourismus

Zusatzinformationen zu den Materialien

M1 A Skigebiet in den österreichischen Alpen
B Strand in Cinque Terre/Italien
C Reiterhof im Münsterland

Vorschlag für ein Tafelbild

Auch wenn die Mindmap erst auf S. 160/161 eingeführt wird, bietet sie sich hier als zusammenfassendes Tafelbild an.

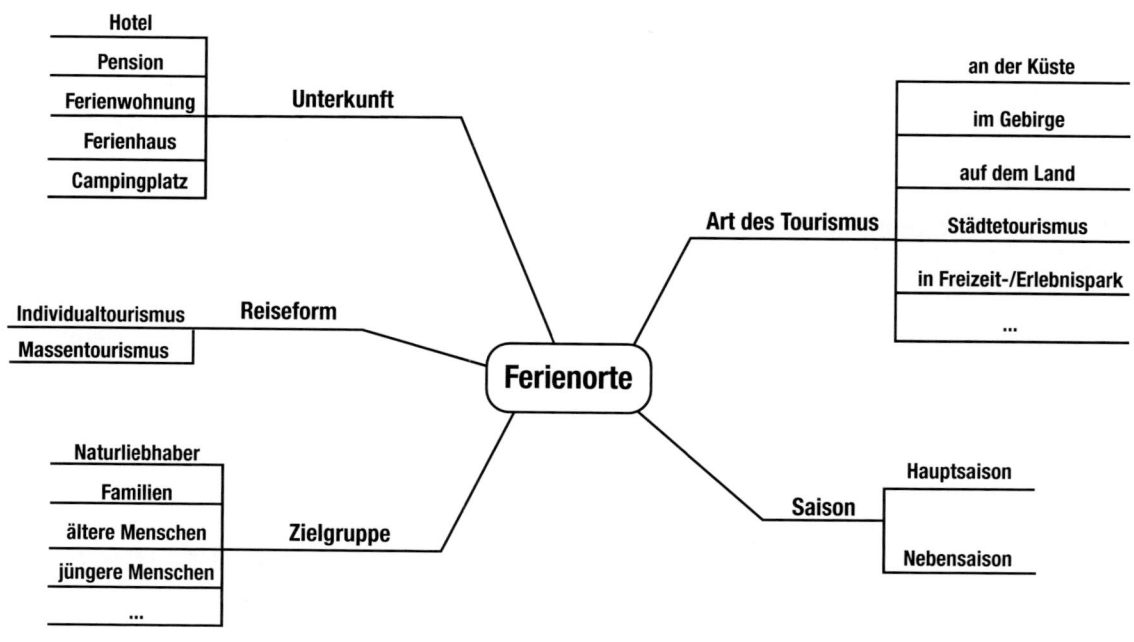

Vorschlag zur Binnendifferenzierung

Aufgabe 2b) bietet verschiedene Möglichkeiten der grafischen Darstellung des Wunschferienortes an, aus denen die Schüler entsprechend ihren Fähigkeiten eine auswählen können.

Lösungen der Arbeitsaufträge

1. *Welche Art des Tourismus gibt es an diesem Ort?*
A: Tourismus im Gebirge
B: Tourismus an der Küste
C: Tourismus auf dem Land
Wann herrscht dort Hauptsaison?
A: im Winter, vielleicht auch im Sommer
B: im Sommer
C: im Sommer

Für welche Zielgruppen ist dieser Ferienort attraktiv?
A: junge Leute, auch Familien, Gruppenreisende
B: Familien, auch junge und ältere Leute, Gruppenreisende
C: Familien, ältere Leute, Einzelreisende
2. a) Individuelle Lösung. Eine gute Bearbeitung der Aufgabe zeichnet sich dadurch aus, dass die aufgeführten Merkmale alle berücksichtigt sind und dass die Ausgestaltungen dieser Merkmale miteinander in einer sachlogischen Verbindung stehen.
b) individuelle Lösung

Unterrichtsvorschlag

Unterrichtsphase	Inhaltlicher Schwerpunkt	Unterrichtsverlauf	Medien/Materialien
Einstieg	Unterschiedliche Ferienorte	s. Unterrichtsvorschlag für die Auftaktseite	S. 84/85
Erarbeitung	Begriffe zum Tourismus	– Lehrbuchtext wird gemeinsam gelesen, dabei Entwicklung des Tafelbildes zur Ergebnissicherung – Aufgabe 1	Text, M1
Vertiefung	Mein Wunschferienort	Aufgabe 2 (Teilaufgabe b auch als Hausaufgabe)	

S. 87 Wir werten Reisekataloge aus

Kompetenzen

Die Schülerinnen und Schüler können
– Interessen und Absichten in Reiseprospekten hinsichtlich ihrer Seriosität charakterisieren. (Beurteilen und Bewerten)

Zusatzinformationen zu den Materialien

M1 A: Strand von Mallorca, B: Strand auf Korfu

Vorschlag zur Binnendifferenzierung

Bei Aufgabe 5 kann die Anzahl der zu untersuchenden Hotelbeschreibungen individuell vorgegeben werden.
Aufgabe 6 kann auch gut als Partnerarbeit bearbeitet werden. Dann kann jeder der Schüler entsprechend seinen Stärken eine Aufgabe übernehmen (z. B. zeichnen, Text schreiben).

Lösungen der Arbeitsaufträge

1. a) individuelle Lösung
b) individuelle Lösung

2. Individuelle Lösung. Eine gute Begründung zeichnet sich dadurch aus, dass mit den Bedürfnissen entsprechender Zielgruppen und konkreten Bildinhalten argumentiert wird. Das Foto B vermittelt den Eindruck, deutlich mehr typische Urlaubsbedürfnisse befriedigen zu können: Ruhe (wenige Menschen am Strand und nur wenige, kleine Häuser), Natur (bewaldeter Berghang, klares Wasser), vielfältiges Freizeitangebot vor Ort (Baden, Paddeln, Essengehen).
3. Individuelle Lösung. Die Bearbeitung der Aufgabe kann sich an den Formulierungen in M3 orientieren: Das Hotel „liegt direkt am Meer", „mit breitem Sandstrand", „mit Blick auf das Meer", „viele Freizeitmöglichkeiten".
4. A: Familien mit Kindern, Jugendliche/junge Erwachsene, Gruppenreisen; Leute, die nicht so viel Geld für den Urlaub ausgeben können/wollen
B: Paare, ältere Menschen, Familien mit Kindern; Leute, die mehr Geld für den Urlaub ausgeben können/wollen
5. individuelle Lösung
6. individuelle Lösung

Unterrichtsvorschlag

Unterrichtsphase	Inhaltlicher Schwerpunkt	Unterrichtsverlauf	Medien/Materialien
Einstieg	Reisekataloge	– Schüler/Lehrer bringen/ bringt Reisekataloge mit in den Unterricht – Heranführung an das Thema	verschiedene Reisekataloge
Erarbeitung	Auswertung von Reisekatalogen	– Darstellung von Hotels in Reisekatalogen (M2) – Aufgaben 1–4	M1, M2
Ergebnissicherung		Aufgabe 5	Reisekataloge, M2
Vertiefung		Aufgabe 6 (auch als Hausaufgabe)	

S. 88/89   Wo ist was möglich im Ferienort?

Kompetenzen
Die Schülerinnen und Schüler können
– Karten unter der Fragestellung „Wo ist was möglich?" auswerten. (Methode)

Zusatzinformationen zu den Materialien
M1 Die Fotos und Texte stammen alle von der Internetseite des Ferienortes Braunlage (http://www. braunlage. de).
M2 Ausschnitt aus der TK 25 mit ausgewählten Legendensymbolen

Tipps zum Atlaskarteneinsatz
Diercke Weltatlas, 22/23: Deutschland mittlerer Teil – Physische Karte; 62.1: Tourismus
Diercke Weltatlas 2, 6 (Regionalteil Niedersachsen): Niedersachsen – physisch (südöstlicher Teil); 7.2 (Regionalteil Niedersachsen): Mittelgebirge Harz; 46.1: Tourismus – Übersicht
Diercke Drei, 48/49: Deutschland (nördlicher Teil) – physisch; 80.1: Tourismus

Vorschlag für ein Tafelbild

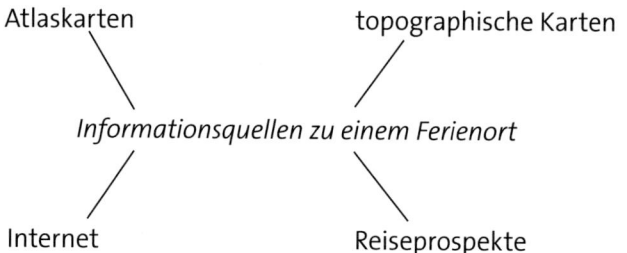

Vorschlag zur Binnendifferenzierung
Mit der Präsentation des Ferienortes Braunlage können ein oder zwei Schüler beauftragt werden.

Lösungen der Arbeitsaufträge
1. Atlaskarten-Angaben beziehen sich auf den Diercke Weltatlas.
– Landschaft: Mittelgebirge Harz, Höhen von 500 m bis über 1000 m (Wurmberg: 971 m, Brocken: 1142 m) (Karte 20/21), stark bewaldet (Karte 30/31 oder 62.1)
– Art des Tourismus: Kurort (Karte 62.1)
– Saison: Sommer (Mai bis September) und Winter (Januar) (Diagramme zur Karte 62.1)
– Größe des Ferienortes: unter 20 000 Einwohner (Karte 20/21), 500 000 – 1 000 000 Übernachtungen pro Jahr (Karte 62.1)
– Anreisemöglichkeiten: Bundesstraße; nächster Bahnanschluss: Herzberg und Bad Harzburg (Karte 20/21), nächster Flughafen: Hannover, Paderborn, Erfurt, Leipzig (Karte 22/23)
2. – Landschaft: waldreich, bergig (Mountainbiken, Skifahren), Höhle und See
– Art des Tourismus: Tourismus im Mittelgebirge → viele Sportmöglichkeiten (Wandern, Mountainbiken, Schwimmen in Frei- und Hallenbädern, Abfahrtski, Rodeln, Snowboard, Langlauf, Biathlon, Schlittschuhfahren im Eisstadion), Führungen/Bildung (durch den Nationalpark)
– Saison: Sommersaison (Wandern, Mountainbiken, Schwimmen, Besichtigungen), Wintersaison (Ski- und Snowboardfahren, Langlauf, Biathlon, Rodeln)
– Zielgruppen: Familien mit Kindern („Familienangebote"), junge Leute, die Sport treiben möchten (Mountain-

biken, Ski, Biathlon), ältere Menschen (Wandern, Führungen/Besichtigungen)

3. Entscheidend für die Qualität der Bearbeitung ist die Begründungstiefe, d. h., dass möglichst viele und angemessene Informationen aus der Karte und M1 berücksichtigt werden.

– Wandern: Wege in entlegenen Gebieten (wenig Siedlung, keine größeren Straßen) mit naturkundlichen Besonderheiten, z. B. bei den Hahnenkleeklippen, nicht zu starkes Gefälle der Wege

– Mountainbiken: Wege mit starkem Gefälle, Information in M1: Bikepark am Wurmberg

– Erlebnis Nationalpark: Wege innerhalb des Naturschutzgebietes Wurmberg, der Nationalpark erstreckt sich aber auch außerhalb des Naturschutzgebietes

– Familienangebote: z. B. in Braunlage (Ortszentrum)

– Badespaß: in M1 ist nur von Wald- und Hallenbädern, nicht von Seen die Rede. Der Silberteich ist wahrscheinlich zu kalt zum Baden, da er recht hoch liegt. Wo sich das Hallenbad oder die Hallenbäder konkret im Ort Braunlage befinden, ist aus der Karte nicht erkennbar.

– Biathlonschießen: nicht zu starkes Gefälle, aber auch eine gewisse Schneesicherheit. Deshalb wären hochliegende, ebene Gebiete gut geeignet. Im Kartenausschnitt sind solche Gebiete nicht vorhanden. Höchstens am Wurmberg könnte hangparallel eine Biathlonstrecke angelegt sein. Tatsächlich befindet sich die in M1 beworbene Biathlonschießanlage gar nicht in Braunlage, sondern nördlich von Sankt Andreasberg auf dem Sonnenberg. (In der Reiseinformation heißt es etwas vernebelnd „exklusiv im Harz").

– Eisstadion: Dieses müsste im Ort liegen, da es keine besonderen Bedingungen an die natürlichen Voraussetzungen stellt, aber gut erreichbar sein soll.

– Skifahren: Am Wurmberg ist ein Skilift eingezeichnet, in M1 wird auch der Wurmberg direkt als Skigebiet genannt. Der Wurmberg ist die höchste Erhebung auf der Karte (Schneesicherheit) und gleichzeitig recht steil.

Internet-Adressen

http://www.braunlage.de

Unterrichtsvorschlag

Unterrichtsphase	Inhaltlicher Schwerpunkt	Unterrichtsverlauf	Medien/Materialien
Einstieg	Informationsquellen zu Urlaubsorten	– Ausgangssituation: Urlaub in Braunlage → Wie könnt ihr euch über den Ferienort Braunlage informieren? – Sammlung von Informationsquellen → Tafelbild	
Erarbeitung 1	Sammeln von Informationen zu Braunlage	– Aufgabe 1 – Aufgabe 2 – evtl. zusätzlich Internetrecherche	M1, Atlas, evtl. Internet
Ergebnissicherung	Ferienort Braunlage	Präsentation des Ferienortes Braunlage durch einzelne Schüler	
Erarbeitung 2	Wo ist was möglich in Braunlage?	Aufgabe 3	M2

S. 90/91   Orientierung: Großlandschaften Deutschlands

Kompetenzen
Die Schülerinnen und Schüler können
– Deutschland in Naturräume gliedern. (Fachwissen)

Grundbegriffe
– Oberflächenform/Relief
– Hochebene
– Großlandschaft

Zusatzinformationen zu den Materialien
M1 Der mit einem Rahmen hervorgehobene Raum entspricht dem in M3 dargestellten Querschnitt (einschließlich der Zahlen und Buchstaben).
M2 Das Schrägluftbild zeigt das Dorf Döteburg, das zu Seelze gehört und ca. 10 km westlich von Hannover liegt.
M5 Im Vordergrund befindet sich das Dorf Aidling, dahinter der Riegsee und Murnau, im Hintergrund das Wettersteingebirge.

Tipps zum Atlaskarteneinsatz
Diercke Weltatlas, 19.1: Physische Karte; 26/27: Deutschland – Physische Übersicht
Diercke Weltatlas 2, 15.1: Physische Karte Deutschland; 16/17: Deutschland nördlicher Teil – physisch; 18/19: Deutschland mittlerer Teil – physisch; 20/21: Deutschland südlicher Teil – physisch
Diercke Drei, 44.1: Physische Übersicht; 46/47: Deutschland – physisch

Vorschlag für ein Tafelbild
Großlandschaften Deutschlands

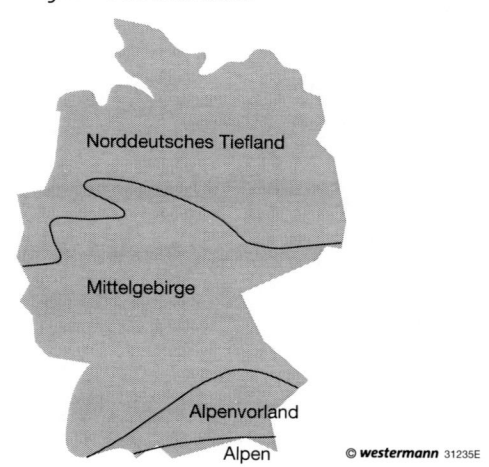

© **westermann** 31235E

Oberflächenformen

Tiefland	unter 200 m ü. M.
Mittelgebirge	200–1500 m ü. M.
Hochgebirge	über 1500 m ü. M.
Hochebene	eben, relativ hoch über dem Meeresspiegel gelegen

Vorschlag zur Binnendifferenzierung
Aufgabe 4 kann als Zusatzaufgabe eingesetzt werden.

Lösungen der Arbeitsaufträge
1. Städte: 1 = Hamburg, 2 = Hannover, 3 = München
Mittelgebirge: A = Harz, B = Thüringer Wald
2. a) z. B. Radfahren, Skifahren, Bergsteigen, Drachenfliegen, Wandern, Paddeln

b)

	Norddeutsches Tiefland	Mittelgebirgsraum	Alpenvorland	Alpen
Radtouren	++	+	++	–
Wandern	– / +	++	– / +	++
Skifahren	–	+	–	++
Bergsteigen	–	+	–	++
Paddeln – Wildwasser	–	+	+	++
Paddeln – ruhiges Wasser	++	+	+	–

3. M3, S. 99: Norddeutsches Tiefland; eben, am Meer gelegen
M1, S. 140: Mittelgebirge; deutliche Höhenunterschiede von wenigen Hundert Metern
4. a) Als Gegenbeweise können verschiedene Räume gewählt werden, etwa der „Gäuboden" zwischen Regensburg und Vilshofen (200–350 m). Das Gebiet um Würzburg erreicht kaum Höhen über 350 m. Die Gebiete „Donaumoos" und „Hallertau" liegen überwiegend zwischen 350 und 500 m Höhe, weisen also nur geringe Höhenunterschiede auf.
Dagegen weist z. B. der Solling einen deutlichen Höhenunterschied auf (etwa 100 m bei Holzminden und 528 m an

seiner höchsten Stelle) und erreicht auch größere Höhen als einige der zuvor genannten bayerischen Gebiete. Im Falle des Harzes sind diese Unterschiede noch deutlicher. **b)** Wenn man von Norddeutschland nach Süddeutschland kommt, wird es höher und bergiger, sobald man vom Norddeutschen Tiefland in den Mittelgebirgsraum kommt. Im Mittelgebirgsraum wird es aber nicht ständig höher und bergiger. Erst an den Alpen wird es noch höher und bergiger.

Unterrichtsvorschlag

Unterrichtsphase	Inhaltlicher Schwerpunkt	Unterrichtsverlauf	Medien/Materialien
Einstieg	Flug über Deutschland – Großlandschaften	Fantasiereise „Ein Flug über Deutschland"	Fantasiereise „Ein Flug über Deutschland" (CD-ROM)
Erarbeitung 1	Großlandschaften Deutschlands	Arbeitsblatt „Großlandschaften Deutschlands" in EA alternativ: – Tafelbild „Großlandschaften", Schüler vervollständigen stumme Faustskizze mit Namen der Großlandschaften – Beschreibung der Fotos M2, M4 und M5	Arbeitsblatt/Lösung „Großlandschaften Deutschlands" (CD-ROM) M2, M4, M5, Tafel
Erarbeitung 2	Oberflächenformen	– Lehrbuchtext Abschnitt „Oberflächenformen" – Tafelbild „Oberflächenformen"	Tafel
Vertiefung/Hausaufgabe		– Aufgabe 1–4 (in PA) – Arbeitsblatt „Begriffsketten"	Arbeitsblatt/Lösung „Begriffsketten" (CD-ROM)

S. 94/95   An der Nord- und Ostseeküste

Kompetenzen
Die Schülerinnen und Schüler können
– Küstenformen als Ergebnis exogener Kräfte beschreiben und erklären. (Fachwissen)

Grundbegriffe
– Gezeiten
– Ebbe
– Flut
– Watt
– Salzwiese
– Deich
– Sturmflut

Zusatzinformationen zu den Materialien
M3 TK 100 mit ausgewählten Signaturen

Tipps zum Atlaskarteneinsatz
Diercke Weltatlas, 20/21: Deutschland nördlicher Teil – Physische Karte; 62.1: Tourismus
Diercke Weltatlas 2, 12.1 (Regionalausgabe Niedersachsen): Nordseeküste Satellitenbild; 16/17: Deutschland nördlicher Teil – physisch; 46.1: Tourismus – Übersicht
Diercke Drei, 48/49: Deutschland (nördlicher Teil) – physisch

Vorschlag für ein Tafelbild

	Nordseeküste	Ostseeküste
Gezeiten	Ebbe und Flut	nicht vorhanden
Auswirkungen der Gezeiten	Watt (bei Ebbe trocken fallender Meeresboden), bei Ebbe kein Baden möglich	keine
Küste	fast immer flach, im Anschluss an das Meer Salzwiesen, dahinter oft Deiche, auf den Inseln breite Sandstrände mit Dünen	häufig Steilufer mit schmalem Strand aus Sand oder Kies

Lösungen der Arbeitsaufträge

1. Inseln/Inselgruppen: 1 = Ostfriesische Inseln, 2 = Helgoland (und Düne), 3 = Nordfriesische Inseln, 4 = Fehmarn, 5 = Rügen, 6 = Usedom

Städte: A = Bremerhaven, B = Bremen, C = Hamburg, D = Kiel, E = Lübeck, F = Schwerin, G = Rostock, H = Stralsund

Flüsse/Kanäle: a = Nord-Ostsee-Kanal, b = Weser, c = Elbe, d = Oder

Staaten: NL = Niederlande, DK = Dänemark, PL = Polen

2. Norderney ist eine Ostfriesische Insel und liegt zwischen den beiden Inseln Juist (im Westen) und Baltrum (im Osten).

3. Watt: im Vordergrund von M2, Salzwiese: im Anschluss an das Watt in M2 (dunkelgrün), Strand: in M5 auf der rechten Hälfte des Fotos, in M4 der mittlere Bereich; Düne: der linke Bereich inklusive Leuchtturm in M5; Deich: in M2 im Hintergrund (hellgrün, mit Schafen); Steilufer: in M4 die rechte Hälfte des Fotos

4. Sandstrand: auf der Nordseite der Insel, nach Osten zunehmend breiter werdend; Dünen: im Anschluss an den Strand sich von Westen nach Osten erstreckend, besonders breiter Dünenbereich direkt östlich der Ortschaft

Watt: zwischen Norderney und der ostfriesischen Festlandsküste, also südlich der Insel; an der Nordseite der Insel nur ein sehr schmaler Streifen.

Salzwiese: in der Osthälfte zwischen Dünen und Watt (flach, von Prielen durchzogen und ohne Deich)

Deich: auf der Südseite vom Westbad über Hafen, dann südlich von „In den Dünen", sowie südlich und östlich von Flugplatz und Leuchtturm

Filme

FWU:

4602807 Naturräume Deutschlands: Die deutsche Nordseeküste

4602759 Naturräume Deutschlands: Die deutsche Ostseeküste

4632741 Die Nordsee von oben

4632801 Die Ostsee von oben

Unterrichtsvorschlag

Unterrichtsphase	Inhaltlicher Schwerpunkt	Unterrichtsverlauf	Medien/Materialien
Einstieg	Urlaub an der Nord- und Ostseeküste	Schüler berichten von ihren Urlaubserfahrungen an der Nord- und Ostseeküste (alternativ berichtet Lehrer) → Gezeiten an der Nordsee bestimmen die Küstenform und die Bademöglichkeiten	
Erarbeitung	Vergleich der Nord- und Ostseeküste	– Lehrbuchtext – Tafelbild – Aufgabe 3	M2, M4, M5
Vertiefung 1	Fallbeispiel: Norderney	– Aufgabe 2 – Aufgabe 4	M1, M3, Atlas
Vertiefung 2	Fallbeispiel: Amrum	Arbeitsblatt „Wo ist was möglich in Amrum?" (vgl. Lehrbuch S. 88/89 „Wo ist was möglich am Ferienort?")	Arbeitsblatt „Wo ist was möglich in Amrum?" (Arbeitsheft)
Hausaufgabe		Aufgabe 1	M1, Atlas

S. 94/95   Küstenformen

Kompetenzen

Die Schülerinnen und Schüler können
– Küstenformen als Ergebnis exogener Prozesse beschreiben und erklären. (Fachwissen)

Grundbegriffe

– Steilküste
– Flachküste
– Priel

Zusatzinformationen zu den Materialien

M4 Wichtig ist, dass die Schüler zwischen Ebbe und Niedrigwasser unterscheiden können. Häufig werden die beiden Begriffe nämlich fälschlicherweise synonym gebraucht. Siehe dazu auch Aufgabe 4.

M5 Die Daten stellen ein beliebiges Beispiel dar. Aktuelle Gezeitenkalender können z.B. unter http://gezeitenkalender.de abgerufen werden. Hinweis zum 8. Juli: An diesem Tag gab es nur einmal Niedrigwasser. Das dem Hochwasser von 17:56 Uhr folgende Niedrigwasser ist um 0:36 Uhr am folgenden Tag.

Tipps zum Atlaskarteneinsatz

Diercke Weltatlas, 32.1: Nordsee – Wattenküste; 90/91.1: Küstenformen; 91.1: Nord- und Ostseeküste – Küstenformen; 322.4: Entstehung der Gezeiten

Diercke Weltatlas 2, 24.1: Wattenküste; 25.1: Küstenformen; 196.4: Entstehung der Gezeiten
Diercke Drei, 82.1: Wattenküste; 82.2: Entstehung der Gezeiten; 82.3: Das Wattenmeer bei Ebbe und Flut

Vorschlag für ein Tafelbild

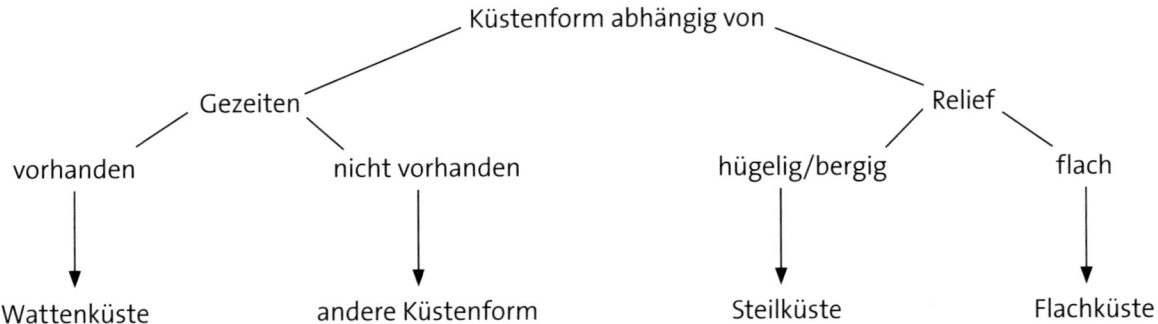

Vorschlag zur Binnendifferenzierung

Sehr leistungsstarke Schüler können die Entstehung der Gezeiten mithilfe der Abbildung im Atlas (Diercke Weltatlas 322.4, Diercke Weltatlas 2 196.4, Diercke Drei 82.2) erklären.

Lösungen der Arbeitsaufträge

1. M2, S. 92: Flachküste mit Gezeiten (es sind Watt, Salzwiese und ein Deich zu sehen)

M4, S. 93: Steilküste ohne Gezeiten (es ist ein Kliff und ein schmaler Strand erkennbar; da es sich um die Ostsee handelt, treten keine Gezeiten auf)

M2, S. 94: Steilküste mit Gezeiten (es ist ein Kliff erkennbar und ein offensichtlich gerade trocken gefallener Wattbereich am Fuß des Kliffs [dunkel gefärbt])

M3, S. 94: Flachküste ohne Gezeiten (es sind Strand und Dünen erkennbar; da es sich um die Ostsee handelt, treten keine Gezeiten auf)

2. Für das Auftreten von großen Wattgebieten muss das Land sehr flach sein und das Meer muss deutliche Gezeiten haben. An der deutschen Nordseeküste ist das Land sehr flach, weil es zum Norddeutschen Tiefland gehört. Die Nordsee hat deutliche Gezeiten, weil sie ein Randmeer des Atlantischen Ozeans ist.

3. Europäisches Nordmeer: deutliche Gezeiten (Randmeer des Atlantischen Ozeans)

Mittelmeer: kaum Gezeiten (Binnenmeer mit nur sehr schmalem Zugang zum Atlantischen Ozean über die Straße von Gibraltar)

Schwarzes Meer: kaum Gezeiten (Binnenmeer mit nur sehr schmalem Zugang zum Binnenmeer „Mittelmeer" über den Bosporus)

Golf von Biscaya: deutliche Gezeiten (Randmeer des Atlantischen Ozeans)

4. Die richtige Bedeutung des Begriffs „Ebbe" ist: Der Zeitraum, in dem der Wasserstand sinkt.

5. a) Man kann bei Niedrigwasser nicht zu Fuß von Baltrum nach Norderney laufen, weil sich dazwischen ein tiefer Wasserstrom befindet (Baltrumer Balje und Ostbalje). Dieser ist auch während Niedrigwasser mit Wasser gefüllt. Durch ihn werden die Wattgebiete südlich von Baltrum und Norderney bei Ebbe entwässert, und bei Flut strömt das Wasser ein.

b) Der Weg verläuft über den Neßmer Nacken ins Norderneyer Inselwatt. Entscheidend ist es, die Stelle zwischen Ostbalje und Riffgat zu finden, die bei Niedrigwasser trocken fällt.

6. Am 5. Juli ist um 15.20 Uhr Hochwasser. Nach dem Hochwasser soll man nicht mehr baden, weil dann der Ebbstrom die Badenden hinaus auf das Meer ziehen kann. Allzu lange vor dem Hochwasser kann nicht gebadet werden, weil dann noch nicht genügend Wasser zum Baden aufgelaufen ist. Deshalb sollte im Zeitraum von etwa drei Stunden vor Hochwasser bis zum Zeitpunkt des Hochwassers gebadet werden.

7. Die Wattwanderung sollte am 9. Juli um 11.00 Uhr beginnen, da um 13.00 Uhr Niedrigwasser ist. Müssen Priele bei der Wanderung durchquert werden, so ist das nur bei ablaufendem Wasser möglich.

Literatur

Bruns, K. G./Meiners, W./Claaßen, K.: Ebbe und Flut. Ein Modell zum Selbermachen. In: Praxis Geographie, H. 1/1997, S. 16–19.

Internet-Adressen

http://www.bsh.de (→ Meeresdaten → Vorhersagen →
Gezeiten)
http://gezeiten-kalender.de

Filme

in den digitalen Lehrermaterialien „BiBox":
Gezeiten (2:19 min; Entstehung der Gezeiten, Wattenmeer)

Unterrichtsvorschlag

Unterrichtsphase	Inhaltlicher Schwerpunkt	Unterrichtsverlauf	Medien/Materialien
Einstieg	Problemfrage	Warum unterscheiden sich die Nord- und die Ostseeküste? (Anknüpfen an die vorherige Unterrichtseinheit)	
Erarbeitung 1	Gezeiten und Relief bestimmen die Küstenform	– Lehrbuchtext – Aufgabe 1 – Aufgabe 2 – Aufgabe 3	M1, M2, M3, S. 92: M2, S. 93: M4, Atlas
Ergebnissicherung 1		Tafelbild	Tafel
Erarbeitung 2	Gezeiten	– Film „Gezeiten" – Erklärung der Gezeiten anhand von M4 – Aufgabe 4	M4, Infokasten, Film „Gezeiten"
Ergebnissicherung 2		Arbeitsblatt „Gezeiten"	Arbeitsblatt „Gezeiten" (Arbeitsheft)
Erarbeitung 3	Richtiges Verhalten im Watt	Problemfrage: Warum ist das Watt nicht ganz ungefährlich? – anhand von M6 formulieren die Schüler Verhaltensregeln im Watt	M6
Vertiefung/Hausaufgabe		– Aufgabe 5 – Aufgabe 6 – Aufgabe 7	M5, M6, S. 93: M3

S. 96/97   Küstenschutz

Kompetenzen

Die Schülerinnen und Schüler können

– Küstenformen als Ergebnis exogener Prozesse beschreiben und erklären. (Fachwissen)
– schadens- und risikominimierende Maßnahmen des Küstenschutzes beschreiben und erklären. (Fachwissen)
– aufgrund geographischer Kenntnisse und geeigneter Kriterien Bedrohungen von Küsten bewerten. (Beurteilen und Bewerten)

Grundbegriffe

– Warft/Wurt
– Hallig
– Erosion
– Sedimentation
– Buhne
– Lahnung

Tipps zum Atlaskarteneinsatz

Diercke Weltatlas, 32.1: Nordsee – Wattenküste; 32.2: Nordstrander Bucht – Naturschutz; 32.3: Landgewinnung/Küstenschutz
Diercke Weltatlas 2, 13.3 (Regionalteil Niedersachsen): Harlesiel – Neulandgewinnung; 24.1: Wattenküste; 24.2: Nordstrander Bucht – Küstenschutz und ökologische Folgen; 24.3: Landgewinnung/Küstenschutz

Vorschlag für ein Tafelbild

Gefährdung der Küste durch …	Maßnahmen
Sturmfluten	Deiche, Warften (aufgeschüttete Hügel auf Halligen)
Erosion an Steilküsten	große Steine am Fuß des Kliffs, Sicherung durch Beton
Erosion an Flachküsten	Buhnen (ins Wasser hinausragende Wälle aus Steinen oder Holz)

Vorschlag zur Binnendifferenzierung

Aufgabe 5 kann als Zusatzaufgabe für besonders interessierte Schüler genutzt werden.

Lösungen der Arbeitsaufträge

1. *Warum wachsen nur auf dem Hügel Bäume?* Die tiefer liegenden Bereiche werden bei Sturmfluten überflutet, weshalb der Boden dort salzig ist. Bäume vertragen im Gegensatz zu Salzwiesenpflanzen nicht so große Mengen an Salz im Boden.
Warum befindet sich das Haus auf dem Hügel? Die tiefer liegenden Bereiche werden bei Sturmfluten überflutet, sodass auch das Haus überflutet würde. Die Menschen haben deshalb Hügel (Warften bzw. Wurten) aufgeschüttet, auf denen sie ihre Häuser errichtet haben.
Warum hängt viel Gras im Stacheldrahtzaum? Da die Salzwiesen mit ihren Zäunen bei Sturmfluten überflutet werden, bleiben in den Stacheldrahtzäunen mitgeschwemmte Sachen, wie z. B. Gras, hängen.
Warum befindet sich hier eine Viehtränke, obwohl im Graben daneben viel Wasser ist?
Die Kühe können das Wasser im Graben nicht trinken, da es salzhaltig ist. Es stammt oft noch von der letzten Sturmflut. Deshalb müssen Viehtränken mit Süßwasser bereitgestellt werden.
2. Auf dem Foto sieht man abgerutschtes Gestein (vorne rechts) und viele einzelne Steine, die wahrscheinlich vom Kliff stammen und deren umgebendes Lockergestein (Sand, Lehm) vom Meer abtransportiert wurde. Insgesamt ist das Kliff recht steil, weil wahrscheinlich das Wasser immer wieder den Klifffuß untergräbt und dadurch das höher liegende Gestein abbricht.
3. Zuerst werden Zäune aus Reisig im Watt errichtet, sodass ein Rechteck entsteht, das nur noch eine kleine Öffnung zum Meer hin hat. Bei Hochwasser ist das Wasser in diesem Gebiet sehr stark beruhigt, sodass mittransportierte, kleine Teilchen sedimentieren. Mit Baggern werden nun Gräben (Grüppen) ausgehoben und das sedimentierte Material zu Beeten aufgehäuft. In den Grüppen ist das Wasser noch stärker beruhigt und es kommt zu weiteren Sedimentationen. Mit Baggern wird dieses sedimentierte Material aus den Grüppen mehrfach auf die Beete verteilt, sodass die Beete immer weiter in die

Höhe wachsen. Irgendwann sind sie so hoch, dass Salzwiesenpflanzen diese besiedeln. Auf diese Weise wird der Boden der Beete befestigt und damit vor Erosion geschützt. Irgendwann ist fast das gesamte Gebiet mit Salzwiese besiedelt und nur zwischen den Beeten verlaufen noch die Grüppen, in denen weiterhin Sedimentation erfolgt.
4. Das Gebiet zwischen altem Deich und neuem Deich fällt durch die geradlinigen Grüppen auf. Das legt nahe, dass das Gebiet durch Lahnungsbau entstand: Als der alte Deich noch die Grenze zum Meer darstellte, wurden an seinem Fuß Lahnungen angelegt, in denen sich im Laufe der Zeit Salzwiesen bildeten. Als in diesen Lahnungen genügend Land in Form von Salzwiesen entstanden war, wurde vor ihnen ein neuer Deich angelegt. Damit wurden die Lahnungen eingedeicht und dem Einfluss des Meeres entzogen. Die alten Grüppen sind bis heute zu erkennen.
5. Im Westen und Nordwesten Norderneys sind Buhnen zu erkennen: vom Land ins Meer verlaufende schwarze Linien auf der Karte. Sie dienen dazu, dass die Meeresströmung weiter weg vom Strand verläuft und dass zwischen den Buhnen im beruhigten Wasser Sedimentation erfolgt. Buhnen wären nicht nötig, wenn an dieser Stelle keine Erosion drohen würde.
Das Gebiet östlich von „Am Leuchtturm" fällt in der Karte durch seine gerade verlaufenden Wassergräben auf. Dies ist ein Hinweis für früheren Lahnungsbau: Die geraden Wasserlinien stellen ehemalige Grüppen dar. Durch die Lahnungen entstanden Salzwiesen, die dann eingedeicht wurden.

Filme

in den digitalen Lehrermaterialien „BiBox":
1962: Die Hamburgische Sturmflut (2:25 min; Bericht über die Hamburgische Sturmflut, teils mit Originalbildern, teils nachgespielt)
Deichbau in Norddeutschland (3:00 min; Küstenschutz durch Deiche)
FWU:
4610266 Küstenschutz auf Sylt. Frisst das Meer die Insel?

Unterrichtsvorschlag

Unterrichtsphase	Inhaltlicher Schwerpunkt	Unterrichtsverlauf	Medien/Materialien
Einstieg	Gefährdung von Küsten durch Sturmfluten	Fotos als stummer Impuls → Gefährdung von Küsten Schüler nennen ihnen bereits bekannte Schutzmaßnahmen alternativ: Film über die Hamburgische Sturmflut 1962	Fotos eines überschwemmten Küstenbereichs und einer Hallig während einer Sturmflut bzw. Film „1962: Die Hamburgische Sturmflut"
Erarbeitung 1	Gefährdung von Küsten durch Sturmfluten / Schutzmaßnahmen	– Lehrbuchtext „Gefährdung durch Sturmfluten" – Erläuterung anhand von M1 und M2 – Aufgabe 1 – Film „Deichbau in Norddeutschland"	M1, M2, M3, Film „Deichbau in Norddeutschland"
Erarbeitung 2	Küstenveränderung durch Erosion	– Lehrbuchtext „Veränderung der Küste" – Aufgabe 2	S. 93: M4
Ergebnissicherung		Tafelbild alternativ: Arbeitsblatt „Küstenformen und Küstenschutz"	Arbeitsblatt „Küstenformen und Küstenschutz" (Arbeitsheft)
Erarbeitung 3	Landgewinnung	– Aufgabe 3 – Aufgabe 4	M4, M5
Vertiefung		Aufgabe 5	

S. 98/99   Flächennutzungskonflikte im Wattenmeer

Kompetenzen

Die Schülerinnen und Schüler können

– Karten unter der Fragestellung „Wo gibt es Flächennutzungskonflikte?" auswerten. (Methode)
– aufgrund geographischer Kenntnisse und geeigneter Kriterien Flächennutzungskonflikte bewerten. (Beurteilen und Bewerten)

Grundbegriffe

– Flächennutzungskonflikt
– Zonierung
– Perspektivenwechsel

Zusatzinformationen zu den Materialien

M3 Fotos von links nach rechts: Lachmöwe am Strand, Düne, Ringelgänse auf einer Salzwiese, Knuttschwarm im Watt bei Sylt

Tipps zum Atlaskarteneinsatz

Diercke Weltatlas, 28. 1: Wattenküste
Diercke Weltatlas 2, 12.1 (Regionalteil Niedersachsen): Norderney – Seebad; 24.1: Wattenküste
Diercke Drei, 82.1: Wattenküste

Vorschlag für ein Tafelbild

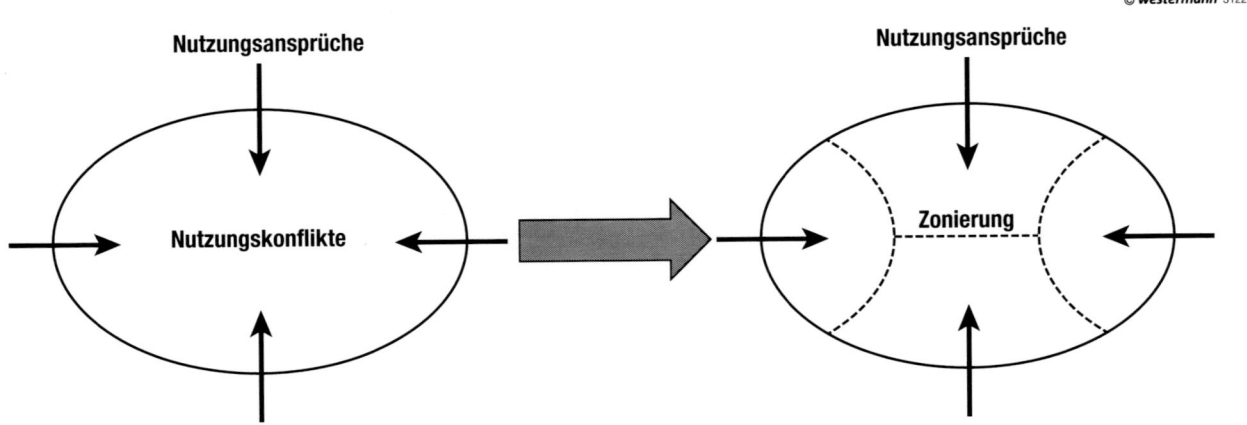

© *westermann* 31224E

Vorschlag zur Binnendifferenzierung

Bei Aufgabe 2 kann eine Hälfte der Klasse Aufgabe a), die andere Aufgabe b) bearbeiten.

Lösungen der Arbeitsaufträge

1. Individuelle Lösung. Die Aufgabe ist gut bearbeitet, wenn die ausgewählten Freizeitaktivitäten sich auch tatsächlich und anhand der Karte belegt auf Norderney verwirklichen lassen und angemessen für den Schüler sind.

2. a) Aus der Perspektive eines Vertreters des Küstenschutzes ist der Schutz der Dünen sehr wichtig. Deshalb sollten die Dünen jenseits der Wege nicht betreten werden, sodass der Strandhafer nicht beschädigt wird. Auch die Salzwiesen sollten geschützt werden, da sie die Sturmfluten abbremsen.

b) Individuelle Lösung. Die Aufgabe ist gut bearbeitet, wenn die ausgewählten Freizeitaktivitäten sich auch tatsächlich und anhand der Karte belegt auf Norderney verwirklichen lassen und angemessen für einen fiktiven Touristen sind.

3. Individuelle Lösung. Entscheidend für die Qualität der Aufgabenbearbeitung ist eine umfangreiche Berücksichtigung der Materialien. Besonders die topographische Karte zu Norderney und M3 sollten umfassend genutzt werden.

Aufgrund des Siedlungsschwerpunktes im Westen der Insel bietet sich folgende Zonierung an: Nutzungszonen besonders im Westen der Insel, Erholungszonen um die Siedlung herum und Ruhezonen besonders im Osten der Insel.

Filme

in den digitalen Lehrermaterialien „BiBox":

Dünen (4:17 min; Entstehung von Dünen, Bedeutung der Vegetation); Unterrichtsanregung zum Film in Schuler, S. (Hrsg.): Diercke Methoden 2. Mehr Denken lernen mit Geographie. Braunschweig 2013, S. 98–105 (Vorhersagen mit Film: Dünenbildung an der Nordsee)

Internet:

https://www.youtube.com/watch?v=MFOhJ-M9q8A (Impressionen von Norderney, 4:04 min; Der Trailer aus einem längeren Film über Norderney vermittelt erste Eindrücke von der Insel. Aufgabe der Schüler könnte es sein, alle im Film gezeigten Nutzungen zu notieren und anschließend daraus Flächennutzungskonflikte abzuleiten.)

FWU:

4602474 Das Wattenmeer – Lebensräume, Gefährdung, Schutz

4602517 Lebensraum Wattenmeer

Unterrichtsvorschlag

Unterrichtsphase	Inhaltlicher Schwerpunkt	Unterrichtsverlauf	Medien/Materialien
Einstieg	Flächennutzungskonflikte	– Lehrer liest vor/erzählt Lehrbuchtext (1. und 2. Abschnitt) – Fallbeispiel: Wattenmeer (M2) – Welche Nutzungsvorstellung hätte ein Tourist?	M2
Erarbeitung 1	Flächennutzungskonflikte im Wattenmeer	– Lehrbuchtext (3.–5. Abschnitt) – Schlüsseldenkweise „Perspektivenwechsel"	Kasten Schlüsseldenkweise „Perspektivenwechsel"
Erarbeitung 2	Fallbeispiel: Norderney	– ergänzend zu den bisherigen Vorkenntnissen zu Norderney wird M3 besprochen, das Titelbild des Lehrbuches betrachtet sowie evtl. ein kurzer Film über Norderney betrachtet – Aufgabe 1 – Aufgabe 2	M3, Titelbild Lehrbuch, S. 93: M3, Film „Impressionen von Norderney"
Vertiefung	Zonierung von Norderney zur Lösung von Flächennutzungskonflikten	Aufgabe 3	S. 93: M3, Folie, Folienstifte, OHP

S. 100/101   Projekt: Geocaching

Kompetenzen

Die Schülerinnen und Schüler können

– mithilfe von GPS den Standort im Realraum bestimmen. (Orientierung)

Grundbegriffe

– Geocaching

Literatur

Glawe, S./Piening, R.: Falsch navigiert? Kein Problem! In: Praxis Geographie, H. 7–8/2014, S. 16–17.

Zecha, S.: Geocaching. Förderung der Orientierungskompetenz mit GPS. In: Praxis Geographie, H. 11/2009, S. 18–20.

Internet-Adressen

http://www.geocaching.de

http://www.opencaching.de

http://www.navicache.com (in Englisch)

http://www.geocaching.com (in Englisch)

Filme

in den digitalen Lehrermaterialien „BiBox":

Geocaching (2:36 min; Vorstellung von Geocaching anhand eines Beispiels)

5 Touristische Räume

Unterrichtsvorschlag

Unterrichtsphase	Inhaltlicher Schwerpunkt	Unterrichtsverlauf	Medien/Materialien
Einstieg	Geocaching	Schüler berichten über ihre Erfahrungen mit Geocaching, alternativ stellt Lehrer Geocaching vor oder setzt den Film „Geocaching" ein	Beispiel-Cache, Film „Geocaching"
Erarbeitung	GPS	– Infokasten „GPS" – mit dem eigenen Smartphone bzw. einem GPS-Gerät Lage bestimmen	Infokasten, Smartphones, GPS-Geräte
Projekt 1	Suchen eines Caches	s. Anleitung „So gehst du auf Schatzsuche"	Smartphones, GPS-Geräte, Internet
Projekt 2	Verstecken eines Caches und anschließendes Suchen	s. Anleitung „So organisiert ihr eure eigene Schatzsuche"	Smartphones, GPS-Geräte, Caches

S. 102/103   Orientierung: Großlandschaften in Europa

Kompetenzen
Die Schülerinnen und Schüler können
– Europa in Naturräume gliedern. (Fachwissen)

Zusatzinformationen zu den Materialien
M1 Das Osteuropäische Tiefland (auch Osteuropäische Ebene) ist die größte Großlandschaft Europas. Sie nimmt den überwiegenden Teil des europäischen Teils von Russland ein, erstreckt sich also östlich des Urals. Das Osteuropäische Tiefland besteht aus weiten Niederungen (0–150 m ü. M.), die von schwach gegliederten Höhenrücken (300–500 m ü. M.) unterbrochen werden.
M2 Die Meseta (span. la mesa = der Tisch) ist ein über 200 000 km² großes Hochland im Zentrum Spaniens. Das vorwiegend in West-Ost-Richtung verlaufende Iberische Scheidegebirge teilt die Meseta in einen nördlichen und einen südlichen Teil.
M3 Die Sudeten sind ein 310 km langer und 30–50 km breiter Gebirgszug. Sie verlaufen überwiegend im tschechisch-polnischen Grenzgebiet.
M4 Das Mont-Blanc-Massiv befindet sich in den Westalpen im Dreiländereck zwischen Frankreich, Italien und der Schweiz. Der Mont Blanc (4810 m) ist der höchste Berg in den Alpen.
M5 Mit M1–M4 ist die Lage der vier in den Fotos dargestellten europäischen Großlandschaften verortet.

Tipps zum Atlaskarteneinsatz
Diercke Weltatlas, 86/87.1: Europa – Physische Übersicht
Diercke Weltatlas 2, 62/63.1: Europa – physische Übersicht
Diercke Drei, 84/85.2: Physische Übersicht

Vorschlag zur Binnendifferenzierung
Aufgabe 3 kann als Zusatzaufgabe für schnelle Schüler genutzt werden.

Lösungen der Arbeitsaufträge
1. a) individuelle Lösung
b) Individuelle Lösung. Abgrenzung Europas im Norden: Europäisches Nordmeer, im Osten: Uralgebirge und Ural, im Süden: Mittelmeer, im Westen: Atlantischer Ozean.
2. Großlandschaften: M1 Tiefland, M2 Hochebene, M3 Mittelgebirge, M4 Hochgebirge
Gebirge: A Skandinavisches Gebirge, B Ural, C Pyrenäen, D Alpen, E Apenninen, F Karpaten, G Balkan, H Kaukasus
Flüsse, Seen, Kanäle: a Tejo, b Ebro, c Rhone, d Loire, e Seine, f Themse, g Rhein, h Bodensee, k Po, m Main-Donau-Kanal, n Main, o Elbe, p Nord-Ostsee-Kanal, q Oder, r Weichsel, s Ladogasee, t Donau, u Dnipro, v Donez, w Wolga
Meere: A Atlantischer Ozean, B Nordsee, C Ostsee, D Mittelmeer, E Adriatisches Meer, F Ägäisches Meer, G Schwarzes Meer
Inseln, Halbinseln: 1 Island, 2 Britische Inseln, 3 Balearen, 4 Korsika, 5 Sardinien, 6 Sizilien, 7 Peloponnes, 8 Kreta, 9 Krim
3. 1 Europa, 2 Ungarn, 3 Russland, 4 Ostsee, 5 Portugal, 6 Athen, 7 Ebro, 8 Island, 9 Sofia, 10 Chişinău, 11 Hamburg, 12 Estland, 13 Uralgebirge, 14 Neapel, 15 Irland, 16 Oslo, 17 Niederlande; Lösungswort: *Europäische Union*
4. individuelle Lösung

Unterrichtsvorschlag

Unterrichtsphase	Inhaltlicher Schwerpunkt	Unterrichtsverlauf	Medien/Materialien
Einstieg	Großlandschaften Deutschlands	Wiederholung der Gliederung Deutschlands in Großlandschaften	
Erarbeitung 1	Großlandschaften Europas	– Wiederholung der Kennzeichen der Großlandschaften anhand der Fotos M1–M4 – Lokalisierung der Großlandschaften Europas in M5	M1–M4
Erarbeitung 2	Topographische Übungsaufgaben	– Aufgabe 1 (EA) – Aufgabe 2 (arbeitsteilige Kleingruppenarbeit oder Hausaufgabe) – Aufgabe 3 (PA oder Hausaufgabe)	M5, Atlas
Vertiefung		Aufgabe 4	

S. 104/105   Orientierung: Touristenziele in Europa

Kompetenzen

Die Schülerinnen und Schüler können
– bedeutende Touristenziele in Europa charakterisieren und lokalisieren. (Fachwissen)

Tipps zum Atlaskarteneinsatz

Diercke Weltatlas, 105.3: Europa – Tourismus
Diercke Weltatlas 2, 71.1: Tourismus
Diercke Drei, 120/121.1: Alpen – Sommer- und Wintertourismus, 128/129: Mittelmeerraum – Wirtschaft und Tourismus

Vorschlag zur Binnendifferenzierung

Bei der Verteilung der Großräume Europas auf die einzelnen Gruppen kann man nach Leistungsfähigkeit differenzieren. So gibt es aufwändigere Großräume wie z. B. Südosteuropa und einfachere wie z. B. Nordeuropa.
Aufgabe 3 kann auch noch von einzelnen Schülern in Form eines Referates oder Plakates bearbeitet werden.
Bei Aufgabe 4 kann den Schülern die Wahl zwischen a) und b) gegeben werden.

Lösungen der Arbeitsaufträge

1.

Kfz-Nationalkennzeichen	Staat	Hauptstadt	Touristische Möglichkeiten
Nordeuropa			
N	Norwegen	Oslo	Besichtigungstourismus in Oslo und Bergen, Sommererholung v. a. an der Küste um Oslo und östlich von Bergen
S	Schweden	Stockholm	Besichtigungstourismus in Stockholm, Sommererholung fast an der gesamten Küste, auf den Inseln und um den Vättersee
LT	Litauen	Vilnius	Sommererholung an der Küste
LV	Lettland	Riga	Sommererholung an der Küste
EST	Estland	Tallinn	–
DK	Dänemark	Kopenhagen	Besichtigungstourismus in Kopenhagen, Sommererholung an der gesamten Küste
Westeuropa			
IRL	Irland	Dublin	Sommererholung an Teilen der Küste
GB	Großbritannien	London	Besichtigungstourismus in London, Seebad (Blackpool), Sommererholung an einigen Küsten, in den Highlands, in Wales …

Kfz-Nationalkennzeichen	Staat	Hauptstadt	Touristische Möglichkeiten
F	Frankreich	Paris	Besichtigungstourismus in Paris, Seebäder (Biarritz, Camargue), überwiegend Sommererholung vor allem an den Küsten, Wintersport (Grenoble, Chamonix)
B	Belgien	Brüssel	Besichtigungstourismus in Brüssel, Seebad (Knokke-Heist), Sommererholung an der Küste
NL	Niederlande	Amsterdam	Besichtigungstourismus in Amsterdam, Sommererholung an der Küste
Mitteleuropa			
D	Deutschland	Berlin	Besichtigungstourismus in Berlin, Hamburg, München, Dresden, Seebäder (Westerland, Graal-Müritz), Sommererholung an den Küsten, in den Mittelgebirgen, am Bodensee …, Sommer- und Wintererholung in einigen Mittelgebirgen und in den Alpen
PL	Polen	Warschau	Besichtigungstourismus in Warschau, Sommererholung an den Küsten und in den Sudeten
SZ	Tschechische Republik	Prag	Besichtigungstourismus in Prag, Sommererholung in den Mittelgebirgen
SK	Slowakei	Bratislava	Sommer- und Wintererholung in der Hohen Tatra
H	Ungarn	Budapest	Besichtigungstourismus in Budapest, Sommererholung in den Mittelgebirgen und am Plattensee
A	Österreich	Wien	Besichtigungstourismus in Wien und Salzburg, Sommer- und Wintererholung in den Alpen, Wintersport (Klagenfurt)
CH	Schweiz	Bern	Sommererholung, in höheren Lagen Sommer- und Wintererholung (im gesamten Land), Wintersport (Genf, Zermatt, St. Moritz)
Südeuropa			
P	Portugal	Lissabon	Besichtigungstourismus in Lissabon, Sommererholung an den Küsten
E	Spanien	Madrid	Besichtigungstourismus in Madrid, Granada, Barcelona, Seebäder (Marbella, Benidorm, Ibiza, Palma de Mallorca), Sommererholung an den Küsten und auf den Balearen, Sommer- und Wintererholung in den Pyrenäen und an der Costa del Sol
I	Italien	Rom	Besichtigungstourismus in Mailand, Venedig, Florenz, Rom, Neapel, Palermo, Seebäder (Rimini, Taormina), Wintersport (Cortina d'Ampezzo), Sommererholung an den Küsten (auch der Inseln), Sommer- und Wintererholung in den Alpen und in der Toskana
Südosteuropa			
GR	Griechenland	Athen	Besichtigungstourismus in Athen, Sommererholung an den Küsten im Süden und Osten sowie auf den Inseln
BG	Bulgarien	Sofia	Seebad (Družba), Sommererholung an der Küste zum Schwarzen Meer, Sommer- und Wintererholung in den Rhodopen
RO	Rumänien	Bukarest	Sommererholung an der Küste zum Schwarzen Meer und in den Karpaten
SRB	Serbien	Belgrad	Sommer- und Wintererholung im Gebirge im Südwesten
RKS	Kosovo	Priština	–
AL	Albanien	Tirana	–
MNE	Montenegro	Podgorica	Sommererholung an der Küste
BIH	Bosnien und Herzegowina	Sarajevo	Sommererholung in Dalmatien, Sommer- und Wintererholung im Gebirge

Kfz-Nationalkenn-zeichen	Staat	Hauptstadt	Touristische Möglichkeiten
SLO	Slowenien	Ljubljana	Sommererholung an der Küste, Sommer- und Wintererholung in den Alpen
HR	Kroatien	Zagreb	Sommererholung an der gesamten Küste und auf den Inseln
MK	Mazedonien	Skopje	–
TR	Türkei	Ankara	Besichtigungstourismus in Istanbul, Sommererholung um Istanbul
Osteuropa			
UA	Ukraine	Kiew	Sommererholung an der Küste zum Schwarzen Meer
MD	Moldau	Chişinău	–

2. individuelle Lösung

3. individuelle Lösung

4. individuelle Lösung

Unterrichtsvorschlag

Unterrichtsphase	Inhaltlicher Schwerpunkt	Unterrichtsverlauf	Medien/Materialien
Einstieg	Mein Urlaub in Europa	– Schüler schreiben (anonym) auf kleine Zettel, wo sie in Europa schon einmal Urlaub gemacht haben (nur eine Nennung) und was sie dort hauptsächlich gemacht haben (z. B. Strandurlaub, Wanderurlaub, Skiurlaub) – Sammlung auf einer stummen Europakarte auf dem OHP	kleine Zettel, Folie mit stummer Europakarte (Kopiervorlage auf der beiliegenden CD-ROM, zur Lehrbuchseite 76/77), OHP
Erarbeitung	Touristenziele in Europa	– Aufgabe 1 in arbeitsteiliger Gruppenarbeit – Besprechung: Vergleich mit den Urlaubszielen der Schüler (s. Folie) – Aufgabe 3	M1
Vertiefung/Hausaufgabe		– Aufgabe 3 – Aufgabe 4	Internet, M1, Atlas

S. 106/107   Ganzjahrestourismus in den Alpen

Kompetenzen

Die Schülerinnen und Schüler können

– die Raumwirksamkeit des Tourismus beschreiben und erklären. (Fachwissen)

– Vor- und Nachteile von Urlaubsorten aus verschiedenen Perspektiven charakterisieren. (Fachwissen)

Zusatzinformationen zu den Materialien

M1/M4 Die Panoramakarten zeigen den aus den beiden Zentren Garmisch und Partenkirchen bestehenden Ort Garmisch-Partenkirchen mit den umliegenden Bergen. Die Karte ist nach Süden ausgerichtet und nicht maßstäblich, sodass die Schüler keine Entfernungen abmessen können.

Tipps zum Atlaskarteneinsatz

Diercke Weltatlas, 63.4: Werdenfelser Land – Tourismus in den Alpen

Vorschlag zur Binnendifferenzierung

Bei Aufgabe 4a) kann den Schülern zur Wahl gestellt werden, ob sie einen Sommer- oder Winterkurzurlaub planen.

Lösungen der Arbeitsaufträge

1. Deutschland: Berlin

Frankreich: Paris

Italien: Rom

Liechtenstein: Liechtenstein

Monaco: Monaco

Österreich: Wien

Schweiz: Bern

Slowenien: Ljubljana

2. In Garmisch-Partenkirchen sind die Gästezahlen seit 2003 zwar relativ stark gestiegen (von ca. 270 000 auf ca. 360 000 im Jahr 2012), die Übernachtungen hingegen sind nur leicht gestiegen (lediglich eine Zunahme um ca. 16 000 im selben Zeitraum). Das bedeutet, dass die Gäste nicht mehr so lange bleiben.

3. Individuelle Lösung. Ergänzungen können z. B. sein:

Winter → Skitourismus, Eislaufen …

Sehenswürdigkeiten → Zugspitze, Olympiaskistadion, Eibsee …

Wesentlich bei dieser Aufgabe ist, dass die Schüler sich intensiv mit den Abbildungen M1 und M4 beschäftigen und die Unterschiede zwischen den Angeboten in den verschiedenen Jahreszeiten deutlich werden.

4. Individuelle Lösung. Beispiele:

a) Sommer:

1. Tag: Wanderung auf dem Naturlehrpfad, anschließend Besuch im Wellenbad

2. Tag: Fahrt mit der Eibseeseilbahn auf die Zugspitze, Mittagessen im Restaurant auf der Zugspitze, nachmittags Baden im Eibsee

3. Tag: Fahrradtour auf dem Radweg „Kreuzjoch, Hausberg", anschließend Minigolf in Partenkirchen

Winter:

1. Tag: Eislaufen und Besuch des Museums

2. Tag: Fahrt mit der Eibseeseilbahn auf die Zugspitze, Mittagessen im Restaurant auf der Zugspitze, Besuch der Skischule

3. Tag: Besuch der Skischule, Ski fahren auf den Pisten

b) Individuelle Lösung. In der Begründung sollten die unterschiedlichen Interessen der einzelnen Familienmitglieder deutlich werden und das Ziel, ein für alle interessantes und vielfältiges Programm zu erstellen.

5. Grundsätzlich sind viele Freizeitmöglichkeiten (z. B. Wandern, Drachenfliegen, Skifahren …) in beiden Gebirgen möglich, einige Freizeitmöglichkeiten resultieren aber aus der Höhe der Hochgebirge, sind also nur hier möglich (z. B. Gletscherwanderungen). Zudem ist die Schneesicherheit im Hochgebirge eher gegeben als im Mittelgebirge.

Internet-Adressen

http://www.garmisch-partenkirchen-info.de

http://www.stadtpanorama.com/01_gap/01_index_gap.html

Filme

in den digitalen Lehrermaterialien „BiBox":

Die Zugspitze (1:47 min; eine Fahrt auf die Zugspitze mit Erläuterungen)

Unterrichtsvorschlag

Unterrichtsphase	Inhaltlicher Schwerpunkt	Unterrichtsverlauf	Medien/Materialien
Einstieg 1	Topographie Alpen	Aufgabe 1 oder Arbeitsblatt „Die Alpen"	Atlas, Arbeitsblatt/Lösung „Die Alpen" (CD-ROM)
Einstieg 2	Mein Urlaub in den Alpen	Anknüpfen an die Befragung nach europäischen Urlaubszielen zu S. 104/105 (im Einstieg) → Wer hat schon einmal Urlaub in den Alpen gemacht? Im Sommer, im Winter? Aktivitäten?	
Erarbeitung 1	Fallbeispiel: Garmisch-Partenkirchen – touristisches Potenzial	– Vergleich der Sommer- und Winterangebote in arbeitsteiliger Partnerarbeit mit gegenseitiger Präsentation (M1, M4) – weitere touristische Attraktionen (M5)	M1, M4, M5
Ergebnissicherung		Aufgabe 3 in PA	M3
Erarbeitung 2	Fallbeispiel: Garmisch-Partenkirchen – touristische Entwicklung	Aufgabe 2	M2
Vertiefung		– Aufgabe 4 (auch als Hausaufgabe) – Aufgabe 5	M1, M4

S. 108/109 Lawinen – die weiße Gefahr

Kompetenzen
– Gefahren von Lawinen und Schutzmaßnahmen darstellen. (Fachwissen)

Grundbegriffe
– Lawine

Vorschlag zur Binnendifferenzierung
Aufgabe 3 kann auch arbeitsteilig erfolgen, indem jeweils ein Drittel der Klasse einen der drei Lawinentypen untersucht. Die Ergebnisse werden dann an der Tafel zusammengeführt, damit die Schüler sie abschreiben können. Aufgabe 6 kann auch nur von interessierten Schülern, deren Stärken im zeichnerischen Bereich liegen, bearbeitet werden.

Lösungen der Arbeitsaufträge
1. Lawinenwarnschilder sind unbedingt zu beachten, da außerhalb des gesicherten Pistenbereichs Lawinengefahr besteht. Verlässt man diesen gesicherten Bereich, besteht Lebensgefahr.

2. Schneedecken bestehen in der Regel aus verschiedenen Schichten, da sich eine Schneedecke in der Regel nie aus nur einem Niederschlagsereignis aufbaut. Außerdem verändern Schneekristalle ihre Form, sobald sie abgelagert wurden. Je nach Temperaturbedingungen und Dauer dieser Umwandlungsphasen können sich ganz unterschiedliche Kristalle ausbilden, die ebenfalls zur unterschiedlichen Schichtung beitragen.

3.

Lawinentyp	Entstehung	Geschwindigkeit	Auswirkungen
Staublawine	– Anriss meist punktförmig – Mitreißen weiterer Schneemaßen auf dem Weg ins Tal – nach größeren Neuschneemengen	bis zu 350 km/h	hohe Zerstörungskraft, die wegen der hohen Geschwindigkeit bis weit in die Täler hinabreicht
Schneebrettlawine	– Anriss entlang einer größeren Kante – an Schwachschneeschichten	bis zu 150 km/h	häufig für die Verschüttung von Skifahrern verantwortlich
Nassschneelawine	– vor allem im Frühjahr – Wasser lässt Schneepaket instabil werden	bis zu 70 km/h	reißt Felsbrocken und Bäume mit sich und zerstört alles, was sich in der Lawinenbahn befindet

4. Da die Lawinen im Winter bei kalten Temperaturen abgegangen sind, muss es sich um Staublawinen oder um Schneebrettlawinen gehandelt haben. Für die Staublawine sprechen vor allem die großen Neuschneemengen der vorherigen Nacht. Da ein Skifahrer von einer Lawine erfasst wurde, kann auch eine Schneebrettlawine entstanden sein, die der Skifahrer selber ausgelöst hat.

5. *Aufgleitwall hinter einem Haus:* Befindet sich im Ablagerungsgebiet einer Lawine. Die auslaufenden Schneemassen werden durch diesen Wall gebremst und abgelenkt, sodass die Häuser nicht zerstört werden. In der Sturzbahn der Lawine wäre die Energie noch zu groß, sodass die Lawine über den Wall schießen würde. Die Häuser würden dann verschüttet.

Bannwald: Kann sich in den Anrissgebieten befinden. Im Wald ist es unwahrscheinlich, dass eine großflächige Lawine anreißt. Der Bannwald kann sich aber auch in der Sturzbahn befinden, da er die Lawine abbremsen soll, damit diese nicht so weit in das Tal vordringt.

Stützverbauungen: Befinden sich im Anrissgebiet. Sie halten die Schneemassen in den steilen Hangpartien quasi fest, sodass keine größeren Schneemengen in Bewegung geraten können.

Lawinengalerien: Befinden sich häufig in der Sturzbahn und im Übergangsbereich Sturzbahn/Ablagerungsgebiet. Sie werden dort gebaut, wo sich Verkehrswege in lawinengefährdeten Bereichen befinden.

6. individuelle Lösung

Literatur
Hagino, S. A.: Lawinen. Ein umstrittenes Element der Massenbewegungen. In: Praxis Geographie, H. 5/2008, S. 38–42.

Stober, M./Oehme, I.: Erkennen der Lawinengefährdung anhand einer topographischen Karte. Ein Unterrichtsentwurf zum Anfertigen einer Lawinengefahrenkarte in der Unterstufe. In: Praxis Geographie, H. 12/2006, S. 16–21.

5 Touristische Räume

Filme

in den digitalen Lehrermaterialien „BiBox":
Wie entstehen Lawinen? (3:20 min; Untersuchung einer Schneedecke in Bezug auf Lawinengefährdung, Lawinenschutzmaßnahmen)

FWU:
4602370 Lawinen

Unterrichtsvorschlag

Unterrichtsphase	Inhaltlicher Schwerpunkt	Unterrichtsverlauf	Medien/Materialien
Einstieg	Gefährdung durch Lawinen	die Schüler lesen vom Lehrer gesammelte Zeitungsberichte über Lawinenunglücke vor → Leitfragen: Welche Regionen sind gefährdet? Wie entstehen Lawinen? Wann ist die Gefährdung besonders groß? Wie kann man sich davor schützen? alternativ: der Lehrer liest den Lehrbuchtext vor	Zeitungsberichte über Lawinenunglücke
Erarbeitung 1	Schnee	– falls möglich, an frischem Schnee demonstrieren, wie er sich verändern kann – M2 – Aufgabe 2	Schnee, M2
Erarbeitung 2	Lawinentypen	– Aufgabe 3 – Aufgabe 4 – Film „Wie entstehen Lawinen?"	M2, M4, Film „Wie entstehen Lawinen?"
Erarbeitung 3	Lawinenschutz	– Aufgabe 5 – Aufgabe 1	M1, M3, M5
Vertiefung/Hausaufgabe		– Aufgabe 6 – Arbeitsblatt „Das Lawinenunglück von Galtür vom 23. Februar 1999"	Arbeitsblatt „Das Lawinenunglück von Galtür vom 23. Februar 1999" (CD-ROM)

S. 110/111   Massentourismus auf Mallorca

Kompetenzen

Die Schülerinnen und Schüler können
- die Raumwirksamkeit des Tourismus beschreiben und erklären. (Fachwissen)
- Veränderungen durch Tourismus, Bedrohungen von Küsten und Flächennutzungskonflikte bewerten. (Beurteilen und Bewerten)
- Vor- und Nachteile von Urlaubsorten aus verschiedenen Perspektiven charakterisieren. (Beurteilen und Bewerten)

Zusatzinformationen zu den Materialien

M1, M2, M4 S'Arenal war ursprünglich ein kleines Fischerdorf. 1910 lebten dort 37 Menschen. Durch den Bau der Eisenbahnlinie von Llucmajor nach Palma 1914 wurde S'Arenal zur Wohnkolonie der Strecken- und Steinbrucharbeiter. Ende 1930 wurden 379 Einwohner verzeichnet. 1950 entstanden am Strand die ersten touristischen Bauten. 1960 lebten in S'Arenal 1162 Bewohner. Mit dem Fremdenverkehr stieg auch die Bevölkerungszahl an. 1981 wohnten bereits 9106 Einwohner im Ort, 2011 waren es bereits 16709. S'Arenals Vergangenheit als Fischerdorf ist nur noch im alten Ortskern zu erkennen.

M3 Für die Vergleichswerte wurde Norderney gewählt, da die Schüler diesen Ferienort bereits kennengelernt haben. Zudem macht der Vergleich zu S'Arenal deutlich, warum so viele Deutsche ihren Urlaub nicht an der Nordsee, sondern auf Mallorca verbringen.

Tipps zum Atlaskarteneinsatz

Diercke Weltatlas, 105.4: Balearen – Tourismus
Diercke Weltatlas 2, 71.2: Balearen – Tourismus
Diercke Drei, 128/129: Mittelmeerraum – Wirtschaft und Tourismus

Vorschlag für ein Tafelbild
Massentourismus auf Mallorca
natürliche Voraussetzungen:
– schöne Strände
– mildes Klima
– viele Sonnenstunden
– Wassertemperaturen von Mai bis Oktober ≥ 18 °C

→ Zunahme der Touristenankünfte
1960: 0,4 Mio. ――――――――――→ 2013: 11,3 Mio.

positive Folgen
– Verdienstmöglichkeiten
  für Einheimische

negative Folgen
– starke Veränderung des Land-
  schaftsbildes (Zersiedelung der
  Landschaft, große Hotel- und Ap-
  partementanlagen)
– Luftbelastung durch Autoabgase
– Müll-/Abwasserprobleme
– Wasserknappheit
– Verdrängung ursprünglicher Tradi-
  tionen

Vorschlag zur Binnendifferenzierung
Aufgabe 3 und 5 können auch als Zusatzaufgaben ange-
boten werden.
Leistungsstarke Schüler können zusätzlich die Atlaskarte
„Balearen – Tourismus" (s. Tipps zum Atlaskarteneinsatz)
hinzuziehen.

Lösungen der Arbeitsaufträge
1. a) In M1 erkennt man ein Fischerdorf mit kleinen,
höchstens zweistöckigen Häusern. Der Strand ist fast
menschenleer; mit dem Auto kann man an den schmalen
Strand fahren.
Das Foto M2 zeigt den Strand von S'Arenal 54 Jahre später. Durch Sandaufschüttungen ist der Strand verbreitert
worden. Menschenmassen sind am Strand und im Meer
zu sehen. Die Strandpromenade ist begrünt, die Häuser
sind größtenteils abgerissen und durch teilweise zehn-
stöckige Hochhäuser ersetzt.
b) Zwischen 1960 und 2014 hat sich die Flächennutzung
in der Region S'Arenal grundlegend verändert. Die Menschen lebten 1960 hauptsächlich vom Fischfang und von
der Landwirtschaft; es gab nur drei Großhotels mit ca.
1000 Betten. Man erkennt einen Teil der Eisenbahnstrecke Palma – Llucmajor (Strecke wurde 1964 stillgelegt).
Die Karte von 2014 zeigt ein ausgebautes Straßennetz
mit einer neuen Autobahn. Der Küstenbereich ist nun
eine verdichtete Tourismuszone mit zahlreichen Hotels,
darunter 55 Großhotels (insgesamt ca. 36 000 Betten),
Restaurants, Bars und Freizeitangeboten. Hierfür wurden große Flächen an Wald und Strauchland geopfert.
Der Strand ist durch Sandaufschüttung verbreitert wor-

den; in diesem Bereich gibt es 15 Balnearios (Strandbars,
zweifelhafte Berühmtheit erlangte der „Ballermann 6").
In Einwohner S'Arenals leben heute fast ausschließlich
vom Tourismus.
2. Bei einer eventuellen Berechnung der Jahresmitteltemperatur (Schüler addieren jeweils die Monatswerte
von Jan. bis Dez. und teilen den Wert durch 12) wird deutlich, dass S'Arenal und Norderney in unterschiedlichen
Klimazonen liegen (S'Arenal: 15,8 °C → Subtropen, Norderney: 9,8 °C → gemäßigte Zone). Im Jahresverlauf sind
besonders die Monate Mai bis Oktober zu untersuchen,
da hier die Werte für den Badetourismus von besonde-
rer Bedeutung sind. Hier liegen die Monatsmitteltemperaturen in S'Arenal meist etwa 4 °C über denen von
Norderney. Im Herbst vergrößert sich der Unterschied
noch mehr. Auch bei den Sonnenstunden pro Tag und
den Niederschlagstagen weist S'Arenal wesentlich güns-
tigere Verhältnisse auf als Norderney. Das betrifft auch
die Wassertemperaturen, die für den Badetourismus von
großer Bedeutung sind.
3. Besonders viele Touristenankünfte sind in den Monaten Mai bis Oktober erkennbar. Die hohen Temperaturen,
die vielen Sonnenstunden, die geringen Niederschlags-
tage sowie die warmen Wassertemperaturen in diesen Monaten (M3) lassen auf Badetourismus schließen.
Zwischen November und Februar kommen jeweils nur
300 000–400 000 Touristen pro Monat nach Mallorca.
In diesen Monaten sind die klimatischen Bedingungen
weniger günstig, aber immer noch wesentlich angeneh-
mer als z. B. auf Norderney.
4. Viele Touristen kommen aufgrund der guten touristischen Infrastruktur nach Mallorca und der geringen
Flugzeiten (Hannover – Palma ca. 2 1/2 Stunden). Für jeden „Geldbeutel" gibt es eine passende Unterkunft. Besonders der Strand und das Meer locken die Gäste an, jedoch auch die landschaftliche Vielfalt der Insel. Auch die
unterschiedlichsten Freizeitangebote interessieren viele
Touristen. In den Sommermonaten ist es auf Mallorca
erheblich wärmer als z. B. auf Norderney, das Wasser im
Mittelmeer ist auch wärmer als in der Nordsee und es
gibt nur wenige Regentage.
5. a) Im Jahr 1960 sind die Touristen- und Einwohnerzahlen Mallorcas mit 360 000 bzw. 362 000 noch an-
nähernd gleich groß. Ab da steigt die Zahl der Touristenankünfte sehr stark an bis auf über 11 Mio. im Jahr 2013.
Dagegen nimmt die Einwohnerzahl Mallorcas nur wenig
zu auf ungefähr 880 000.
b) Es gibt kaum noch traditionelle Berufe (Landwirtschaft, Fischerei). Über 80 % der Arbeitskräfte arbeiten
auf Mallorca im tertiären Sektor, besonders im Tourismus. Die Arbeitslosenquote auf Mallorca gehört mit zu

den niedrigsten in Spanien. Jedoch werden viele Mallorquiner im Winter arbeitslos, da es sich im Gastronomie-Bereich häufig um saisonale Arbeitsplätze handelt. Auch bringt der Tourismus viele Umweltbelastungen (z. B. Wassermangel) mit sich, unter denen auch die Einheimischen leiden müssen. Ursprüngliche Traditionen werden durch die touristische Überformung verdrängt.

6. *Positive Auswirkungen*
– neue Arbeitsplätze
– hohe Steuereinnahmen
– gut ausgebaute Infrastruktur

Negative Auswirkungen
– hoher Landschaftsverbrauch
– Umweltschäden
– wirtschaftliche Monostruktur/Abhängigkeit
– hohe Lärm- und Luftbelästigung
– Überfremdung
– enge und hohe Bebauung/Zersiedlung
– Problem der Abfall- und Abwasserentsorgung
– Wasserknappheit
– Verdrängung der ursprünglichen Tradition

7. individuelle Lösung

Unterrichtsvorschlag

Unterrichtsphase	Inhaltlicher Schwerpunkt	Unterrichtsverlauf	Medien/Materialien
Einstieg	Assoziationen zu Mallorca	– Brainstorming: Was fällt euch spontan zu Mallorca ein? – Sammlung der Assoziationen auf einer Folie	OHP
Erarbeitung 1	Massentourismus	– Auswertung von M6 – aus M6 Ableitung des Begriffs „Massentourismus" – Begriffsdefinition anhand des Infokastens	M6, Infokasten
Erarbeitung 2	Natürliche Voraussetzungen für den Tourismus auf Mallorca	Warum machen so viele Menschen Urlaub auf Mallorca? – Lehrbuchtext 1. Abschnitt – Aufgabe 2 – Aufgabe 3 – Aufgabe 4	M3, M7
Ergebnissicherung 1		Tafelbild oberer Teil	
Erarbeitung 3	Auswirkungen des Massentourismus – Fallbeispiel S'Arenal	– Vergleich M1 und M2 (Aufgabe 1a) im UG – Vergleich 1960 und 2014 in M4 (Aufgabe 1b) im UG – Aufgabe 6 in PA	M1–M6
Ergebnissicherung 2		Tafelbild unterer Teil unter Berücksichtigung der Schülerlösungen zu Aufgabe 6	
Vertiefung	S'Arenal – ein Urlaubsziel für dich?	Diskussion (Aufgabe 7)	

S. 112/113   Sanfter Tourismus auf Mallorca

Kompetenzen
Die Schülerinnen und Schüler können
– zur Bedeutung und zum Wert der Nachhaltigkeit im Tourismus Stellung nehmen. (Beurteilen und Bewerten)

Grundbegriffe
– sanfter Tourismus
– Agrotourismus

Zusatzinformationen zu den Materialien
M1 verändert nach http://www.geo1.uni-mainz.de/Persons/pre/hoffmann/Tourismus_im_EKUR_HFK2003.pdf (S. 34)

M2 Der 1646 ha umfassende Naturpark S'Albufera befindet sich im Nordosten Mallorcas und steht seit 1998 unter Schutz. Er besteht zum größten Teil aus Sumpfland. Ein wichtiger Grund der Einrichtung des Naturparks war der Schutz der dort vorkommenden 271 Vogelarten, darunter auch Zugvögel.

M3 s. auch die Homepage von Can Canals: http://www.cancanals.es/2010/index.php?lang=de

Tipps zum Atlaskarteneinsatz
Diercke Weltatlas, 105.4: Balearen – Tourismus
Diercke Weltatlas 2, 71.2: Balearen – Tourismus
Diercke Drei, 128/129: Mittelmeerraum – Wirtschaft und Tourismus

Vorschlag zur Binnendifferenzierung
Einzelne Schüler können die entworfenen Werbetexte auch grafisch umsetzen, z. B. in Form eines Faltblattes, eines Posters oder einer Internetseite.

Lösungen der Arbeitsaufträge
1. Beim sanften Tourismus soll darauf geachtet werden, dass die bereiste Natur so wenig wie möglich negativ beeinflusst wird und kulturelle Werte in der Urlaubsregion erhalten bleiben. In M1 (Nachhaltigkeitsdreieck) sollen die drei Bereiche Wirtschaft, Umwelt und Soziales in Einklang gebracht werden. In den Urlaubsregionen sollen demnach die Bedürfnisse der erholungssuchenden Menschen mit den Interessen der ortsansässigen Bevölkerung in Übereinstimmung gebracht werden. Einerseits ist dies abhängig von der aktiven Gestaltung des Reisenden selbst, andererseits müssen natürlich auch die Veranstalter und Tourismusregionen sich an dieser Idee beteiligen.

2. Das Fincahotel Can Canals bietet Aktivurlaub auf einem umgebauten Bauernhof an, auf dem noch Landwirtschaft und Viehzucht betrieben werden. Im hoteleigenen Restaurant werden landestypische Speisen hergestellt. Um die Landschaft zu entdecken, können Fahrräder ausgeliehen werden. Die wichtigsten Aspekte des Nachhaltigkeitsdreiecks (M1) werden also erfüllt. Aber die Pools im Innen- und Außenbereich verbrauchen viel Wasser und Energie, sodass die Anforderung „schonender Umgang mit Wasser und Energie" nur begrenzt erfüllt wird.

3. individuelle Lösung

4. individuelle Lösung

Literatur
Hoffmann, K.: Massentourismus versus Sanften Tourismus im Erdkundeunterricht. In: Eigner, H.: (Hrsg.): Tourismus – Lösung oder Fluch? Die Frage nach der nachhaltigen Entwicklung peripherer Regionen. Mainz 2003, S. 25–42 (= Mainzer Kontaktstudium Geographie, Bd. 9). (http://www.geo1.uni-mainz.de/Persons/pre/hoffmann/Tourismus_im_EKUR_HFK2003.pdf)

5 Touristische Räume

Unterrichtsvorschlag

Unterrichtsphase	Inhaltlicher Schwerpunkt	Unterrichtsverlauf	Medien/Materialien
Einstieg	Sanfter Tourismus als weitere Tourismusform auf Mallorca	– Auflegen der Folie mit den Assoziationen der Schüler zu Mallorca aus der vorherigen Unterrichtsstunde – Identifikation von Begriffen, die nicht dem Massentourismus zuzuordnen sind → weitere Urlaubsform: sanfter Tourismus	Folie mit Assoziationen der Schüler zu Mallorca aus der vorherigen Unterrichtsstunde
Erarbeitung 1	Kennzeichen des sanften Tourismus	– gemeinsames Lesen des Lehrbuchtextes – Besprechung von M1	M1, M2
Ergebnissicherung		Aufgabe 1	
Erarbeitung 2	Fallbeispiel: Fincahotel Can Canals	Aufgabe 2 in Partnerarbeit (Schüler lesen M3 und den Infokasten selbstständig, falls möglich Besuch der Homepage von Can Canals)	M1, M3, Infokasten, evtl. Internet
Vertiefung		– Aufgabe 4 – Aufgabe 3 (auch als Hausaufgabe)	M1, Text
Test			Test/Lösung „Massentourismus – Sanfter Tourismus" (CD-ROM)

S. 114/115 Kompetenztraining

Lösungen der Arbeitsaufträge

1. a) *Harz – Lüneburger Heide – Solling – Schwarzwald*
Vorschläge für mögliche Kategorisierungen:
Ordnungskriterium „Bundesländer": Harz, Lüneburger Heide und Solling liegen – wenigstens zum Teil – in Niedersachsen, der Schwarzwald liegt in Baden-Württemberg.
Ordnungskriterium „naturräumliche Gliederung": Harz, Solling und Schwarzwald liegen im Mittelgebirgsraum, die Lüneburger Heide liegt im Norddeutschen Tiefland.
Ordnungskriterium „touristische Beliebtheit": Harz, Lüneburger Heide und Schwarzwald sind bekannte Tourismusgebiete, der Solling ist weniger bekannt und weniger touristisch genutzt.
Göttingen – Hamburg – Oldenburg – Hannover
Vorschläge für mögliche Kategorisierungen:
Ordnungskriterium „Bundesländer": Göttingen, Oldenburg und Hannover liegen im Bundesland Niedersachsen, Hamburg stellt ein eigenes Bundesland dar.
Ordnungskriterium „Stadtgröße": Göttingen, Oldenburg und Hannover sind keine Millionenstädte, Hamburg ist eine Millionenstadt.

Ordnungskriterium „naturräumliche Gliederung": Oldenburg, Hannover und Hamburg liegen im Norddeutschen Tiefland, Göttingen liegt im Mittelgebirgsraum.
Karpaten – Himalaya – Finnische Seenplatte – Pyrenäen
Vorschläge für mögliche Kategorisierungen:
Ordnungskriterium „Kontinente": Karpaten, Finnische Seenplatte und Pyrenäen liegen in Europa, der Himalaya liegt in Asien.
Ordnungskriterium „Großlandschaften": Karpaten, Pyrenäen und Himalaya sind Hochgebirge, die Finnische Seenplatte ist ein Tiefland.
b) Für Polen kann eine Dreigliederung in Anlehnung an die deutschen Großlandschaften erfolgen: Tiefland – Mittelgebirgsraum – Hochgebirge (Hohe Tatra).
Erschwerend ist, dass innerhalb des Tieflandes vereinzelt Erhöhungen bis über 300 m liegen. Das Tiefland umfasst den Norden und die Mitte, der Mittelgebirgsraum den Süden und das Hochgebirge mit der Hohen Tatra nur einen ganz kleinen Teil im äußersten Süden.

2.

	Norderney	Garmisch-Partenkirchen	S'Arenal
Saison	überwiegend Sommersaison	ausgeprägte Sommer- und Wintersaison	das ganze Jahr, aber Schwerpunkt auf Sommersaison
Art des Tourismus	Tourismus an der Küste	Tourismus im Gebirge	Tourismus an der Küste
Zielgruppen	Familien, ältere Leute	sportlich aktive Leute, Familien, Jugendliche	Familien, Reisegruppen, Jugendliche
Umfang des Tourismus	sehr wichtiger Tourismusort in Deutschland (über 1 Mio. Übernachtungen im Jahr)	wichtiger Tourismusort in Deutschland (500 000 bis 1 Mio. Übernachtungen im Jahr)	sehr wichtiger Tourismusort in Europa (über 1 Mio. Übernachtungen im Jahr)
Veränderungen der Landschaft	nicht so stark, Schutz durch Nationalpark	im Bereich der Skipisten stärkere Veränderung der Landschaft	sehr starke Veränderung der Küste

3. a) Wenn die Küste einen breiten Zugang zu einem Ozean hat, dann müssten an der Küste auch Gezeiten herrschen. Wenn die Küste nur einen sehr schmalen Zugang zu einem Ozean hat, dann sollten dort kaum Gezeiten herrschen.

b) Damit an einer Küste großflächige Wattgebiete bestehen können, müssen dort deutliche Gezeiten auftreten (siehe Aufgabe 3a). Gleichzeitig muss die Küste dort aber auch sehr flach sein.

4. a) *Amrum – Hooge – Sylt – Wangerooge*
Vorschläge für mögliche Kategorisierungen:
Ordnungskriterium „Bundesländer": Amrum, Hooge und Sylt liegen in Schleswig-Holstein, Wangerooge liegt in Niedersachsen.
Ordnungskriterium „Topographie": Amrum, Hooge und Sylt gehören zu den Nordfriesischen Inseln und Halligen, Wangerooge gehört zu den Ostfriesischen Inseln.

Ordnungskriterium „Sturmflutenschutz": Auf Amrum, Sylt und Wangerooge schützen sich die Menschen vor Sturmfluten durch Deiche und Dünen, auf Hooge schützen sich die Menschen durch Warften.
Warft – Sturmflut – Deich – Lahnung
Vorschläge für mögliche Kategorisierungen:
Ordnungskriterium „Sturmflut": Deiche und Warften stellen einen Schutz bei Sturmfluten dar, Lahnungen dienen der Neulandgewinnung oder dem Küstenschutz.
Ordnungskriterium „Menschliche Bauwerke": Warften, Deiche und Lahnungen sind vom Menschen geschaffen, Sturmfluten sind natürlich.

b)

5. a) b) Baden: Nordbad, Ostbad: Dort sind keine/kaum Wattflächen, sodass das Wasser tief genug zum Schwimmen ist. Dort ist Strand (insbesondere am Ostbad), sodass man dort gut vor dem Baden/nach dem Baden im Sand liegen kann. In der Nähe ist bewohntes Gebiet, sodass wahrscheinlich eine Überwachung der Badestelle gesichert ist.

Shoppen: Ganz im Westen/Nordwesten verläuft die geschlossene Siedlungsfläche direkt am Strand (→ Strandpromenade). Das dürfte wahrscheinlich sehr attraktiv für Geschäfte sein. Auch im Innenstadtbereich (zu erkennen an der geschlossenen Bebauung und den Kirchen) müssten zahlreiche Einkaufsmöglichkeiten bestehen.

Angeln: Zum Angeln benötigt man einen festen Untergrund, der an Wasser grenzt, das möglichst auch bei Niedrigwasser vorhanden ist. So könnte am Hafen geangelt werden, da dort ein breiter Priel auch um Niedrigwasser herum Wasser führt. Die im Watt lebenden Fische halten sich zu dieser Zeit in den Prielen auf. Auch die Buhnen an der Nordwestküste dürften geeignete Angelstellen sein.

Verstecken spielen kann man dort, wo höhere Pflanzen wachsen und das Relief uneben ist. Das Gebiet um die Weiße Düne ist hierfür günstig, da es durch die Dünen uneben ist und es dort drei kleinere Waldstücke gibt.

6. „aufstrebender Ferienort" → bisher noch nicht richtig entwickelt, evtl. Baulärm durch Ausbau; „lebhaftes Hotel" → laut; „relativ ruhig" → nicht wirklich ruhig; „verkehrsgünstige Lage" → an Hauptstraße, Kreuzung oder Bahnlinie, somit laut; „grobsandiger, naturbelassener Strand" → unangenehmer Kiesstrand, ungepflegt, dreckig; „ca. 800 m" → bei Hitze und mit Gepäck anstrengend, könnte auch länger als 800 m sein; „quirliges Zentrum" → Touristenrummel; „sauber und zweckmäßig" → ohne Komfort, einfach; „Blick zum Meer" → kein Meerblick, sondern nur Ausrichtung zum Meer

7. Individuelle Lösung. Entscheidend ist, dass die drei Aspekte „umweltschonend", „wirtschaftlich einträglich" und „sozial verträglich" berücksichtigt werden.

8. a) Mögliche Gebiete liegen etwa im Bereich „Eckbauer", „Hausberg" und „Kreuzjoch", da dort sowohl größere Waldgebiete als auch Skipisten eingezeichnet sind.

b) Der Förster ist an einer Erhaltung des Waldes interessiert. Mögliche Perspektive: „Es dürfen keine weiteren Skipisten hier im Wald angelegt werden."

S. 116/117   Kapitelauftaktseite

Kaum ein Schüler macht sich Gedanken darüber, woher das, was er täglich isst, herkommt. Die meisten Lebensmittel werden im Supermarkt eingekauft, aber ihr Produktionsprozess beruht auf der Basis landwirtschaftlicher Erzeugnisse. Die Auftaktseite zeigt daher eine Familie beim Einkauf im Supermarkt mit einem vollen Einkaufswagen – eine Situation, die auch den Schüler vertraut sein sollte – sowie die landwirtschaftliche Produktion, die den gekauften Produkten zugrunde liegt.

Zusatzinformationen

Foto links oben: Tomatenanbau in einem Gewächshaus
Fotos links unten: Rinderhaltung in einem modernen Laufstall

Foto rechts oben: Mähdrescher, der das abgemähte Getreide direkt auf einen Trecker verlädt
Foto rechts unten: volles Netz mit Fischen auf einem Fischtrawler

Einsatz im Unterricht

Die Schüler beschreiben die vier kleinen Fotos. Sie nennen Beispiele, was man im Supermarkt einkaufen kann, das aus Gewächshäusern, aus Ställen, von Feldern oder aus dem Meer kommt. Beispiel: Tomaten im Gewächshaus → Früchte, Ketchup, Tomatenmark, Tomaten in Dosen, Pizza, ... Der Lehrer kann auch Produkte vorgeben (z. B. Schokolade, Butter, Chips) und fragen, woher die Zutaten kommen.

S. 118/119   Wo unsere Lebensmittel herkommen

Kompetenzen

Die Schülerinnen und Schüler können
– Herkunftsgebiete wichtiger Nahrungsmittel bestimmen. (Orientierung)
– Teilbereiche der Landwirtschaft nennen und beschreiben. (Fachwissen)

Grundbegriffe

– Ackerbau
– Viehzucht
– Fischerei
– Nachfrage
– Angebot

Zusatzinformationen zu den Materialien

M2 nach einem Artikel in der ZEIT vom 01.08.2013: Der Pizza-Code. (http://www.zeit.de/2013/31/lebensmittelindustrie-der-pizza-code)
Zutaten und Herkunftsstaaten konnten nur so weit in der Abbildung dargestellt werden, wie sie in der Quelle aufgeführt wurden. Bei dem Fertigpizza-Produzenten handelt es sich um die Firma Wagner im Saarland.

Tipps zum Atlaskarteneinsatz

Diercke Weltatlas, 56.1: Deutschland – Landwirtschaft
Diercke Weltatlas 2, 42.1: Deutschland – Landwirtschaft
Diercke Drei, 71.2: Landwirtschaft

Vorschlag für ein Tafelbild

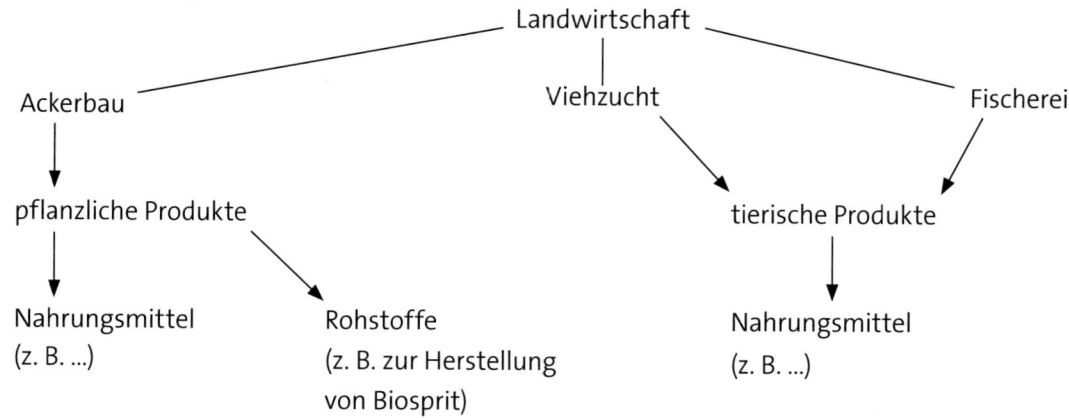

Vorschlag zur Binnendifferenzierung

Bei Aufgabe 1 können die Schüler je nach Schnelligkeit alle oder nur eine eingeschränkte Anzahl der Flaggen bestimmen.

Aufgabe 1b) kann auch in Partner- oder Kleingruppenarbeit erledigt werden.

Lösungen der Arbeitsaufträge

1. Milch = Deutschland, Käse = Frankreich, Fisch = Norwegen, Salat = Italien, Bananen = Costa Rica, Kartoffeln = Zypern, Fleisch = Deutschland, Topfblumen = Luxemburg (kein Nahrungsmittel!), Erdbeeren = Spanien, Oliven = Griechenland, Butter = Belgien, Pfefferkörner = Indien

2. a)

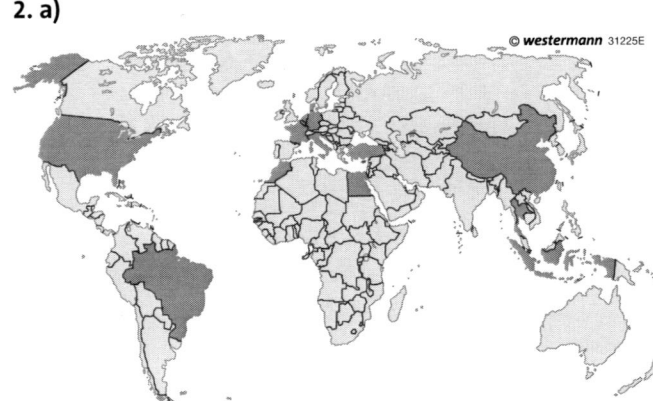

© *westermann* 31225E

b) Die Zutaten der abgebildeten Pizza Salami kommen von fast allen Kontinenten der Welt (s. Lösung Aufgabe 2a), sodass man diese Pizza als „Allerweltsprodukt" bezeichnen kann.

3.

Gebiet	nahe gelegene Stadt	angebaute Produkte
Altes Land	Hamburg	z. B. Äpfel
Lüneburger Heide	Uelzen	z. B. Kartoffeln
Hildesheimer Börde	Hildesheim	überwiegend Zuckerrüben
Altmark (Sachsen-Anhalt)	Salzwedel	Fleisch, Eier
Südoldenburg	Cloppenburg	Fleisch, Eier

4. a) Viehhaltung: z. B. Oldenburg, Münsterland, Allgäu
b) Sonderkulturen: z. B. Altes Land, Mosel, Nürnberg
c) Getreideanbau: z. B. Soester Börde, Uckermark, Dungau
5. individuelle Lösung
6. a) Wenn die Nachfrage größer als das Angebot ist, dann erhöht sich der Preis. Wenn das Angebot größer als die Nachfrage ist, fällt der Preis.
b) Durch den regnerischen und kalten Mai könnte es zu einer Verknappung des Erdbeerangebotes kommen, was den Preis für Erdbeeren nach oben treibt.

Literatur

Philipp, A. u. a.: „Aus deutschen Landen frisch auf den Tisch"? Woher kommen unsere Nahrungsmittel in den Zeiten der Globalisierung – und woher möchten wir sie haben? In: Praxis Geographie, H. 1/2006, S. 8–12.

Schmidt, M.: Der Wochenmarkt – ein außerschulischer Lernort. In: Praxis Geographie, H. 10/2005, S. 12–16.

Internet-Adressen

http://www.ima-agrar.de
http://www.bauernverband.de
http://agrarnet.de

Filme

FWU:
4641153 Nahrungsmittel für eine Millionenstadt (Berlin)

Unterrichtsvorschlag

Unterrichtsphase	Inhaltlicher Schwerpunkt	Unterrichtsverlauf	Medien/Materialien
Einstieg	Herkunft von Nahrungsmitteln	Alternative 1: – Aufgabe 5 als vorbereitende Hausaufgabe – Einzeichnen der Herkunftsstaaten auf einer stummen Weltkarte – Aufgabe 1 Alternative 2: Lehrer bringt Produkte aus verschiedenen Staaten mit (ähnlich M1) Alternative 3: Aufgabe 1	M1, evtl. stumme Weltkarte (CD-ROM) und OHP, evtl. Nahrungsmittel mit Kennzeichnung des Herkunftsstaates
Erarbeitung 1	Bereiche der Landwirtschaft	– Lehrer entwickelt mit Schülern zusammen Tafelbild – Zuordnung der mitgebrachten Nahrungsmittel oder der in M1 dargestellten Nahrungsmittel zu den verschiedenen Bereichen der Landwirtschaft – Beispiele für Nahrungsmittel werden im Tafelbild ergänzt	M1, evtl. mitgebrachte Nahrungsmittel
Erarbeitung 2	Herkunft von Nahrungsmitteln – Beispiele	– je nach Fähigkeiten und Interessen der Schüler bearbeiten sie entweder Aufgabe 2, Aufgabe 3 oder Aufgabe 4 – Vorstellung der Arbeitsergebnisse	M2, stumme Weltkarte (CD-ROM), OHP, Atlas, Karte auf S. 141
Erarbeitung 3	Angebot und Nachfrage bestimmen den Preis	M3 wird gemeinsam gelesen (evtl. Erdbeeren mitbringen, aktuellen Preis nennen sowie Preisentwicklung darstellen)	M3
Ergebnissicherung zu Erarbeitung 3		– fett markierte Sätze in M3 abschreiben – Aufgabe 6 – eigene Beispiele überlegen	M3
Hausaufgabe		Aufgabe 5 (falls noch nicht als vorbereitende Hausaufgabe)	

S. 120/121 Produkte aus ökologischem Landbau

Kompetenzen
Die Schülerinnen und Schüler können
– Unterschiede zwischen herkömmlichem und ökologischem Landbau darstellen. (Fachwissen)

Grundbegriffe
– ökologischer Landbau
– Fruchtwechsel
– Gründüngung

Zusatzinformationen zu den Materialien
M1 Bei der Freilandhaltung stehen den Hennen Auslaufflächen im Freien zur Verfügung. Wie bei der Bodenhaltung können sich die Tiere aber auch in einem mit Nestern, Sitzstangen und Futtereinrichtungen ausgestatteten Stall aufhalten. Da die Tiere im Außengelände auch die Möglichkeit haben zu scharren, zu picken oder sich selbstständig Würmer und Samen zu suchen, wird bei der Freilandhaltung von einer artgerechten Tierhaltung gesprochen.

M2 Nur die produzierten Nahrungsmittel verlassen den landwirtschaftlichen Betrieb. Abfälle, Gülle und Mist kommen wieder dem Boden zugute, auf dem die meisten Futtermittel für die Tiere angebaut werden. Somit wird weitgehend der natürliche Mineralstoffkreislauf eines Biotops nachgeahmt.

Gülle = Urin + Kot

Mist = Urin + Kot + Einstreu (Stroh) + vom Vieh nicht verzehrtes Heu

M4 Bei einem ökologisch bewirtschafteten Feld werden nicht alle Unkräuter restlos bekämpft.

M5 Mit einem Gasbrenner wird das Unkraut bekämpft, bevor neu ausgesät wird.

M6 Bei der Gründüngung werden stickstoffhaltige Zwischenpflanzen untergepflügt. Diese reichern den Boden an, sodass auf Mineraldünger verzichtet werden kann.

87

Vorschlag für ein Tafelbild

Kennzeichen des ökologischen Landbaus
- Wirtschaftsweise im natürlichen Kreislauf
- nachhaltige Wirtschaftsweise
- artgerechte Tierhaltung
- schonende Bodenbearbeitung
- hoher Arbeitsaufwand
- Produkte teurer
- kurze Wege zu Verbrauchern
- möglichst nur saisonale Waren im Angebot

Vorschlag zur Binnendifferenzierung

Das Fallbeispiel auf S. 121 kann auch im Rahmen eines Referats von zwei Schülern vorgestellt werden.

Lösungen der Arbeitsaufträge

1. M2 beschreibt den Kreislauf in der ökologischen Landwirtschaft. Der dargestellte Stoffkreislauf ist geschlossen, d. h. es wird nur so viel Biomasse (in Form von Nahrungsmitteln) aus dem Ökosystem „landwirtschaftlicher Betrieb" entnommen, wie neu gebildet wird. Da im Idealfall auch kein Dünger von außen zugeführt wird, bedeutet das: Lediglich die durch die Fotosyntheseleistung der Pflanzen erzeugte und ggf. veredelte Biomasse verlässt das Ökosystem. Der Kreislauf wird weitgehend geschlossen gehalten
- durch die Nutzung tierischer Exkremente in Form von Mist oder Gülle zur Düngung
- durch das Einpflügen von Pflanzenresten und die Erhöhung des Nährstoffgehaltes im Boden
- durch Gründüngung sowie durch die eigene Produktion von Futter und Stroh für die Viehhaltung.

2. Der Hof Schulz ist ein Bioland-Betrieb, der sich an strenge Regeln und Vorschriften halten muss. Im Zentrum steht die Schonung des Bodens durch folgende Maßnahmen:
- Gitterräder oder Spezialreifen für die Trecker, damit der Boden nicht verdichtet wird
- Düngung mit Stallmist, Kalk und Gesteinsmehl
- Fruchtfolge erhält Nährstoffe und Tiere im Boden
- Unkrautbekämpfung durch Flammen oder Jäten von Hand

- keine vollkommene Unkrautbekämpfung, um Insekten von Nutzpflanzen fernzuhalten.

3. Vorteile des ökologischen Landbaus sind z. B.:
- Es handelt sich um eine nachhaltige Wirtschaftsweise.
- Man kann sie viele Jahre lang betreiben, ohne dass die Umwelt belastet wird.
- Es wird eine artgerechte Tierhaltung angestrebt.
- Der Boden wird schonend bearbeitet.

4. Bei der Diskussion sind nachhaltige Gesichtspunkte, Gesundheitsaspekte, regionaler Bezug, Vermarktungswege etc. vor dem Hintergrund der allgemeinen Versorgung der deutschen Bevölkerung (frische und qualitativ gute Ware, Produkte aus ökologisch unbedenklichem Anbau, geringe Produktionsmengen) zu berücksichtigen. Einem möglichen Argument, dass die Produkte dieser Wirtschaftsweise nur den reicheren Familien zugutekommen, sollte der Lehrer mit entsprechenden Hinweisen entgegentreten.

Literatur

Brüning, L.: Prinzipien des ökologischen Landbaus. Differenzieren nach Lesekompetenzniveaus. In: Praxis Geographie, H. 6/2013, S. 16—21.
Mayenfels, J.: Welches Schwein darf's sein? Förderung der Argumentationskompetenz mithilfe des Meinungsstrahls. In: Praxis Geographie, H. 3/2013, S. 10—14.

Internet-Adressen

http://www.bioland.de (Homepage von Bioland, dem größten deutschen Bioanbauverband. Mit Kundeninformationen zur Haltung von Biotieren, Adressen von Hofläden und Urlaub auf dem Bauernhof ...)

Filme

in den digitalen Lehrermaterialien „BiBox":
Biotrend unter der Lupe – Was steckt dahinter? (2:24 min; Anforderungen von verschiedenen Biosiegeln)
FWU:
4202723 Rinderhaltung – konventionell und ökologisch
4611029 Ökologische Landwirtschaft

Unterrichtsvorschlag

Unterrichtsphase	Inhaltlicher Schwerpunkt	Unterrichtsverlauf	Medien/Materialien
Einstieg	Vorstellung Bioprodukte	– der Lehrer bringt einige Bioprodukte (auch mit Biosiegel, s. Infokasten) in den Unterricht – Was ist der Unterschied zu anderen/normalen Produkten? → Vorwissen	verschiedene Bioprodukte
Erarbeitung 1	Kennzeichen des ökologischen Landbaus	– gemeinsames Lesen des Lehrbuchtextes S. 120, dabei Besprechung von M2 (s. Aufgabe 1) – die Schüler schreiben in PA aus dem Text die Kennzeichen des ökologischen Landbaus auf (s. Tafelbild)	M2
Erarbeitung 2	Fallbeispiel	die Schüler lesen den Lehrbuchtext S. 121 selbstständig und bearbeiten dazu Aufgabe 2	M3–M6
Ergebnissicherung		– Arbeitsblatt „Ökologische Landwirtschaft" – Aufgabe 3	Arbeitsblatt „Ökologische Landwirtschaft" (Arbeitsheft), M1, M2, M4–M6
Vertiefung 1	Biosiegel als Kennzeichen für Bioprodukte	– Film „Biotrend unter der Lupe – Was steckt dahinter?" – Infokasten	Film „Biotrend unter der Lupe – Was steckt dahinter?"
Vertiefung 2	Diskussion: Sollen wir Bioprodukte kaufen?	Aufgabe 4	

S. 122/123 Die Idee der Nachhaltigkeit

Kompetenzen
Die Schülerinnen und Schüler können
– die Idee der Nachhaltigkeit erklären. (Fachwissen)

Grundbegriffe
– Nachhaltigkeit/nachhaltige Wirtschaftsweise

Zusatzinformationen zu den Materialien
M6 Bioland ist der größte deutsche Bio-Anbauverband.
M7 Neben dem Aspekt der Herkunft kann hier auch die Verpackung thematisiert werden.

Vorschlag für ein Tafelbild
Nachhaltigkeit
= Durch nachhaltiges Handeln werden die Umwelt, die Wirtschaft und die Menschen nachfolgender Generationen nicht geschädigt.

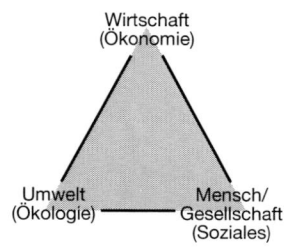

22288E_1 © **westermann**

Das Nachhaltigkeitsdreieck

Lösungen der Arbeitsaufträge
1. Die Forstwirtschaft ist auf Dauer darauf angewiesen, dass dem System Wald nicht mehr entnommen wird als nachwachsen kann. Daher ist eine nachhaltige Wirtschaftsweise besonders wichtig, denn sonst würde sich die Forstwirtschaft ihrer eigenen Grundlage berauben. Würden z. B. nur Kahlschläge betrieben, könnte der Boden so geschädigt werden, dass gar kein Wald nachwachsen könnte.

2. Der Maisanbau liefert einen relativen hohen wirtschaftlichen Gewinn, sodass die Dimension Ökonomie voll bedient ist, doch bleiben die Dimensionen der Umwelt (Ökologie) und von Mensch und Gesellschaft (Soziales) auf der Strecke. Der Maisanbau muss folglich in dieser Form als nicht nachhaltig beurteilt werden. Anders hingegen die Streuobstwiese, in der die Ökologie stark im Vordergrund steht. Hier muss allerdings die Frage nach der Wirtschaftlichkeit kritisch gestellt werden. Das Soziale ist weder als besonders positiv noch als besonders negativ zu werten. Die Beurteilung sollte als „nachhaltiger" als der Maisanbau erkannt werden.

3. individuelle Lösung

Unterrichtsvorschlag

Unterrichtsphase	Inhaltlicher Schwerpunkt	Unterrichtsverlauf	Medien/Materialien
Erarbeitung	Was ist Nachhaltigkeit?	– Lehrbuchtext wird gemeinsam gelesen unter Einbezug von M1–M3 – Aufgabe 1	M1–M3
Vertiefung		– Aufgabe 2 in arbeitsteiliger Gruppenarbeit – Aufgabe 3	M4–M7

S. 124/125 Intensivtierhaltung

Kompetenzen

Die Schülerinnen und Schüler können
– Veränderungen in der Landwirtschaft benennen und bewerten. (Fachwissen, Beurteilen und Bewerten)

Grundbegriffe

– Intensivtierhaltung
– Intensivierung der Landwirtschaft

Zusatzinformationen zu den Materialien

M1 In diesem Schweinestall befinden sind zahlreiche 3,50 m breite und 2,50 m lange Boxen, die durch Gitter voneinander getrennt sind. Pro Box leben 10–11 Schweine auf sehr engem Raum. Der Boden besitzt Spalten, durch die Kot und Urin direkt in einen Güllebehälter fallen. In der Mitte jeder Box befindet sich eine Futterstation.
M3 Vom Ferkelzuchtbetrieb werden die 2 kg schweren Ferkel mit Lkws zum Schweinemastbetrieb transportiert. Außerdem wird den Betrieben das Kraftfutter vom Futterhandel angeliefert. Auf sehr engem Raum werden die Mastschweine bis zum Erreichen des Verkaufsgewichts von 119 kg gemästet. Die in dem Mastbetrieb anfallende Gülle wird für die Düngung der Maisfelder genutzt. Der Mais dient als Futter für die Mastschweine. Nach vier Monaten werden die 119 kg schweren Mastschweine zum Schlachthof gebracht. Das Schweinefleisch wird anschließend in Fleisch- und Wurstfabriken weiterverarbeitet. Nach dem Transport zu den Geschäften können die Verbraucher dann die Fleisch- und Wurstwaren kaufen.

Tipps zum Atlaskarteneinsatz

für Aufgabe 1:
Diercke Weltatlas, 56.1: Deutschland – Landwirtschaft
Diercke Weltatlas 2, 42.1: Deutschland – Landwirtschaft
Diercke Drei, 71.2: Landwirtschaft

Vorschlag für ein Tafelbild

Intensivtierhaltung
Vorteile:
– kostensparend (weniger Fläche und weniger Arbeitskräfte notwendig) → geringer Preis für Fleisch
– Aufzucht vieler Tiere möglich → großes Angebot an Fleisch, entsprechend der großen Nachfrage

Nachteile:
– nicht artgerecht
– starke Umweltbelastung (stinkende Abluft, Verunreinigung des Grundwassers durch Gülle)

Vorschlag zur Binnendifferenzierung

Die vertiefende Aufgabe zur Protokollierung des eigenen Fleischkonsums kann auch nur von einigen Freiwilligen durchgeführt werden.

Lösungen der Arbeitsaufträge

1. Südoldenburger Raum (Vechta, Cloppenburg), Münsterland, Raum Heilbronn
2. In Ferkelzuchtbetrieben werden die Ferkel vom 1. bis zum 73. Tag aufgezogen, mit einem Gewicht von ca. 28 kg gehen diese dann in den Schweinemastbetrieb über, wo sie ungefähr bis zum 196. Tag verweilen und bei einem Endgewicht von 119 kg weiterverkauft werden. Im Schweinemastbetrieb werden die Schweine u. a. mit Sojaschrot und Mais gefüttert. Die anfallende Gülle wird teilweise als Dünger für die Felder genutzt. Im Schlachthof werden die Schweine geschlachtet und für die Weiterverarbeitung in der Fleisch- bzw. Wurstfabrik vorbereitet. Die dort gefertigten Fleisch- und Wurstwaren werden an die Geschäfte ausgeliefert, wo sie vom Verbraucher gekauft werden können.

3. Individuelle Lösung. Wichtig bei der Diskussion in der Klasse sollte sein, dass die Argumentation nicht einseitig wird, die intensive Tierhaltung z. B. nicht nur negativ bewertet wird. Sollte das „Nachhaltigkeitsdreieck" zu diesem Zeitpunkt noch nicht im Unterricht behandelt worden sein, so kann man dies an dieser Stelle mit Verweis auf die Abbildung M3 auf S. 122 nachholen.

4. Die Aufrüstung der Ställe und Betriebe auf die intensive Landwirtschaft erfordert(e) zunächst einen hohen Einsatz von Geldern, um diese zu modernisieren und zu vergrößern (z. B. mussten Flächen hinzugepachtet oder

-gekauft, Ställe gebaut werden etc.). Erst nach diesen Investitionen konnten die Erträge, und damit auch die Umsätze und der Gewinn, gesteigert werden.

Filme

FWU:

4610609 Landwirtschaft in Deutschland – Schweinefleischproduktion am Beispiel des Oldenburger Münsterlandes

4201673 Woher die Eier kommen

Unterrichtsvorschlag

Unterrichtsphase	Inhaltlicher Schwerpunkt	Unterrichtsverlauf	Medien/Materialien
Einstieg	Intensive Schweinehaltung	– Betrachtung von M1 → erste Eindrücke (eher emotional) sowie genaue Beschreibung, aus der sich Einzelheiten über die Schweinehaltung ableiten lassen – Um die Enge in den Schweinemastboxen am eigenen Leib zu spüren, können die Schüler sich anschließend zu zehnt in eine hypothetische Box von 3,50 m x 2,50 m Größe begeben (mit Kreide auf dem Schulhof aufzeichnen). – Leitfrage: Warum werden Schweine auf so engem Raum gehalten?	M1, mit Kreide aufgezeichnete Schweinemastbox auf dem Schulhof
Erarbeitung	Intensive Tierhaltung – eine Form der Intensivierung in der Landwirtschaft	– gemeinsames Lesen des Lehrbuchtextes und des Infokastens – die Schüler schreiben selbstständig die Vor- und Nachteile der intensiven Tierhaltung auf (s. Tafelbild) – Aufgabe 3 – Aufgabe 2 – Aufgabe 1 (auch als Hausaufgabe)	Infokasten, M2, M3, M4
Vertiefung	Mein Fleischkonsum	Die Schüler können eine Woche lang aufschreiben, welche Schweinefleischprodukte und wie viel sie davon essen. Die ermittelte Menge wird mit 52 multipliziert, um den Jahresverbrauch zu ermitteln. Dieser kann dann mit den im Lehrbuchtext angegebenen 60 kg verglichen werden. Ziel ist es, dass die Schüler auf ihre Ernährung bewusster achten und evtl. weniger Fleisch und solches aus artgerechter Tierhaltung essen.	

S. 126/127 Methode: Sachtexte auswerten

Kompetenzen

Die Schülerinnen und Schüler können
– Sachtexte auswerten. (Methode)

Grundbegriffe

– Massentierhaltung
– Monokultur

Zusatzinformationen zu den Materialien

M1 Die fünf Schritte der Auswertung lassen sich auf alle Sachtexte übertragen. Hier ist jedoch keine vollständige Auswertung des Textes „Deutschland – die Billigfleisch-Weltmacht" aufgeführt, sondern es werden nur Beispiele für einzelne Textabschnitte gegeben. In Aufgabe 1 sollen die Schüler dann die vollständige Auswertung durchführen, in die sie die in M1 vorgegebenen Beispiele einbauen können.

M2 Das Foto stammt von einem Hof in Wildeshausen. Der Landwirt hat zwei Ställe, in denen jeweils 23 000 Hennen Eier legen, die als „Eier aus Bodenhaltung" auf den Markt kommen. Die Schnäbel der Hennen werden abgeschnitten, damit die Hennen sich nicht gegenseitig hacken können. Die Ställe haben im hinteren Bereich kein Tageslicht, vorne bei der Fütterungsanlage kommt etwas Tageslicht durch die Fenster hinein. Eine Henne legt etwa 13 Monate Eier, danach wird sie als Suppenhuhn „verarbeitet", da sich eine weitere Haltung nicht mehr rentiert.

Vorschlag für ein Tafelbild

(kursiv markiert = Ergänzungen zum Tafelbild der vorherigen Unterrichtsstunde)
Intensive Tierhaltung
Vorteile:
– kostensparend (weniger Fläche und weniger Arbeitskräfte notwendig) → geringer Preis für Fleisch, *deutsche Landwirte sind international wettbewerbsfähig*
– Aufzucht vieler Tiere möglich → großes Angebot an Fleisch, entsprechend der großen Nachfrage

Nachteile:
– nicht artgerecht
– starke Umweltbelastung (stinkende Abluft, Verunreinigung des Grundwassers durch Gülle, *Überdüngung des Bodens, Belastung des Trinkwassers durch giftige Abfallstoffe*)
– *Entstehung von antibiotikaresistenten Bakterien*
– *Sojamonokulturen mit ökologischen Problemen vor allem in Brasilien und Argentinien aufgrund von Sojaimporten Deutschlands zur Futtermittelherstellung*

Vorschlag zur Binnendifferenzierung

Das Auswerten eines Textes – auch unter Vorgabe der fünf Schritte – ist nicht einfach. Daher sollte der Lehrer möglichst die Lösung von Aufgabe 1 mit Schülern, die Probleme hatten, individuell besprechen, bevor diese in der Hausaufgabe einen weiteren Text auswerten müssen.

Lösungen der Arbeitsaufträge

1. Individuelle Lösung. Beispiel 4. Schritt: Der Text „Deutschland – die Billigfleisch-Weltmacht" von Max Biederbeck aus der Süddeutschen Zeitung vom 10.01.2013, behandelt die Umweltprobleme, die durch die Massentierhaltung entstehen. Der Autor fordert dazu auf, sich Gedanken über die Produktionsbedingungen zu machen.
Die intensive Tierhaltung, z. B. von Schweinen, führt seiner Meinung nach zu einer Überdüngung des Bodens und daraus folgend zu einer Belastung des Trinkwassers mit giftigen Abfallstoffen. Zudem bilden sich durch die Verabreichung von Antibiotika, die die Seuchengefahr der auf engem Raum lebenden Tiere eindämmen soll, immer öfter antibiotikaresistente Bakterien. Weiterhin entstehen besonders in Brasilien und Argentinien riesige Soja-Monokulturen mit massiven ökologischen Konsequenzen. Soja wird als Futtermittel in den Mastbetrieben eingesetzt. Der Text endet mit der Vermutung, dass sich die wenigsten Käufer von Fleisch darüber Gedanken machen, was eigentlich für eine Produktionsmethode hinter dem Produkt stehe.
2. *1. Schritt: Unbekannte Wörter*
globaler Wettbewerb (Zeile 15/16): weltweiter Wettbewerb, Konkurrenz
Spezialisierung (Zeile 17): Schwerpunkt/Konzentration auf ein bestimmtes Produkt, hier eine Tierart
2. Schritt: Zwischenüberschriften
Zeile 1–2: Der Begriff „Massentierhaltung"
Zeile 4–7: Tierhaltung und Umweltgerechtigkeit
Zeile 8–14: Gesundheit der Tiere, Hygiene, Futtermittel, Betreuung
Zeile 15–20: Globaler Wettbewerb, Vergrößerung und Spezialisierung
3. Schritt: Schlüsselwörter
Zeile 1–2: intensive Tierhaltung, Massentierhaltung, unterschiedliche Vorstellung
Zeile 4–7: Missverständnis der Haltung, Beispiel Stadtbewohner
Zeile 8–14: gesunde Tiere, hochwertige Lebensmittel, finanzieller Erfolg

Zeile 15–20: globaler Wettbewerb, Vergrößerung der Tierbestände, Spezialisierung

4. Schritt: Inhaltsangabe

Es gibt in der Öffentlichkeit unterschiedliche Vorstellungen zum Begriff der Massentierhaltung. Viele Menschen gehen bei der Massentierhaltung von einer nicht artgerechten Haltung aus, doch sagt die Zahl der Tiere in einem Stall nichts über die Haltung und Umweltgerechtigkeit aus.

Für den landwirtschaftlichen Betrieb ist es eine Grundvoraussetzung, dass die Tiere gesund sind und sich wohlfühlen. Nur dann wirft die Tierhaltung auch Gewinn ab. Das gelingt nur durch Hygiene, gutes Futtermittel, ein gesundes Stallklima und eine sorgfältige Tierbeobachtung und Betreuung.

Durch Spezialisierung und Vergrößerung der Tierbestände/der Betriebe können die Landwirte ihr Einkommen sichern und den Verbrauchern hochwertige Lebensmittel zu einem angemessenen Preis anbieten.

5. Schritt: Absicht des Autors

Der Text der i.m.a. (information-medien.agrar) „Masse muss sein! Diskussion über Tierhaltung" von 2014 wendet sich gegen die weitverbreitete negative Meinung über die sog. Massentierhaltung und versucht aus der Sicht der Landwirte über die intensive Tierhaltung zu informieren. Der Autor spricht die artgerechte und hygienische Haltung in großen Tierbeständen an und argumentiert, dass nur gesunde Tiere für den Landwirt finanziellen Erfolg sichern. Allerdings sind auch die deutschen Landwirte nicht ohne Konkurrenz. Um weiterhin den Konsumenten hochwertige Lebensmittel zu einem angemessen Preis anbieten zu können, müssen die Tierbestände vergrößert werden.

3. Denkbar sind mögliche Aussagen mit weiter zu entwickelnden Argumentationssträngen:
- Fleisch wird zum Luxusartikel.
- Es werden weniger Futtermittel gebraucht.
- Weniger Fleisch, mehr Klimaschutz.
- Haltung und Tierschutz würden sich verändern.
- Es fehlt ein wichtiges Grundnahrungsmittel von hoher ernährungsphysiologischer Qualität für die Bevölkerung.
- ...

Unterrichtsvorschlag

Unterrichtsphase	Inhaltlicher Schwerpunkt	Unterrichtsverlauf	Medien/Materialien
Einstieg	Billigfleisch	Der Lehrer bringt Werbeanzeigen für Billigfleisch mit. → Muss/kann Fleisch so billig sein?	Werbeanzeigen für Billigfleisch
Erarbeitung	Sachtexte auswerten	– Sachtext auf S. 126 wird gemeinsam gelesen – Auswertungsschritte in M1 werden gemeinsam durchgesprochen, beispielhaft an Textabschnitten erläutert – selbstständige Auswertung des Sachtextes (Aufgabe 1) anhand einer Kopie des Sachtextes, in die die Schüler Markierungen anbringen können	M1, Kopiervorlage „Sachtext 1" (CD-ROM)
Vertiefung	Intensive Tierhaltung in der Diskussion	– gemeinsames Lesen des Sachtextes auf S. 127 – Schüler ergänzen ihre Übersicht zu Vor- und Nachteilen der intensiven Tierhaltung aus der letzten Unterrichtsstunde (zu S. 124/125) (s. Tafelbild) – Aufgabe 3	Sachtexte auf S. 126 und S. 127
Hausaufgabe		Auswertung des Sachtextes auf S. 127 (Aufgabe 2) anhand einer Kopie des Sachtextes, in die die Schüler Markierungen anbringen können	Kopiervorlage „Sachtext 2" (CD-ROM)

S. 128/129 Landwirtschaft im Wandel

Kompetenzen
Die Schülerinnen und Schüler können
- Veränderungen in der Landwirtschaft benennen und bewerten. (Fachwissen, Beurteilen und Bewerten)

Grundbegriffe
- Mechanisierung
- Spezialisierung

Zusatzinformationen zu den Materialien
M1 Früher wurden die Rüben mit Rübengabeln aus dem Boden gehoben und auf einen Traktoranhänger gebraucht. Anschließend mussten sie per Hand geköpft werden.
M2 Mit dem Vollernter werden alle zur Ernte notwendigen Arbeitsgänge bei der Ernte von Zuckerrüben erledigt: das Köpfen, Roden und Reinigen der Rüben sowie das Entleeren des Bunkers. In Deutschland sind Maschinen üblich, die bis zu drei Reihen gleichzeitig ernten. Rübenvollernter sind seit den 1970er-Jahren verbreitet.
M5 1 ha = 100 m x 100 m = 10 000 m^2

Vorschlag zur Binnendifferenzierung
Die Lösung zu Aufgabe 4 kann auch als Diskussion zwischen einem Bauern, der sich spezialisiert hat, und einem, der sich nicht spezialisiert hat, dargestellt werden. Dazu notieren sich zwei Schüler Pro- bzw. Kontraargumente und führen eine Diskussion.

Lösungen der Arbeitsaufträge
1. a) Mechanisierung, Spezialisierung, Intensivierung, Vergrößerung der Höfe, Verringerung der Anzahl der landwirtschaftlichen Betriebe
b) Der Bauernhof Weddeling in Borken hat sich seit 1976 verändert:
- Die Betriebsfläche ist von 20 ha auf 90 ha (davon 22 ha eigener Besitz) vergrößert worden.
- Die Nutzung hat sich verändert von 10 ha Grün- und 10 ha Ackerland zu 90 ha Ackerland.
- In Bezug auf den Viehbestand (ursprünglich 20 Kühe, 20 Bullen, 30 Sauen, 150 Mastschweine, 200 Hühner) kam es zur Spezialisierung auf heute 600 Mastschweine.
- Hinsichtlich der Maschinen/Geräte und zwei Pferden ist es zu einer Aufrüstung von sechs Traktoren verschiedener Stärke, zwei Beregnungsanlagen, Lauch-Roder wegen der Spezialisierung, einer Lauchwaschanlage, Pflanzenschutzspritze und Fütterungsanlage gekommen.

- Bei den Arbeitskräften arbeiten nicht mehr die Großeltern mit, sondern Bauer, Bäuerin, ein Auszubildender, sechs Erntehelfer, z. T. noch die Kinder.
- Auch hinsichtlich der Gebäude hat es große Veränderungen gegeben: Der Kuhstall mit Scheune wurde umgebaut zu einer Unterkunft für Arbeiter, Lagerplatz, Halle mit Kühlhaus, Verarbeitung für Lauch, Maststall und Güllesilo.
Durch die Spezialisierung auf den Lauchanbau hat sich viel getan. Zuerst wurden die Kühe abgeschafft, lediglich die Schweinezucht wurde beibehalten, Land wurde dazugepachtet, Gebäude wurden umgebaut und Spezialmaschinen angeschafft. Im Westmünsterland gibt es für Gemüse gute Standortbedingungen (s. Lösung Aufgabe 2).
2. Im Westmünsterland gibt es für Gemüse gute Standortbedingungen. Der Sandboden lässt den empfindlichen Gemüsesamen gut gedeihen. Diesen Boden können früh im März, wenn die Aussaat beginnen muss, Traktoren gut befahren. Das feucht-milde Klima ist günstig in der Wachstumszeit. Auch gibt es hier genug Grundwasser, um im Sommer die Felder mit Beregnungsanlagen zusätzlich zu bewässern. Außerdem ist das Ruhrgebiet, ein großer Absatzmarkt mit rund fünf Millionen Verbrauchern, nur etwa 40 Kilometer entfernt.
3. Um 1950 gab es in Deutschland deutlich mehr Bauernhöfe als heute. Ein typischer Bauernhof hatte eine Größe von sechs Hektar. In den letzten Jahrzehnten haben allerdings viele Landwirte ihren Hof aufgegeben. Die Höfe waren einfach zu klein und die erzielten Erträge zu gering. Damit die verbliebenen Bauern von der Landwirtschaft leben konnten, haben die meisten von ihnen die Fläche ihrer Höfe vergrößert. Sie kauften oder pachteten Land dazu. 2013 war ein Hof im Durchschnitt 59 Hektar groß. Hinzu kommt die Intensivierung des Anbaus: Man züchtete ertragreichere Pflanzen, entwickelte neue Düngersorten und sehr wirksame Pflanzenschutzmittel. So kann man heute auf derselben Fläche viel mehr ernten als früher – auf einem Weizenfeld z. B. viermal mehr pro Quadratmeter.
4. Der hohe Grad an Spezialisierung und Arbeitsteilung ermöglicht einerseits ein wesentlich kostengünstigeres und effizienteres Arbeiten. Andererseits können dadurch auch negative Begleiterscheinungen entstehen, z. B. mehr Befall durch Einseitigkeit/Monokultur, Auslaugung des Bodens bzw. insgesamt die Verringerung der Biodiversität.

Literatur
Klohn, W.: Strukturwandel in der westdeutschen Schweinehaltung. In: Praxis Geographie, H. 2/2005, S. 12 – 15.

Unterrichtsvorschlag

Unterrichtsphase	Inhaltlicher Schwerpunkt	Unterrichtsverlauf	Medien/Materialien
Einstieg	Der Wandel der Landwirtschaft in Fotos	Beschreibung und Vergleich der Fotos M1 und M2 sowie M3 und M4	M1–M4
Erarbeitung 1	Landwirtschaft im Wandel – allgemein	Aufgabe 1 in PA	M1–M4, Infokasten S. 124
Erarbeitung 2	Landwirtschaft im Wandel – Fallbeispiel	– Aufgabe 1b) mündlich (da vielen Schülern Lauch vermutlich unbekannt ist, kann der Lehrer eine Stange Lauch mitbringen) – Aufgabe 2	M5–M8, evtl. Lauchstange
Vertiefung		– Aufgabe 3 – Aufgabe 4	
Ergebnissicherung/Test		Arbeitsblatt „Landwirtschaft im Wandel"	Arbeitsblatt „Landwirtschaft im Wandel" (Arbeitsheft)

S. 130/131 Methode: Diagramme zeichnen und auswerten

Kompetenzen
Die Schülerinnen und Schüler können
– Diagramme zeichnen und auswerten. (Methode)

Zusatzinformationen zu den Materialien
M1 Erwerbstätige in der Landwirtschaft: http://de.statista.com/statistik/daten/studie/2189/umfrage/erwerbstaetige-in-landwirtschaft-forstwirtschaft-fischerei/
Landwirtschaftliche Betriebe: https://www.destatis.de
M4 Quelle: AMI (http://www.bauernverband.de/16-oekologischer-landbau)
M6 Quelle: Statisches Bundesamt, BMELV-Statistik (http://berichte.bmelv-statistik.de/SJT-3100200-0000.pdf)

Vorschlag für ein Tafelbild
Diagrammformen
Kurvendiagramm
→ Darstellung einer Entwicklung über eine Zeit

Säulendiagramm
→ häufig zum Vergleich von Zahlen

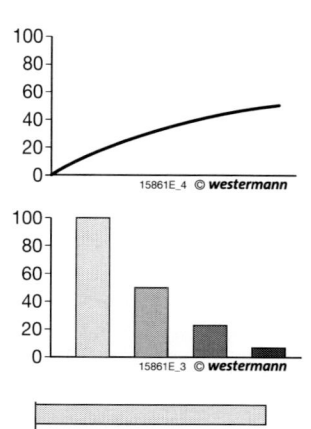

Balkendiagramm
→ Säulendiagramm mit waagerecht liegenden Säulen

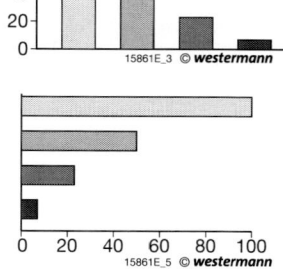

Kreisdiagramm
→ Darstellung von Anteilen an einer Gesamtmenge

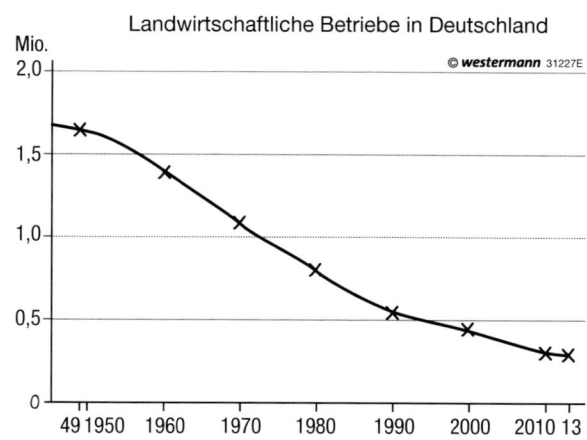
15861E_6 © *westermann*

Vorschlag zur Binnendifferenzierung
Computerinteressierte Schüler können auch ein Diagramm (s. Aufgaben 1, 2a, 3 oder 4a) mithilfe von Excel oder der OpenOffice-Variante erstellen.
Da Aufgabe 4 keine neue Diagrammform enthält, kann diese Aufgabe auch als Zusatzaufgabe angesehen werden.

Lösungen der Arbeitsaufträge
1. Diagrammform: Kreisdiagramm. Individuelle Lösung.
2. a)

Landwirtschaftliche Betriebe in Deutschland
© *westermann* 31227E

b) 1. Schritt: Thema des Diagramms: Landwirtschaftliche Betriebe in Deutschland 1949 – 2013
2. Schritt: Die Zahl der landwirtschaftlichen Betriebe in Deutschland nimmt von 1949 bis 2013 kontinuierlich ab. 1949 gab es noch über 1,6 Mio. Betriebe, 2013 sind es nur

95

noch 285 000. Zwischen 1949 und 1980 sank die Anzahl der Betriebe sehr stark, danach nur noch leicht.

3. Schritt: Die Zahl der landwirtschaftlichen Betriebe in Deutschland ist stark gesunken und hat sich ab 2010 etwa bei 300 000 Betrieben stabilisiert.

3.

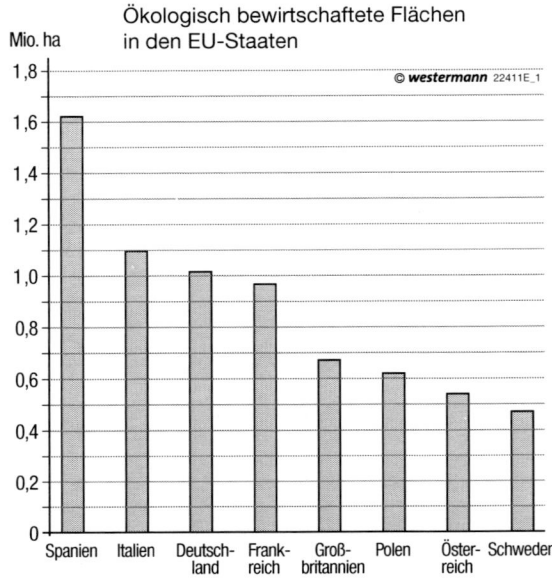

Ökologisch bewirtschaftete Flächen in den EU-Staaten

4. a)

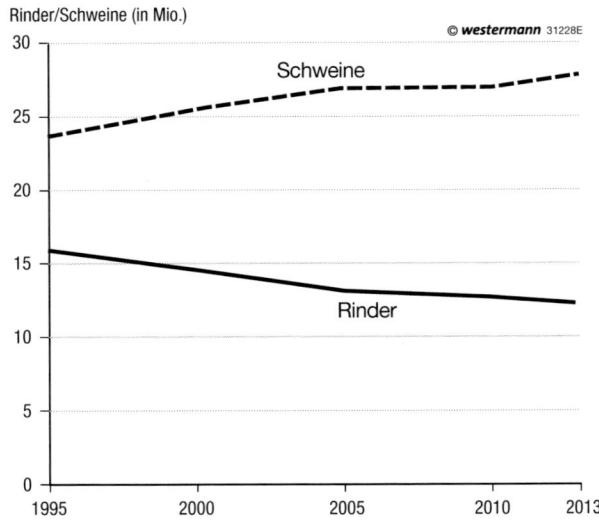

Rinder- und Schweinehaltung in Deutschland

b) 1. Schritt: Thema des Diagramms: Rinder- und Schweinehaltung in Deutschland 1995–2013

2. Schritt: Die Anzahl der Rinder hat kontinuierlich abgenommen. Lag sie 1995 noch bei 15,9 Mio., so ist sie bis 2013 auf 12,6 Mio. gesunken. Die Schweinebestände haben im selben Zeitraum hingegen zugenommen, insbesondere zwischen 1995 und 2000, wo sie um ca. 2 Mio. gewachsen sind. Insgesamt kam es zu einem Zuwachs von ca. 4 Mio. Schweinen auf insgesamt 27,7 Mio.

3. Schritt: Die Rinderhaltung in Deutschland hat seit 1995 abgenommen, die Schweinehaltung hingegen zugenommen. Es werden mehr als doppelt so viele Schweine wie Rinder gehalten.

5. Tabellen wirken oft unübersichtlich. Umso anschaulicher ist es, wenn die Zahlen aus Tabellen in Diagramme (Zahlenbilder) übertragen werden. Die grafische Darstellung veranschaulicht schlichte Zahlenreihen.

Unterrichtsvorschlag

Unterrichtsphase	Inhaltlicher Schwerpunkt	Unterrichtsverlauf	Medien/Materialien
Einstieg	Von der Tabelle zum Diagramm	– Vergleich von M1 (linke Spalte) und M2 – Vorteile von Diagrammen (Aufgabe 5)	M1, M2
Erarbeitung 1	Diagrammformen	– die Schüler suchen im Lehrbuch weitere Diagramme und ordnen sie den Diagrammformen in M3 zu – Tafelbild	M3, Lehrbuch
Erarbeitung 2	Zeichnen eines Kurven-/Säulendiagramms	– Lehrerdemonstration (Schüler liest die einzelnen Schritte aus der Anleitung auf S. 130 vor, Lehrer zeichnet Kurvendiagramm an der Tafel und gibt zusätzliche Tipps) – Schüler zeichnen selbstständig Kurvendiagramm (Aufgabe 2a)	Anleitung S. 130, M1

Unterrichtsphase	Inhaltlicher Schwerpunkt	Unterrichtsverlauf	Medien/Materialien
Erarbeitung 3	Auswerten eines Kurven-/Säulendiagramms	die Schüler lesen selbstständig die Anleitung auf S. 131 und werten ihr selbst gezeichnetes Diagramm aus (Aufgabe 2b)	Anleitung S. 131, selbst gezeichnetes Diagramm
Übungen/Hausaufgabe		– Aufgabe 1 – Aufgabe 3 – Aufgabe 4 – Arbeitsblatt „Diagramme zeichnen und auswerten: Die niedersächsische Landwirtschaft"	M3–M6, Arbeitsblatt „Diagramme zeichnen und auswerten: Die niedersächsische Landwirtschaft" (Arbeitsheft)

S. 132/133   Projekt: Wir erkunden einen Bauernhof

Kompetenzen

Die Schülerinnen und Schüler können

– Exkursionen durchführen und Arbeitsergebnisse präsentieren. (Methode, Kommunikation)

Literatur

Flath, M.: Erkundung eines landwirtschaftlichen Betrie

bes. Moderne Landwirtschaft hautnah erleben. In: Praxis Geographie, H. 2/2007, S. 36–41.

Internet-Adressen

http://www.lernenaufdembauernhof.de (Bundesinitiative „Lernen auf dem Bauernhof": Suche nach Höfen für Exkursionen, Linksammlung, Materialien)

Unterrichtsvorschlag

Unterrichtsphase	Inhaltlicher Schwerpunkt	Unterrichtsverlauf	Medien/Materialien
Einstieg	Vorstellungen vom Leben eines Bauern	– an der Tafel Sammlung der Vorstellungen der Schüler vom Leben eines Bauern – Vergleich mit M1 Leitfrage: Entsprechen eure Vorstellungen der Wirklichkeit?	M1
Vorbereitung	Vorbereitung der Erkundung eines Bauernhofes	– gemeinsame Besprechung der Anleitung auf S. 132/133 – Vorbereitung gemäß 1. Schritt (alternativ zur Entwicklung eigener Fragen können die Schüler auch den fertigen Fragebogen auf der CD-ROM verwenden)	evtl. vorgefertigter Fragebogen „Befragung in einem landwirtschaftlichen Betrieb" (CD-ROM)
Durchführung	Erkundung eines Bauernhofes	Durchführung gemäß 2. Schritt	
Nachbereitung	Vorbereitung und Durchführung einer Präsentation der Ergebnisse der Bauernhoferkundung	– Präsentation gemäß 3. Schritt – Vergleich der Vorstellungen vom Leben eines Bauern (s. o.) mit der Wirklichkeit	

S. 134/135   Natürliche Faktoren der Landwirtschaft: Boden

Kompetenzen

Die Schülerinnen und Schüler können

– die Bedeutung von Boden und Klima für die Landwirtschaft erklären. (Fachwissen)

Grundbegriffe

– Boden
– Börde
– Löss
– Eiszeit

Zusatzinformationen zu den Materialien

M1 Das Foto zeigt ein ausgestochenes Stück Boden. Das DIN-A3-Papier dient dem Größenvergleich. Deutlich sind zwei Schichten zu erkennen: der dunkelbraun gefärbte, humose Oberboden sowie der hellbraune Unterboden.
M2 Fotos von Weizen, Roggen und Gerste finden die Schüler im Kompetenztraining auf S. 146. Alle in M2 aufgeführten Pflanzen sind im Arbeitsheft auf S. 23 mit Fotos abgebildet.

Tipps zum Atlaskarteneinsatz

Diercke Weltatlas, 56.1: Landwirtschaft; 57.2: Böden
Diercke Weltatlas 2, 42.1: Deutschland – Landwirtschaft;
44.1: Bodentypen
Diercke Drei, 71.2: Landwirtschaft

Vorschlag für ein Tafelbild

Boden – ein wichtiger Faktor für die Landwirtschaft
Funktionen:
gibt Pflanzen Halt, Wasser und Mineralstoffe

Fruchtbarkeit abhängig von:
– Gehalt an Mineralstoffen
– Wasserspeicherfähigkeit

Erhalt der Fruchtbarkeit durch:
– Fruchtwechsel
– Düngung (Stallmist, chemische Düngemittel, Gründün-
  gung)
– Bearbeitung/Auflockerung

Lösungen der Arbeitsaufträge

1. Um die Bodenfruchtbarkeit zu erhalten, bearbeiten
die Bauern den Boden, d. h., sie lockern ihn und arbeiten
Pflanzenreste ein.
Der Fruchtwechsel, also der jährliche Wechsel der Anbaufrucht auf einem Feld, führt dazu, dass sich die Nährstoffe im Boden regenerieren können. Würde nur eine
Anbaufrucht angebaut, würde sie dem Boden immer die
gleichen Nährstoffe entziehen, sodass die Fruchtbarkeit
nachlassen und die Erträge sinken würden.
Durch Düngung mit Stallmist, chemischen Düngemitteln
oder Gründüngung werden dem Boden wieder Mineralstoffe zugeführt.
2. Im Norddeutschen Tiefland werden die Regionen mit
Lössboden Börden genannt. Über dem Löss bildet sich
humusreiche und sehr fruchtbare Schwarzerde. Diese
ist tiefgründig, locker und kann Wasser gut speichern.
Deshalb können die Bauern hier Pflanzen anbauen, die
besonders anspruchsvoll sind (z. B. Weizen, Gemüse, Zuckerrüben) und die ihnen gute Einnahmen ermöglichen.
3. a) Bauer Espe hat sein Land in verschiedene Felder
eingeteilt. So hat er drei Feldflächen, auf denen er in
der Abfolge von drei Jahren jeweils auf einer Fläche
Weizen, Gerste und Zuckerrüben anbaut, damit sich
die Nährstoffe im Boden regenerieren können. Alle
drei Anbauprodukte benötigen unterschiedliche Nährstoffe. So wird der Boden nicht einseitig beansprucht.
b) Feld oben: Gersteanbau, Feld rechts: Zuckerrübenanbau, Feld links: Weizenanbau

4. *Zuckerrübe:* Die Aussaat der Zuckerrübe erfolgt bei Bauer Espe im April. (Eine spätere Aussaat bis Anfang Mai ist
mit Ertragsminderungen verbunden. Allerdings kann der
optimale Aussaatzeitpunkt durch die Witterung in Ein-
zeljahren sehr unterschiedlich sein.) Im Zuckerrübenanbau hat die Erntezeit einen Einfluss auf den Zuckerertrag.
Der Beginn der Erntezeit wird zumeist so gelegt, dass vor
Frostbeginn die Verarbeitung der Rüben beendet werden
kann. In diesem Fall geschieht dies im Monat Oktober.
Weizen (Winterweizen): Während der Sommerweizen
120–145 Tage zur Reife benötigt, sind es beim Winterweizen 280–350 Tage. Die optimale Aussaat für Winterweizen liegt in den meisten Anbaugebieten zwischen dem
1. und 20. Oktober, so auch bei Bauer Espe. Bei später
Aussaat des Winterweizens, die meistens mit niedrigen
Bodentemperaturen verbunden ist, verläuft die Keimung
langsamer. Eine Keimung findet allerdings auch noch bei
Bodentemperaturen von 2–4 °C statt. Winterweizen
ist spätsaatverträglich, die Aussaat somit bis Dezember
möglich. Im Frühjahr setzt das Streckungswachstum
(sog. Schossen) ein und die Blätter entwickeln sich. Die
Ernte findet bei Bauer Espe im Hochsommer (Mitte Juni
– Ende Juli) des auf die Aussaat folgenden Jahres statt.
Gerste: Die Sommergerste, die überwiegend zu Brauzwe-
cken angebaut wird, sät Bauer Espe nach vorausgehen-
dem Winterweizen im Frühjahr, so früh wie möglich, auf
dem Feld aus. Die Gerste reift dann in weniger als 100 Tagen heran, sodass Bauer Espe im Hochsommer (Juli und
August) ernten kann.
5. Auf dem fruchtbaren Boden der Hildesheimer Börde
könnte fast jede Pflanze wachsen. Bauer Espe baut aber
nur Zuckerrüben und Weizen an, da diese das höchste
Einkommen versprechen.
6. Magdeburger Börde, Hildesheimer Börde, Zülpicher
Börde, Soester Börde, Braunschweiger Börde, Dungau,
Thüringer Becken etc.

Literatur

Jansohn, J.: Boden und Pflanze. Eine fächerübergreifen-
de Unterrichtseinheit. In: Praxis Geographie, H. 2/2006,
S. 20–23.

Internet-Adressen

http://www.der-boden-lebt.nrw.de

Filme

FWU:
4252151 Bördebauer Eckey

Unterrichtsvorschlag

Unterrichtsphase	Inhaltlicher Schwerpunkt	Unterrichtsverlauf	Medien/Materialien
Einstieg	Boden – Dreck oder Lebensgrundlage?	– Lehrer bringt ein Stück Boden (ähnlich wie in M1) mit – Leitfrage: Welche Bedeutung hat der Boden für die Landwirtschaft? – Tafelbild (1. Teil: Funktionen)	Stück Boden, alternativ M1
Erarbeitung 1	Bodenfruchtbarkeit	– gemeinsames Lesen des Lehrbuchtextes und Infokastens – Tafelbild (2. Teil) – Aufgabe 1 – Aufgabe 2 – regionale Verteilung der Bodenfruchtbarkeit kann anhand von Atlaskarten (Karte „Landwirtschaft" und Karte „Boden", s. Tipps zum Atlaskarteneinsatz) erarbeitet werden, besonderer Schwerpunkt sollte Niedersachsen sein – Aufgabe 6	Infokasten, Atlas
Erarbeitung 2	Fallbeispiel	selbstständige Erarbeitung anhand der Aufgaben 3–5 (evtl. in PA)	M2–M6
Vertiefung	Feldfrüchte	Arbeitsblatt „Feldfrüchte"	Arbeitsblatt „Feldfrüchte" (Arbeitsheft)

S. 136/137 Projekt: Wir untersuchen Bodenproben

Kompetenzen

Die Schülerinnen und Schüler können
– Bodenbestandteile und Bodenarten bestimmen. (Methode)

Grundbegriffe

– Bodenhorizont
– Ausgangsgestein
– Bodenart
– Verwitterung

Zusatzinformationen zu den Materialien

M1 Humus = organische Stoffe im Boden, die wichtig für die Bodenfruchtbarkeit sind

Streu = abgestorbene Vegetation, die weitgehend unzersetzt der Bodenoberfläche aufliegt und dort die Streuschicht bildet

Vorschlag für ein Tafelbild

Bodenprofil (von oben nach unten)

A-Horizont	humusreicher Oberboden mit Bodenlebewesen
B-Horizont	mineralstoffreicher, humusarmer Unterboden
C-Horizont	verwitterte Gesteinsreste und Ausgangsgestein

Bodenbestandteile (nach der Größe sortiert)

Ton	< 0,002 mm
Schluff	0,002–0,063 mm
Sand	0,063–2 mm
Kies	2–63 mm
Steine	> 63 mm

Bodenarten (Name nach dem Hauptbestandteil)
Sandboden
Schluffboden
Tonboden
Lehmboden
Humusboden

Vorschlag zur Binnendifferenzierung

Die einzelnen Aufgaben lassen sich auf einzelne Schüler aufteilen (z. B. Besorgung der Bodenproben, Besorgung der Materialien, Bestimmung der Bodenbestandteile und Bodenart, Bestimmung der Wasserspeicherfähigkeit, Ergebnispräsentation).

Unterrichtsvorschlag

Unterrichtsphase	Inhaltlicher Schwerpunkt	Unterrichtsverlauf	Medien/Materialien
Einstieg	Boden – mehr als Dreck	genauere Untersuchung des vom Lehrer mitgebrachten Stück Bodens aus der vorherigen Unterrichtsstunde in Bezug auf Bodenbestandteile (die Schüler sollten Boden anfassen und untersuchen)	Stück Boden
Erarbeitung	Bodenprofil, Bodenarten	– gemeinsames Lesen des Lehrbuchtextes unter Einbezug von M1–M3 – Tafelbild	M1–M3
Projekt – Vorbereitung		– gemeinsame Besprechung der Anleitungen auf S. 137 – Besorgung der Materialien (s. Durchführung)	
Projekt – Durchführung	Bestimmung von Bodenbestandteilen, Bodenarten sowie der Wasserspeicherfähigkeit	Durchführung der Untersuchungen in Kleingruppen	3 Bodenproben, 2 kleine Plastikbeutel, Lupe, Folienstift, Wasser, M2–M4 Sandboden, Humusboden, Lehmboden, Tonboden, 4 Blumentöpfe, 4 Stücke Filterpapier, Waage, Messbecher, Wasser, M5
Projekt – Auswertung		Präsentation der Versuchsergebnisse durch die Schüler	

S. 138/139 Natürliche Faktoren der Landwirtschaft: Klima

Kompetenzen
Die Schülerinnen und Schüler können
– die Bedeutung von Boden und Klima für die Landwirtschaft erklären. (Fachwissen)
– Besonderheiten und Probleme bei Sonderkulturen benennen. (Fachwissen)

Grundbegriffe
– Klima
– Sonderkultur

Zusatzinformationen zu den Materialien
M1 Der Weinbau ist vor allem auf dem Südhang (rechts im Bild) zu finden. Auf der linken Flussseite sind nur in tieferen Lagen einige Weinberge. Die höheren Lagen sind mit Wald bedeckt, da die Bearbeitung aufgrund der Steilheit der Hänge sehr aufwändig wäre und sich das auf Nordhängen nicht lohnt.
M7 An den modernen, kleinen Spalierbäumen sind die Früchte für die Pflücker gut erreichbar, im Gegensatz zu den Hochstammsorten, die heute noch auf Streuobstwiesen zu finden sind.

Tipps zum Atlaskarteneinsatz
Diercke Weltatlas, 56.1: Landwirtschaft
Diercke Weltatlas 2, 42.1: Deutschland – Landwirtschaft
Diercke Drei, 71.2: Landwirtschaft

Vorschlag für ein Tafelbild
Natürliche Faktoren der Landwirtschaft

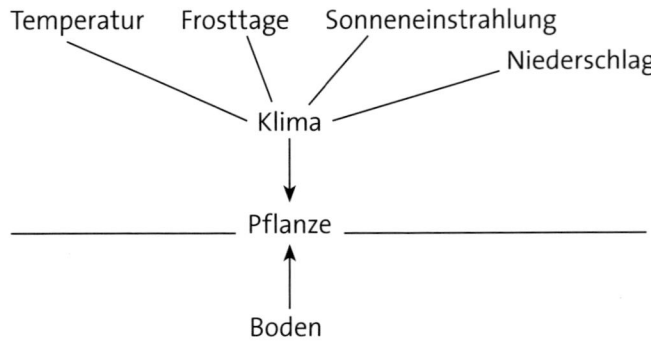

Lösungen der Arbeitsaufträge
1. Nordhang: keine direkte Sonneneinstrahlung, geringere Temperaturen (bei 30 °C Lufttemperatur ist die Bodentemperatur in 2 cm Tiefe 25 °C)

Südhang: direkte Sonneneinstrahlung, hohe Temperaturen (bei 30 °C Lufttemperatur liegt die Bodentemperatur in 2 cm Tiefe bei 44 °C im Tal und 50 °C am Steilhang)

2. Südhänge erfahren durch ihre Exposition zur Sonne eine stärkere Erwärmung als andere Hänge (Bodentemperaturen bis 50 °C in 2 cm Tiefe, vgl. M2). Da der Wein eine besonders wärmeliebende Pflanze ist, sind diese Hänge, die einen möglichst rechtwinkligen Strahleneinfall aufweisen, bevorzugte Lagen. Im Vergleich dazu bietet ein Nordhang lediglich eine Bodentemperatur von 25 °C (M2).

3. links: Süden, rechts: Norden (Südhang mit Weinanbau)

4.

Weinbaugebiet	Stadt in der Nähe
Oberrhein	Freiburg
Main	Frankfurt
Saar	Saarbrücken
Rheinpfalz	Speyer

5. Die Weinbaugebiete liegen in den klimatischen Gunsträumen, in den Flusstälern. In den Mittelgebirgen wird wegen des rauen Klimas kein Wein angebaut. Die Weinberge liegen wegen der höheren Sonneneinstrahlung meistens an Talhängen, in der Oberrheinischen Tiefebene auch an der Vorbergzone und z. T. auf der Niederterrasse.

6. Das Alte Land liegt südlich der Elbe und südlich der Hansestadt Hamburg in Niedersachsen. Es wird südlich begrenzt von den Städten Stade, Horneburg, Buxtehude und Neu Wulmstorf.

7. Aufgrund der geringen Höhe der Apfelbäume können die Äpfel vom Boden aus, ohne den Einsatz von Leitern, gepflückt werden. Das erspart Zeit und damit Arbeitskosten. Die niedrige Baumhöhe vermindert zudem bei Frost die Schädigung des Baumes.

8. Die geernteten Äpfel gelangen entweder direkt über die Frischvermarktung (Hofverkauf, Wochenmarkt, Großhandel, Einzelhandel) oder über Genossenschaften an den Verbraucher (Frischobst, Exportobst, Industrieobst). Beim Frischobst wird auch der Großhandel und Einzelhandel beliefert, beim Exportobst werden die Äpfel ins Ausland z. B. per Lkw transportiert, beim Industrieobst wandern die Äpfel in die Fruchtzubereitung, werden zu Apfelringen, -würfeln oder -streifen oder zu Getränken (Saftindustrie, Brennereien für Alkohol) verarbeitet.

9. Ein Vergleich von M3 mit M5 ergibt, dass die Klimamerkmale des Alten Landes, allein schon wegen der durchschnittlich 80 Frosttage, eher ungünstig für einen ertragreichen Weinanbau sind. Die Niederschläge sind im Alten Land zu hoch, die Jahresmitteltemperatur würde zwar ausreichen, aber die Temperaturen in der Wachstumszeit sind zu niedrig.

Unterrichtsvorschlag

Unterrichtsphase	Inhaltlicher Schwerpunkt	Unterrichtsverlauf	Medien/Materialien
Einstieg	Klima – ein weiterer Faktor für die Landwirtschaft	– Was braucht eine Pflanze außer dem Boden zum Wachsen? → Wärme, Sonneneinstrahlung und Niederschlag als klimatische Voraussetzungen – Entwicklung des Tafelbildes	
Erarbeitung 1	Klimatische Bedingungen für den Weinbau	selbstständige Erarbeitung der Schüler anhand der Aufgaben 1–5 (in PA)	M1, M2, M3
Erarbeitung 2	Obstanbau im Alten Land	– Lehrer bringt Obst (z. B. Äpfel) aus dem Alten Land mit, möglichst mit Herkunftsbezeichnung, evtl. auch andere Produkte aus Äpfeln (z. B. Apfelsaft, Apfelmus) – Schüler bestimmen Lage des Alten Landes (Aufgabe 6) – gemeinsames Lesen der Lehrbuchtextes – Aufgabe 7 – Aufgabe 8 (mündlich oder auch als Hausaufgabe) – Aufgabe 9	M3–M7, Obst etc. aus dem Alten Land
Erarbeitung 3	Sonderkulturen	– Einführung des Begriffs anhand des Infokastens – Schüler schreiben Definition ab	Infokasten

S. 140/141 Orientierung: Landwirtschaftliche Nutzung in Deutschland

Kompetenzen

Die Schülerinnen und Schüler können
– die landwirtschaftliche Nutzung in Deutschland lokalisieren. (Orientierung)

Zusatzinformationen zu den Materialien

M1 Apfelplantage. Die niedrigen Apfelbäume (→ einfaches, arbeitssparendes Pflücken) stehen so weit auseinander, dass ein Traktor mit Anhänger durch die Reihen fahren kann. Die gepflückten Äpfel können so einfach auf den Anhänger verladen werden.

M2 Zuckerrübe. Im Gegensatz zur Futterrübe liegt der Rübenkopf oberhalb der Erdoberfläche. Aus ihm wachsen ca. 20 breitflächige, bis zu 30 cm lange Laubblätter.

M3 Weizenfeld. Großflächiger Anbau von Weizen.

M4 Weinernte. Die Weinernte ist Handarbeit. Die Trauben werden vom Erntehelfer zunächst in einem Korb gesammelt und anschließend auf einen Anhänger verladen.

M5 Rinder auf einer Wiese

Tipps zum Atlaskarteneinsatz

Diercke Weltatlas, 26/27: Deutschland – Physische Übersicht; 56.1: Landwirtschaft
Diercke Weltatlas 2, 14/15: Deutschland – physische Übersicht; 42.1: Deutschland – Landwirtschaft
Diercke Drei, 46/47: Deutschland – physisch; 71.2: Landwirtschaft

Vorschlag zur Binnendifferenzierung

Bei Aufgabe 3 müssen nicht alle Schüler alle Teilaufgaben bearbeiten. Schnelle Schüler können auch mehr als die angegebenen Beispiele suchen.

Lösungen der Arbeitsaufträge

1. A = Apfelernte (geringe Baumhöhe, Traktor mit Großkisten auf niedrigen Anhängern)

B = Zuckerrübenanbau (zu erkennen sind Blatt und Rübe, deren oberer Teil aus dem Boden herausragt)
C = Weizenfeld (großflächiger Anbau)
D = Weinernte (Trauben werden in einer Art Rucksack gesammelt und auf Traktor verladen)
E = Viehwirtschaft (Rinder auf einer Weide)

2. A = Obstanbau, z. B. Altes Land
B = Zuckerrüben, z. B. Hildesheimer Börde
C = Getreide, z. B. Mecklenburg-Vorpommern
D = Weinanbau, z. B. Mosel
E = Viehhaltung, z. B. Niedersachsen

3. a) Münsterland, Südoldenburg, Allgäu …
b) Jülicher Börde, Zülpicher Börde, Soester Börde, Magdeburger Börde, Hildesheimer Börde
c) Mosel, Rhein, Main, Neckar
d) Hamburg, Berlin, Köln, Mainz, Frankfurt, Karlsruhe …
e) Schwarzwald, Spessart, Pfälzer Wald, Erzgebirge, Schwäbische Alb, Fränkische Alb, Teutoburger Wald, Rothaargebirge, Bayerischer Wald …

Literatur

Claassen, K.: Landwirtschaft in Deutschland. In: Praxis Geographie, H. 1/1997, S. 38.
Mahl, N.: Wo gibt es Deutschland Zuckerrüben? Und wo Mais? Kartenarbeit mit der Methode „Karte im Kopf". In Praxis Geographie, H. 4/2013, S. 10–11.

Filme

FWU:
4602754 Landwirtschaft in Deutschland: Agrarregionen und Anbauprodukte

Unterrichtsvorschlag

Unterrichtsphase	Inhaltlicher Schwerpunkt	Unterrichtsverlauf	Medien/Materialien
Erarbeitung	Formen landwirtschaftlicher Nutzung	– Aufgabe 1 im UG – Aufgabe 2 und 3 in EA oder PA	M1, M2, Atlas

S. 142/143 Landwirtschaft in südeuropäischen Trockengebieten

Kompetenzen
Die Schülerinnen und Schüler können
– den Bewässerungsfeldbau in südeuropäischen Trockengebieten erklären. (Fachwissen)

Grundbegriffe
– Huerta
– Tröpfchenbewässerung
– Hartlaubgewächse

Zusatzinformationen zu den Materialien
M1 Bei der Tröpfchenbewässerung werden in Bodennähe Rohre oder Schläuche verlegt, die im Wurzelbereich der Pflanzen Löcher aufweisen. Wird Wasser durch die Rohre bzw. Schläuche geleitet, so gelangt es über die Löcher gezielt zu den Wurzeln der Pflanzen.
M2 Über große Röhren gelangt das Wasser zu den Feldern in den Huertas. Die Röhren bilden einen Verdunstungsschutz, der bei längeren Transporten des Wassers sinnvoll ist.
M5 Auf dem Foto zur Olivenernte ist ein modernes, zusammenfaltbares Netz mit Gestell zu erkennen. Teils werden auch einfach große Netze auf dem Boden unter den Olivenbäumen ausgelegt. Die Oliven fallen bei der Ernte in die weichen Netze und werden somit nicht beschädigt und gehen auch nicht verloren.

Tipps zum Atlaskarteneinsatz
Diercke Weltatlas, 132/133.1: Iberische Halbinsel – Physische Karte; 133.2: Huerta von Murcia – Bewässerungslandwirtschaft
Diercke Weltatlas 2, 90/91.1: Iberische Halbinsel – physisch; 91.2: Huerta von Murcia

Vorschlag für ein Tafelbild
Landwirtschaft in Südostspanien
natürliche Voraussetzungen:
– ganzjährig relativ warm, im Sommer heiß
– lange, trockene Sommer
– geringe Niederschläge
↓
Problem: Wassermangel

Lösung: Bewässerung (vor allem Tröpfchenbewässerung, da sehr geringe Verdunstungsverluste) mit Wasser aus Flüssen (aus der Segura und über den Tajo-Segura-Kanal aus dem Tajo)

Lösungen der Arbeitsaufträge
1. Das für die Bewässerung benötigte Wasser kommt aus den Flüssen Tajo (über den Tajo-Segura-Kanal) und Segura.
2. Bei der Tröpfchenbewässerung werden in Bodennähe Rohre oder Schläuche verlegt, die im Wurzelbereich der Pflanzen Löcher aufweisen. Wird Wasser durch die Rohre bzw. Schläuche geleitet, so gelangt es über die Löcher gezielt zu den Wurzeln der Pflanzen.
Über Beregnungsanlagen wird Wasser auf die Pflanzen gesprüht. Dabei dringt jedoch nur ein Teil in den Boden ein, ein großer Teil verdunstet.
Bei der Flächenbewässerung werden die Felder zeitweise überflutet. Auch hier verdunstet ein großer Teil des Wassers.
3. Anfang Januar wird gepflügt und danach werden Grünpflanzen (Klee) gepflanzt. Im Februar werden sie geerntet. Anfang März wird erneut gepflügt und danach werden Reispflanzen gesetzt, die bis April bewässert werden. Im April/Mai wird der Reis geerntet. Danach wird gepflügt und Anfang Juni werden Bohnenpflanzen gesetzt und bewässert. Im Juli/August werden sie bis zur Ernte weiter bewässert. Danach wird gepflügt, um Ende August Tomatenpflanzen zu setzen. Diese werden bewässert und geerntet. Ende Oktober wird erneut gepflügt und Zwiebeln werden gesetzt. Ab Mitte Dezember werden diese geerntet.

4.

	Orangenbäume	Olivenbäume
Wachstumsbedingungen	hohe Temperatur, Feuchtigkeit, viele Sonnenstunden während der Reife	keine Bewässerung erforderlich
Anpassung der Pflanzen an das Klima	dornige Zweige, lederige Blattoberfläche	lederige Blattoberfläche, dicke Rinde
Nutzung	Obst, Marmelade, Fruchtsaft, Duftstoff	Speiseöl, Speise

Unterrichtsvorschlag

Unterrichtsphase	Inhaltlicher Schwerpunkt	Unterrichtsverlauf	Medien/Materialien
Einstieg	Wassermangel – ein Problem für die Landwirtschaft in Trockengebieten	– Lehrer berichtet Schülern über die natürlichen Bedingungen für die Landwirtschaft in Südostspanien (evtl. unter Verwendung von M4 auf S. 145) → Problem: Wassermangel – Schüler entwickeln Lösungen → Bewässerung (evtl. auch schon verschiedene Arten)	
Erarbeitung 1	Bewässerung in Trockengebieten	– Aufgabe 1 – Aufgabe 2	M1, M2, M6
Erarbeitung 2	Huertas	– Beschreibung der durch Huertas geprägten Landschaft in M2 und Lokalisierung anhand von M6 – Schüler schreiben Definition von Huerta aus Infokasten ab – Aufgabe 3 (mündlich) – Aufgabe 4 (auch als Hausaufgabe)	M2–M6, Infokästen

S. 144/145 Intensivlandwirtschaft in El Ejido

Kompetenzen
Die Schülerinnen und Schüler können
– Probleme der Intensivlandwirtschaft erörtern. (Beurteilen und Bewerten)

Zusatzinformationen zu den Materialien
M1 Um El Ejido sind große Flächen mit Folientreibhäusern bedeckt. Diese ziehen sich bis ans Mittelmeer und werden nur von Straßen, Wirtschaftswegen oder kleineren Freiflächen mit Siedlungen o. Ä. unterbrochen.
M3 Über einem Holzgerüst werden die Folien für die Folientreibhäuser ausgelegt.

Tipps zum Atlaskarteneinsatz
Diercke Weltatlas, 132/133.1: Iberische Halbinsel – Physische Karte; 133.3: El Ejido (Almería) – Treibhausanbau
Diercke Weltatlas 2, 90/91.1: Iberische Halbinsel – physisch; 91.3: El Ejido (Almería) – Treibhausanbau

Vorschlag zur Binnendifferenzierung
Die vorbereitende Hausaufgabe kann auch nur von wenigen Schülern erledigt werden.
Bei Aufgabe 3 a) und b) kann eine Hälfte der Klasse die Vorteile, die andere die Nachteile bearbeiten. Nachdem die Arbeitsergebnisse zusammengeführt wurden, kann dann Aufgabe c) bearbeitet werden.

Lösungen der Arbeitsaufträge
1. Almería ist eine der trockensten Regionen Spaniens, im Sommer fallen hier nur sehr geringe Niederschläge (Juni – August nur 10 mm), gleichzeitig herrschen hier sehr hohe Temperaturen mit Monatsmitteln von 22–26 °C. Auffallend ist weiterhin, dass die Monatsmitteltemperaturen ganzjährig nicht unter 12 °C fallen.
2. In Almería kann man aufgrund der klimatischen Voraussetzungen und der Nutzung von Treibhäusern ganzjährig Obst anbauen (bei ausreichender Bewässerung), sodass Erdbeeren auch schon im März in großen Mengen zur Verfügung stehen. Durch die Treibhäuser steigert man zudem die Erträge. Die niedrigen Lohnkosten und die hohen Erträge sorgen u. a. dafür, dass die Waren trotz der anfallenden Transportkosten günstig in Deutschland angeboten werden können.
3. a) Vorteile: hohe Erträge, mehrere Ernten, ganzjähriger Anbau, Einnahmequelle für viele Einwohner, eines der höchsten Pro-Kopf-Einkommen Spaniens
Nachteile: Überbauung der Fläche, Naturschutzgebiete werden illegal genutzt, Umweltbelastung durch Müll, Einsatz chemischer Mittel, mögliche Grundwasserbelastung, hoher Wasserverbrauch, Rückgang des Grundwasserspiegels, schlechte Arbeitsbedingungen
b) Wirtschaft: hohe Erträge, mehrere Ernten, ganzjähriger Anbau, Einnahmequelle für viele Einwohner, eines der höchsten Pro-Kopf-Einkommen Spaniens

Mensch/Gesellschaft: Einnahmequelle für viele Einwohner, eines der höchsten Pro-Kopf-Einkommen Spaniens, Überbauung der Fläche, schlechte Arbeitsbedingungen
Umwelt: Überbauung der Fläche, Naturschutzgebiete werden illegal genutzt, Umweltbelastung durch Müll, Einsatz chemischer Mittel, mögliche Grundwasserbelastung, hoher Wasserverbrauch, Rückgang des Grundwasserspiegels

c) individuelle Lösung
4. Möglich wäre eine stärkere Kontrolle bzw. Durchsetzung der Einhaltung von umweltpolitischen Maßnahmen (Naturschutzgebiete, Verzicht auf chemische Mittel) oder auch eine Verbesserung der Bewässerungsmethoden, um den enormen Wasserverbrauch zu senken. Die Löhne und Arbeits- sowie Lebensbedingungen der Saisonkräfte könnten verbessert werden.

Unterrichtsvorschlag

Unterrichtsphase	Inhaltlicher Schwerpunkt	Unterrichtsverlauf	Medien/Materialien
Einstieg	Gemüse und Obst aus Spanien in deutschen Supermärkten	– Lehrer bringt Gemüse oder Obst (z. B. Erdbeeren im Winter) mit Herkunftsetikett aus Spanien mit in den Unterricht alternativ: – Schüler ermitteln als vorbereitende Hausaufgabe Obst- und Gemüsesorten, die aus Spanien kommen → Leitfrage: Warum kommt so viel Obst und Gemüse (vor allem im Winter und Frühjahr) aus Spanien?	Obst/Gemüse aus Spanien
Erarbeitung 1	Intensivlandwirtschaft in El Ejido	– Beschreibung und Erklärung (anhand von M2 und M3) von M1 – zur Ausbreitung der Folientreibhäuser kann das Arbeitsblatt „Landschaftswandel in der Region um El Ejido" oder die Atlaskarte „El Ejido (Almería) – Treibhausanbau" (s. o.) hinzugezogen werden (ansonsten ist sie für diese Jahrgangsstufe zu komplex) – gemeinsames Lesen des Lehrbuchtextes bis „Probleme der Intensivlandwirtschaft" – Aufgabe 1	M1–M5, Arbeitsblatt „Landschaftswandel in der Region um El Ejido" (Arbeitsheft)
Erarbeitung 2	Probleme der Intensivlandwirtschaft	– selbstständige Bearbeitung (evtl. in PA) von Aufgabe 3 – Diskussion: Aufgabe 4	M1, M5, M7, S. 122/123
Vertiefung	Die Intensivlandwirtschaft in El Ejido aus verschiedenen Perspektiven	Arbeitsblatt „Positionen zur Intensivlandwirtschaft in El Ejido"	Arbeitsblatt „Positionen zur Intensivlandwirtschaft in El Ejido" (CD-ROM)
Ergebnissicherung		Aufgabe 2	

S. 146/147 Kompetenztraining

Lösungen der Arbeitsaufträge

1. ökologische Landwirtschaft: A (Hofladen), B (teurere Erdbeeren), D (Abflammen von Unkraut)
herkömmliche Landwirtschaft: C (Spritzen von Insektiziden/Pestiziden), E (Massentierhaltung), F (billige Erdbeeren)
2. Individuelle Lösung. Beispiel: Im Hof Weddeling kam es zu einer *Spezialisierung* in der Bodennutzung. Mittlerweile wird nur noch Lauch angebaut und es werden nur noch Mastschweine gehalten, um *konkurrenzfähig* zu bleiben.

Dazu gehört auch die Anschaffung von Spezialmaschinen und Geräten sowie eine verstärkte *Mechanisierung* (sechs Traktoren, Beregnungsanlagen, Lauch-Roder etc.). Die Mechanisierung lohnt sich nur, wenn man sich auf wenige Erzeugnisse spezialisiert. Auch die Intensivierung ist entscheidend: Man kann heute auf derselben Fläche viel mehr ernten und in den *Verkauf* geben als früher. Vorteilhaft ist, dass das Ruhrgebiet mit einem *Absatzmarkt* von rund fünf Millionen Verbrauchern nicht weit entfernt ist. Das feucht-milde *Klima* ist günstig in der

Wachstumszeit und der (Sand-)*Boden* lässt den Gemüsesamen gut gedeihen.

3. a) Sonne, Wärme, Wein, Mosel, Rhein, Sonderkultur

b) Individuelle Lösung. Beispiel: Beim Anbau von *Wein*, einer Sonderkultur, der beispielsweise an den Hängen von *Rhein* und *Mosel* betrieben wird, sind *Wärme* und *Sonneneinstrahlung* ein entscheidendes Kriterium.

4. a) 1. falsch, 2. richtig, 3. richtig, 4. falsch, 5. falsch, 6. richtig, 7. richtig, 8. richtig; Lösungswort: *Ackerbau*

b) 1. Die Börden liegen am Rand der Mittelgebirge im norddeutschen Raum; in Süddeutschland heißen die fruchtbaren Gebiete Gaulandschaften.

4. Ein Winzer betreibt Weinanbau.

5. Zentren des Weinbaus sind z. B. Rhein-, Mosel-, Ahr- und Saartal.

5. a) Weizen. Erklärung: Soester Börde ist ein fruchtbares Ackergebiet mit Lössboden.

b) Roggen. Erklärung: Die Lüneburger Heide ist eine Sanderfläche der glazialen Serie und der sandige Boden kann das Wasser nicht gut speichern und ist mineralstoffarm.

c) Gerste. Erklärung: Gerste hat einen mittleren Mineralstoff- und Wasserbedarf und gedeiht gut auf sandig-lehmigen Böden wie z. B. nördlich von Osnabrück.

6. Ferkelzuchtbetrieb → Schweinemastbetrieb → Schlachthof → Fleisch-/Wurstfabrik → Geschäft → Verbraucher

In Ferkelzuchtbetrieben werden die Ferkel vom 1. bis zum 73. Tag aufgezogen, mit einem Gewicht von ca. 28 kg gehen diese dann in den Schweinemastbetrieb über, wo sie ungefähr bis zum 196. Tag verweilen und bei einem Endgewicht von 119 kg weiterverkauft werden. Im Schlachthof werden die Schweine geschlachtet und für die Weiterverarbeitung in der Fleisch- bzw. Wurstfabrik vorbereitet. Die dort gefertigten Fleisch- und Wurstwaren werden an die Geschäfte ausgeliefert, wo sie vom Verbraucher gekauft werden können.

7 Industrie und Dienstleitungen

S. 148/149 Kapitelauftaktseite

Auf der Kapitelauftaktseite ist eine Mindmap zum Thema „Wirtschaftssektoren" abgebildet. Damit wird einerseits die Methode „Mindmap" vorgestellt, die die Schüler in diesem Kapitel auf den Seiten 160/161 kennenlernen. Zum anderen wird das Thema des Kapitels (Industrie und Dienstleistungen) in einen größeren Zusammenhang gesetzt. Die drei Wirtschaftssektoren sind Thema der nachfolgenden Doppelseite (S. 150/151).

Zusatzinformationen

Alle Fotos sind auf anderen Seiten dieses Bandes zu finden. Damit wird ein Wiedererkennungseffekt erzielt, der den Schülern das Einordnen der verschiedenen Bereiche in die Wirtschaftssektoren erleichtert.

Primärer Sektor
links: Rübenvollernter → Landwirtschaft (S. 128, M2)

Mitte: Buchenwald → Forstwirtschaft (S. 122, M1)
rechts: Netz voller Fische auf einem Fischereiboot → Fischerei (S. 117, unten)

Sekundärer Sektor
links: Golf-Produktionsstraße in Wolfsburg (S. 162, M2)
Mitte: in einer Spielzeugfabrik in China (S. 158, M1)
rechts: Befüllen von Kali-Düngersäcken (S. 155, M5)

Tertiärer Sektor
links: Frisörin (S. 150, M1, C)
Mitte: Containerterminal im Hafen Hamburg (S. 165, M4)
rechts: Beratungsgespräch (S. 163, M3)

Einsatz im Unterricht

Die Kapitelauftaktseite sollte erst im Zusammenhang mit der folgenden Doppelseite zum Thema „Wirtschaftssektoren" zum Einsatz kommen.

S. 150/151 Wirtschaftssektoren

Kompetenzen

Die Schülerinnen und Schüler können
– Wirtschaftssektoren unterscheiden. (Fachwissen)

Grundbegriffe

– Industrie
– Dienstleistung
– primärer Wirtschaftssektor
– sekundärer Wirtschaftssektor
– tertiärer Wirtschaftssektor

Zusatzinformationen zu den Materialien

M1 A Melkkarussell → primärer Wirtschaftssektor
B Fabrik zur Herstellung von Fertigpizza → sekundärer Wirtschaftssektor
C Friseurin → tertiärer Wirtschaftssektor
M3 Quelle: https://www.destatis.de/DE/ZahlenFakten/Indikatoren/LangeReihen/Arbeitsmarkt/lrerw013.html
genaue Daten: primärer Sektor 1,5 %, sekundärer Sektor 24,7 %, tertiärer Sektor 73,8 %

Vorschlag für ein Tafelbild

Wirtschaftssektoren

	primärer Sektor	sekundärer Sektor	tertiärer Sektor
Erläuterung	primus = der Erste	secundus = der Zweite	tertius = der Dritte
Wirtschaftsbereiche	Landwirtschaft, Forstwirtschaft, Fischerei	Industrie	Dienstleistungen
Berufsbeispiele	(nach Nennung der Schüler)	(nach Nennung der Schüler)	(nach Nennung der Schüler)

Vorschlag zur Binnendifferenzierung

Der schwächere Teil der Klasse macht nur Aufgabe 1 und verzichtet auf Aufgabe 2, der stärkere Teil bearbeitet nur Aufgabe 2 und nicht Aufgabe 1.

Lösungen der Arbeitsaufträge

1. mögliche Bildunterschriften:

A Das Melken der Kühe auf einem Bauernhof (primärer Sektor)

B Industrielle Verarbeitung von Nahrungsmitteln (sekundärer Sektor)

C Ein Haarschnitt durch eine Frisörin (tertiärer Sektor)

2. a) Waldarbeiter – primärer Sektor, Tischler – sekundärer Sektor; Möbelverkäufer – tertiärer Sektor

b) Alle diese Berufe sind über das Produkt Holz miteinander verbunden: Während der Waldarbeiter den Wald hegt und das Holz einschlägt, verarbeitet der Tischler es möglicherweise zu einem Möbelstück, das dann vom Möbelverkäufer verkauft wird.

3. Farben entsprechend M2 auf S. 151 im Lehrbuch.

Ingenieure und Designer entwerfen ein neues Auto.

Kupfer und Eisenerz werden gefördert.
Kokosfasern werden für Autopolster produziert.
Naturkautschuk wird für Gummiteile gewonnen.

Der Transport erfolgt durch ein Logistikunternehmen.

In Verhüttungsbetrieben werden Eisen, Kupfer und Aluminium hergestellt.

Der Transport erfolgt durch ein Logistikunternehmen.

Die Zulieferindustrie produziert z. B. Autositze und Gummidichtungen.
Im Motorenwerk werden Motorblöcke produziert.
Die Elektroindustrie produziert Kabel für die elektrische Anlage des Autos.

Der Transport erfolgt durch ein Logistikunternehmen.

In der Endmontage wird der fertige Pkw zusammengebaut.

Der Transport erfolgt durch ein Logistikunternehmen.

Ein Werbespot wird entwickelt.   Eine Bank gibt dem Kunden einen Kredit für den Autokauf.

Das Auto wird im Autohaus verkauft.

4. Der Anteil der Beschäftigten im primären Sektor ist sehr gering, da die Landwirtschaft sehr produktiv geworden ist und nur noch wenige Arbeitskräfte in diesem Bereich benötigt werden. Der sekundäre Sektor hat eine größere Bedeutung für die Beschäftigten, da Handwerk und Industrie eine Vielzahl von Arbeitsplätzen bieten. Den größten Anteil nimmt aber der tertiäre Sektor ein, da in Deutschland die Dienstleistungen vorherrschen – wir sind eine Dienstleistungsgesellschaft.

5. individuelle Lösung

Unterrichtsvorschlag

Unterrichtsphase	Inhaltlicher Schwerpunkt	Unterrichtsverlauf	Medien/Materialien
Einstieg/Erarbeitung 1	Berufe in unterschiedlichen Wirtschaftssektoren	– Jeder Schüler nennt einen Beruf, der Lehrer schreibt die Berufe in drei Spalten (geordnet nach den Wirtschaftssektoren, aber ohne sie zu nennen) an die Tafel. – Schüler versuchen, das Ordnungskriterium zu ermitteln – Lehrer führt Fachbegriffe ein und erklärt sie (aus dem Lateinischen: primus = der Erste, secundus = der Zweite, tertius = der Dritte) – Schüler schreiben Tafelbild ab (maximal fünf Beispiele pro Wirtschaftssektor)	
Ergebnissicherung		Schüler stellen die verschiedenen Wirtschaftssektoren anhand der Mindmap auf S. 148/149 dar	S. 148/149
Übung		– Aufgabe 1 – Aufgabe 2 – Aufgabe 3 (evtl. in PA)	M1, M2
Erarbeitung 2	Anteil der Beschäftigten an den Wirtschaftssektoren	– Aufgabe 4 – mögliche Vertiefung: Entwicklung der Anteile (Daten dazu unter https://www.destatis.de/DE/ZahlenFakten/Indikatoren/LangeReihen/Arbeitsmarkt/lrerw013.html)	M3, evtl. zusätzliche Daten
Hausaufgabe		Aufgabe 5	

S. 152/153 Braunkohle – Energie aus der Erde

Kompetenzen

Die Schülerinnen und Schüler können
– Produktionsabläufe im primären und sekundären Wirtschaftssektor darstellen und verstehen. (Fachwissen)
– Vor- und Nachteile des Bergbaus für Mensch und Umwelt erläutern. (Beurteilen und Bewerten)

Grundbegriffe

– Energieträger
– erneuerbare Energieträger
– nicht erneuerbare Energieträger
– Revier
– Tagebau
– Flöz
– Rekultivierung

Zusatzinformationen zu den Materialien

M1 Es gibt vier große Braunkohlenlagerstätten in Deutschland:
– Das Rheinische Revier im Westen Deutschlands, das sich zwischen Rhein und niederländischer Grenze erstreckt („Niederrhein"). Begrenzende Städte sind Düsseldorf, Köln und Aachen. Dieses Revier wird manchmal auch als Ville bezeichnet.

– Das Mitteldeutsche Revier im Zentrum Deutschlands, das sich südlich der Städte Halle und Leipzig bis in den Norden von Thüringen erstreckt.
– Das Helmstedter Revier, welches mit Magdeburg und Helmstedt im Zentrum nördlich an das Mitteldeutsche Revier anschließt.
– Das Lausitzer Revier, das sich im Osten Deutschlands bis zur polnischen Grenze erstreckt und nach Süden bis an die Stadt Dresden reicht.

M2 Der Absetzer füllt die ausgekohlte Grube wieder mit dem zuvor ausgebaggerten Abraum (Sand, Kies, Ton). Im Gegensatz zum Schaufelradbagger besitzt er kein Schaufelrad, stattdessen einen 10 m langen Abwurfausleger. Dieser kann in der Höhe verstellt sowie hin- und hergeschwenkt werden, sodass der Abraum genau dort abgesetzt werden kann, wo er benötigt wird.

M3 Das Schrägluftbild zeigt den Ortsteil Bedburg-Kaster. Früher reichte der Tagebau Frimmersdorf-Südfeld bis an die Siedlung heran. Nach dem Braunkohlenabbau wurde die Abbaugrube zum Teil wieder aufgeschüttet und renaturiert. Einen Teil hat man mit Wasser volllaufen lassen, sodass der Kasterer See entstand. Um den See wurden Wander- und Radwege angelegt sowie Bäume angepflanzt. Damit ist ein Naherholungsgebiet entstanden.

7 Industrie und Dienstleitungen

M4 Der Schaufelradbagger hat seinen Namen vom riesigen Rad an seinem langen Ausleger. An diesem Rad befinden sich 18 Schaufeln, jede ist so groß, dass sie für einen Personenwagen eine Garage sein könnte. Das ganze Schaufelrad hat einen Durchmesser von mehr als 21 m. Der Schaufelradbagger wird von fünf Personen bedient. Mit den Schaufeln wird Kohle oder Abraum aufgenommen. In jede Schaufel passt so viel Kohle bzw. Abraum, wie ein großer Lkw laden kann. In einer Stunde dreht sich das Schaufelrad ungefähr 200-mal. Die größten Schaufelradbagger sind 220 m lang und 90 m hoch und wiegen 13 000 t. Der Schaufelradbagger bewegt sich auf 18 Raupen fort. Jede Raupe ist 4 m breit, 15 m lang und 3 m hoch. In einer Stunde kann sich der Bagger maximal 600 m fortbewegen.

Tipps zum Atlaskarteneinsatz

Diercke Weltatlas, 30/31: Deutschland – Wirtschaft; 36.2: Rheinisch-Westfälisches Industriegebiet 2015; 66.1: Deutschland und Nachbarländer – Stromerzeugung; 67.2: Nordrevier – Grundwasserabsenkung; 67.4: Profil durch einen Tagebau; 67.5: Rheinischer Braunkohletagebau
Diercke Weltatlas 2, 30.2: Rheinisch-Westfälisches Industriegebiet; 38: Deutschland – Elektrizitätserzeugung; 39.1: Landschaftswandel
Diercke Drei, 72.1: Mitteleuropa – Energiewirtschaft; 73.4: Rheinisches Braunkohlenrevier – Landschaftswandel

Vorschlag für ein Tafelbild

Energieträger

nicht erneuerbar
Erdöl
Erdgas
Steinkohle
Braunkohle
Uran

erneuerbar
Windkraft
Wasserkraft
Sonnenstrahlung
Erdwärme
Biomasse
...

Vorschlag zur Binnendifferenzierung

Bei Interesse kann ein Schüler/ein Schülerpaar ein kurzes Referat über die Entstehung von Braunkohle halten. Leistungsschwächere Schüler können Aufgabe 4 auch anhand des Arbeitsblattes „Wie aus Kohle Strom gewonnen wird" über kleinschrittige Fragen bearbeiten.

Lösungen der Arbeitsaufträge

1. Rheinisches Braunkohlerevier – Nordrhein-Westfalen; Helmstedter Revier – Niedersachsen/ Sachsen-Anhalt; Lausitzer Revier – Brandenburg/Sachsen; Mitteldeutsches Revier – Sachsen-Anhalt/Sachsen

2. Dass der Tagebau wandert, erkennt man in M4: Die Abbaurichtung von Schaufelradbagger und Absetzer folgt dem Verlauf des Flözes, sodass der Abbau weiterwandert, während in Gebieten mit zuvor abgebauter Braunkohle schon renaturiert werden kann. Für die Wanderung des Abbaus können Umsiedlungen notwendig werden, da die Abbaurichtung nur der Kohle folgt.
3. Bevor ein Schaufelradbagger die Braunkohle fördern kann, muss der Grundwasserspiegel gesenkt und das Deckgebirge abgetragen werden. Dazu kann es erforderlich sein, dass Wälder gerodet und Dörfer umgesiedelt werden. Teils müssen auch Straßen und Flüsse umgeleitet werden.
4. Im Kesselhaus wird die Braunkohle verbrannt, um Wasser in einem Leitungssystem zu erhitzen. Das Wasser wird zu Wasserdampf, dieser wird zu einer Turbine im Maschinenhaus geleitet. Die Strömungskraft des Wasserdampfes setzt die Turbine in Bewegung, welche wiederum einen Generator antreibt, der ähnlich wie bei einem Fahrraddynamo Strom erzeugt. Über die Stromleitung wird der Strom ins Netz eingespeist. Der Wasserdampf wird im Kühlturm gekühlt und als Wasser zurück ins Kesselhaus geleitet. Die bei der Verbrennung der Braunkohle im Kesselhaus entstandenen Rauchgase werden in Filteranlagen geleitet. Die so gereinigte Abluft wird über einen Schonstein an die Umgebung abgegeben.
5. Zu Beginn des Abbaus wird die bestehende Landschaft „entfernt", anschließend beginnt der Braunkohlenabbau. Die Tagebaue gleichen einer Mondlandschaft, in der es keine Vegetation gibt. Nach dem Abbau wird die Landschaft rekultiviert und es entstehen wieder landwirtschaftliche Flächen, Wälder, Grün- und Siedlungsflächen oder der Tagebau wird mit Grundwasser gefüllt zu einem See.
6. individuelle Lösung

Literatur

Jahn, M./Haspel, M./Ditter, R./Siegmund, A.: Tagebau im Satellitenbild. Landschaftswandel im Rheinischen Braunkohlenrevier unter dem Aspekt der Nachhaltigkeit. In: Praxis Geographie, H. 7–8/2010, S. 42–46.

Internet-Adressen

http://www.braunkohle.de
http://www.rwe.com/web/cms/de/183460/rwe/innovation/projekte-technologien/rohstoffe/braunkohle/

Filme

FWU:
4601059 Braunkohle – ein heimischer Energieträger: Der Tagebau und seine Folgen im rheinischen Revier
4602311 Braunkohle – Entstehung, Gewinnung, Verwendung

Unterrichtsvorschlag

Unterrichtsphase	Inhaltlicher Schwerpunkt	Unterrichtsverlauf	Medien/Materialien
Einstieg	Überblick über erneuerbare und nicht erneuerbare Energieträger	UG: Stromverbrauch der Schüler → Wo kommt der Strom her? – Schüler nennen ihnen bereits bekannte Energieträger – Lehrer ordnet Energieträger nach erneuerbaren und nicht erneuerbaren und erläutert Unterschiede – Tafelbild	
Erarbeitung	Braunkohle – ein nicht erneuerbarer Energieträger	– Aufgabe 1 – Beschreibung M2 → Dimensionen, Begriffe: Tagebau, Flöz – gemeinsame Besprechung von M4, dazu Aufgabe 2 – gemeinsames Lesen des Lehrbuchtextes – Aufgabe 3 – Aufgabe 5 – Diskussion: Aufgabe 6 – Aufgabe 4, alternativ: Arbeitsblatt „Wie aus Kohle Strom gewonnen wird"	M1–M5, Atlas, Arbeitsblatt „Wie aus Kohle Strom gewonnen wird" (CD-ROM)
Vertiefung	Landschaftswandel/Rekultivierung	Arbeitsblatt „Landschaftswandel durch Braunkohlenabbau" alternativ: Arbeitsblatt „Rekultivierung des Braunkohlentagebaus Inden II im Rheinischen Revier"	Arbeitsblatt „Landschaftswandel durch Braunkohlenabbau" (Arbeitsheft), Arbeitsblatt „Rekultivierung des Braunkohlentagebaus Inden II im Rheinischen Revier" (CD-ROM)

S. 154/155   Kali – Dünger aus der Erde

Kompetenzen

Die Schülerinnen und Schüler können
– Produktionsabläufe im primären und sekundären Wirtschaftssektor darstellen und verstehen. (Fachwissen)
– Vor- und Nachteile des Bergbaus für Mensch und Umwelt erörtern. (Beurteilen und Bewerten)

Grundbegriffe

– Binnenmeer

Zusatzinformationen zu den Materialien

M1 Im Kaliwerk Sigmundshall wird seit Anfang des 20. Jahrhunderts Kali gewonnen. Grundlage dafür ist der Salzstock Bokeloh, der sich entlang der Steinhuder-Meer-Linie etwa 12 km in NW-SO-Richtung erstreckt und zwischen 500 und 1000 m breit ist. Heute arbeiten ca. 400 Menschen in dem letzten Kaliwerk Niedersachsens. Weithin sichtbar ist die 120 m hohe Abraumhalde (auch „Kalimandscharo" genannt), die aus nicht verwertbaren Überresten der Kalisalzproduktion, v. a. Steinsalz, besteht.

Vorschlag für ein Tafelbild

Kali

Entstehung: vor etwa 255 Mio. Jahren; starke Verdunstung in Binnenmeeren → Salz blieb zurück → Bildung von Salzgesteinen (u. a. Kalisalze) → mehrmals Wiederholung dieses Vorgangs → mächtige Salzschichten
Lagerstätten: in Deutschland sechs Kalibergwerke
Abbau: unter Tage, bis zu 1400 m Tiefe, Abtrennen der Kalisalze durch Sprengen oder Schneiden, Schaufellader transportieren Material zu Förderbändern, über Schächte an die Erdoberfläche
Verarbeitung: in Fabriken, v. a. zu Düngemitteln
Probleme: Abraumhalden aus Steinsalz

Vorschlag zur Binnendifferenzierung

Bei Aufgabe 4 kann die Klasse in zwei Gruppen aufgeteilt werden, wobei eine Gruppe Aufgabe a), die andere Aufgabe b) bearbeitet.

Lösungen der Arbeitsaufträge

1. Die Sonne erwärmte das Wasser großer Binnenmeere, die von den Ozeanen durch Meerengen und Schwellen

("Barren") abgetrennt waren. Dadurch verdunstete das Wasser dieser Meere und das Salz blieb zurück. Dieser Vorgang wiederholte sich im Laufe von Millionen Jahren immer wieder. Als Folge entstanden verschiedene Salzschichten mit einer Mächtigkeit von mehreren Hundert Metern, die auch mehrere Meter mächtige Kalischichten enthielten. Wichtig war, dass sich über den Kalischichten wasserundurchlässige Schichten bildeten. So war es nicht möglich, dass sich die Kalischichten wieder auflösen konnten (z. B. durch Regenwasser).

2. a) 1. Sprengung

2. Unterirdischer Transport

3. Aufbereitung über Tage

4. Transport zu den Verbrauchern

5. Einsatz als Düngemittel

b) 1. Zunächst bohren große Maschinen Löcher in das abzubauende Gestein. In diese Löcher wird Sprengstoff gefüllt, dann wird gesprengt.

2. Große Radlader transportieren das abgesprengte Gestein zu Förderbändern. Über diese Förderbänder gelangt das Material zu Förderanlagen, die das Gestein an die Oberfläche bringen.

3. In großen technischen Anlagen muss der Kaliumdünger zunächst von anderen Salzen und Verunreinigungen getrennt werden. Dann kann der Dünger in Säcke abgepackt werden.

4. Der Transport kann sehr unterschiedlich sein. Sind es Verbraucher in der näheren Umgebung, erfolgt der Transport häufig mit Lkws. Werden die Düngemittel aber in andere Staaten transportiert, erfolgt der Transport zusätzlich mit Schiffen (Binnen- und Seeschiffe).

5. Die wichtigsten Abnehmer sind sicher die Landwirte, die viel Dünger auf ihre Felder aufbringen. Aber auch Kleingärtner in ihren privaten Gärten nutzen Düngemittel, um die Erträge zu erhöhen.

3. Individuelle Lösung. Mögliche Aspekte:

Pro-Argumente

Kalium ist ein wichtiges Düngemittel und sichert somit Erträge in der Landwirtschaft. Dies ist wichtig für die Ernährung weltweit. Die Kaliindustrie sichert zudem viele Arbeitsplätze in Deutschland.

Kontra-Argumente

Es gibt Belastungen der Umwelt durch die großen Abraumhalden. Besonders problematisch ist, dass sich die Salze der Abraumhalden durch das Regenwasser auflösen und dann in das Grundwasser gelangen können. Das schadet Pflanzen, Tieren und letztlich Menschen.

Mögliche Stellungnahme

Die Kaliindustrie ist sehr wichtig für Deutschland und die Welt. Aber in den Abbauregionen kann es zu großen Umweltproblemen kommen. Diese Probleme müssen von den Herstellern vermindert werden.

4. a) Braunkohle und Kalisalze sind vor Millionen von Jahren entstanden. Die Braunkohle hat sich im Tertiär gebildet und ist somit deutlich jünger als die Kaliablagerungen aus dem Perm. Über einen Zeitraum von mehreren Millionen Jahren haben sich dann Ablagerungen von Braunkohle bzw. Kalisalzen gebildet, die mehrere Meter mächtig sind.

b) Die Braunkohle wird im Tageabbau gewonnen. Große Bagger müssen dazu erst die darüberliegenden Deckschichten entfernen, um die Braunkohle abbauen zu können. Dies geschieht mit extrem großen Schaufelradbaggern. Dabei entstehen riesige Löcher, die anschließend rekultiviert werden. Dadurch wird die Landschaft neu gestaltet. Die Kalisalze werden im Unterschied dazu unter Tage abgebaut. Durch Sprengladungen wird das Salz gelöst und anschließend abtransportiert. Von den riesigen Abbaubereichen ist nichts zu sehen. Lediglich die großen Abraumhalden an der Oberfläche weisen auf den Abbau hin. Der Flächenverbrauch ist bei der Gewinnung der Kalisalze somit geringer. Beiden gemeinsam ist, dass es große Maschinen und kilometerlange Förderbänder gibt, die für den Abbau und Transport der Rohstoffe notwendig sind. Außerdem gibt es bei beiden Varianten des Abbaus Umweltschäden.

Internet-Adressen

http://www.kali-gmbh.com

Filme

in den digitalen Lehrermaterialien „BiBox":

Kalisalz (2:15 min; Entstehung, Abbau und Verwendung von Kalisalz)

Unterrichtsvorschlag

Unterrichtsphase	Inhaltlicher Schwerpunkt	Unterrichtsverlauf	Medien/Materialien
Einstieg	Kali – sichtbar gemacht	Alternative 1: Der Lehrer bringt Kalidünger mit in den Unterricht. → Leitfrage: Wo kommt der Kalidünger her? Alternative 2: Der Lehrer projiziert das Foto M1. → Leitfrage: Wo kommt der Berg her?	Kalidünger oder M1 (als Projektion)
Erarbeitung	Kali – Entstehung, Abbau und Verwendung	– Die Schüler lesen selbstständig den Lehrbuchtext und bearbeiten in PA Aufgabe 1 und 2. – Experiment (evtl. schon einige Tage vor der Unterrichtsstunde ansetzen): Salzhaltiges Wasser wird in eine Schale gegeben und bleibt mehrere Tage im Klassenraum stehen. → Durch Verdunstung des Wassers bleibt Salz übrig. – Diskussion zum Kali-Abbau (Aufgabe 3)	M1–M6
Ergebnissicherung	Film	Film „Kalisalz"	Film „Kalisalz"
Transfer	Vergleich Kali – Braunkohle	Aufgabe 4 (auch als Hausaufgabe)	

S. 156/157   Die Kunststoffindustrie – Produktionsabläufe im sekundären Sektor

Kompetenzen

Die Schülerinnen und Schüler können
– Produktionsabläufe im sekundären Wirtschaftssektor darstellen und verstehen. (Fachwissen)

Zusatzinformationen zu den Materialien

M2, M3, M9, M11 Quelle: Informationen der Firma Pöppelmann

Tipps zum Atlaskarteneinsatz

Diercke Weltatlas, 20/21: Deutschland nördlicher Teil – Physische Karte (zur Lokalisierung von Lohne), 282/283.1: Politische Übersicht (für Aufgabe 1)
Diercke Weltatlas 2, 4/5 (Regionalteil Niedersachsen): Niedersachsen physisch (nördlicher Teil) (zur Lokalisierung von Lohne); 194/195.1: Staaten (für Aufgabe 1)
Diercke Drei, 26/27.1: Politische Übersicht (für Aufgabe 1); 48/49: Deutschland (nördlicher Teil) – physisch (zur Lokalisierung von Lohne)

Vorschlag zur Binnendifferenzierung

Einzelne Gruppen können die Lösung zu Aufgabe 2 auf Folie skizzieren, damit sie im Klassenverband besprochen werden kann.
Aufgabe 5 kann als Zusatzaufgabe für schnelle Gruppen verwendet werden.

Lösungen der Arbeitsaufträge

1. Individuelle Lösung. Beispiel: Nordamerika: Kanada, USA; Südamerika: Brasilien, Chile; Europa: Frankreich, Spanien; Asien: China, Japan; Australien: Australien, Neuseeland; Afrika: Marokko, Südafrika

2. Entwurf eines Blumentopfes → Mischung der Kunststoffbestandteile → Aufschmelzen des Granulats → Spritzguss → Bedrucken der Töpfe

3. Da die Recyclingmaterialien günstiger sind als neues Kunststoffmaterial und sie einfach gewonnen werden können z. B. durch Verwendung von Produktionsresten, die im eigenen Betrieb anfallen, haben sie einen hohen Anteil an der Produktion. Für die Abfälle aus der eigenen Produktion entstehen zudem keine Transportkosten.

4. Produktpalette: Kunststoff-Schutzelemente, Kunststoff-Spritzgussteile, Produkte für den Erwerbsgartenbau, Funktionsteile und Verpackungen
Eigene Verwendung: individuelle Lösung

5. Das Gewicht ist zwischen 1970 und 2013 um 10 g pro Topf gesunken. In einer Fünftagewoche wurden dadurch 75 000 kg Material, also 75 t, eingespart. (10 x 1 500 000 x 5 : 1 000 = 75 000)

Internet-Adressen

http://www.poeppelmann.com/de (für Aufgabe 4)

Unterrichtsvorschlag

Unterrichtsphase	Inhaltlicher Schwerpunkt	Unterrichtsverlauf	Medien/Materialien
Vorbereitende Hausaufgabe	Produkte der Firma Pöppelmann	Aufgabe 4 als vorbereitende Hausaufgabe	Internet
Einstieg	Produkte der Firma Pöppelmann	Vorstellung der Produkte der Firma Pöppelmann durch die Schüler, Lehrer bringt zudem Plastikblumentopf mit	Plastikblumentopf
Erarbeitung	Produktionsabläufe in der Kunststoffindustrie – Fallbeispiel Pöppelmann	– gemeinsames Lesen des Lehrbuchtextes – Aufgaben 1–3 und 5 in PA	M2–M11

S. 158/159   Die Spielzeugindustrie

Kompetenzen
Die Schülerinnen und Schüler können
– Produktionsabläufe im sekundären Wirtschaftssektor darstellen und verstehen. (Fachwissen)

Zusatzinformationen zu den Materialien
M4 Quelle: Lego Annual Reports 2002–2013 (http://aboutus.lego.com/de-de/lego-group/annual-report)

Lösungen der Arbeitsaufträge
1. individuelle Lösung
2. Das Bild M1 zeigt, dass Spielzeug in großen Fabriken massenhaft hergestellt wird. Ähnlich wie andere große Industrien (z. B. Bekleidung) werden Produkte vielfach in China hergestellt, weil die Lohnkosten dort geringer sind. Außerdem ist von einem großen Industriezweig zu reden, da es viele Unternehmen gibt, die in der ganzen Welt vertreten sind wie Mattel, Hasbro, LEGO, Simba-Dickie-Group, Playmobil oder Ravensburger. Diese Unternehmen haben oft mehrere Tausend Mitarbeiter und weltweite Produktions- und Vertriebsstätten. Das bedeutet natürlich auch, dass sehr viele Produkte verkauft werden müssen und somit hohe Umsätze erzielt werden. Dies ist ein weiteres Kennzeichen großer Industriezweige.
3. a) Es soll kein giftiges Material im Spielzeug sein.
Bei der Herstellung soll der Umweltschutz bedacht werden.
In den Fabriken sollen faire und gute Arbeitsbedingungen herrschen (angemessener Lohn, Urlaub, Schutz bei Krankheit etc.).
Das Spielzeug soll die Kinder unterstützen. Durch vielfältige Spielmöglichkeiten sollen Kinder lernen zu sprechen oder mit Regeln umzugehen.
b) individuelle Lösung

4. a)

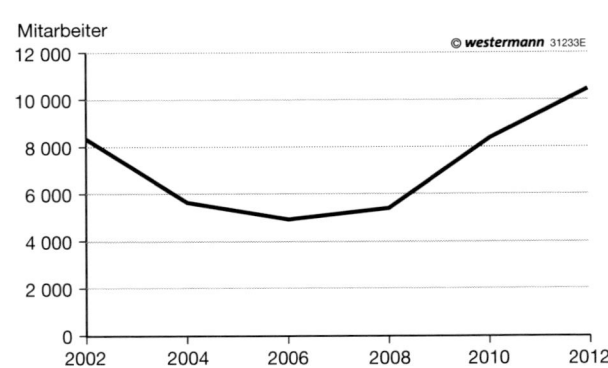

b) LEGO wurde erfolgreich durch seine LEGO Bausteine. Das hat den Kindern immer sehr gut gefallen und sicherte Erfolg. Dann hat LEGO aber viele Produkte entwickelt, die sehr viel Geld gekostet haben. Dem Unternehmen ging es schlecht, sodass Mitarbeiter entlassen werden mussten. Deshalb hat LEGO Produkte aus dem Programm genommen, die hohe Verluste gemacht haben. Außerdem hat man ein großes Zentrallager in der Nähe von Prag errichtet. Dies ist für LEGO wesentlich besser und günstiger, als 16 Lager in ganz Europa zu betreiben. LEGO entwickelt Produkte, die sehr gut bei Kindern, Jugendlichen und auch älteren Personen ankommen. Um dies zu erreichen, unterhält LEGO seit Jahren weltweit vier Entwicklungslabore. Ein wichtiger Schritt ist sicher die Entwicklung und Einführung der Serie Friends für Mädchen im Jahr 2012. LEGO verkaufte wieder deutlich mehr Produkte und erhöhte den Gewinn. Deshalb konnten wieder mehr Menschen beschäftigt werden.

Internet-Adressen
http://www.fair-spielt.de
http://spielgut.de

Unterrichtsvorschlag

Unterrichtsphase	Inhaltlicher Schwerpunkt	Unterrichtsverlauf	Medien/Materialien
Einstieg	Mein Lieblingsspielzeug	Aufgabe 1	
Erarbeitung 1	Die Spielzeugindustrie – ein bedeutender Industriezweig	Schüler lesen den Lehrbuchtext selbstständig und bearbeiten dazu Aufgabe 2 und 3a)	M1, M2
Erarbeitung 2	Fallbeispiel Lego	– Schüler berichten von ihrem Lego-Spielzeug, evtl. bringt Lehrer Lego-Spielzeug mit – Aufgabe 4 (unter Rückgriff auf die Methodenseite zu Diagrammen [S. 130/131])	M3–M7
Hausaufgabe		Aufgabe 3b)	

S. 160/161   Methode: Eine Mindmap erstellen

Kompetenzen

Die Schülerinnen und Schüler können
– eine Mindmap erstellen und lesen. (Methode)

Vorschlag zur Binnendifferenzierung

Bei Aufgabe 3 können sich unsichere Schüler Anregungen auf der Kapiteleinstiegsseite (S. 148/149) holen oder sich mit ihrem Tischnachbarn besprechen.

Lösungen der Arbeitsaufträge

1. Individuelle Lösung. Beispiel:

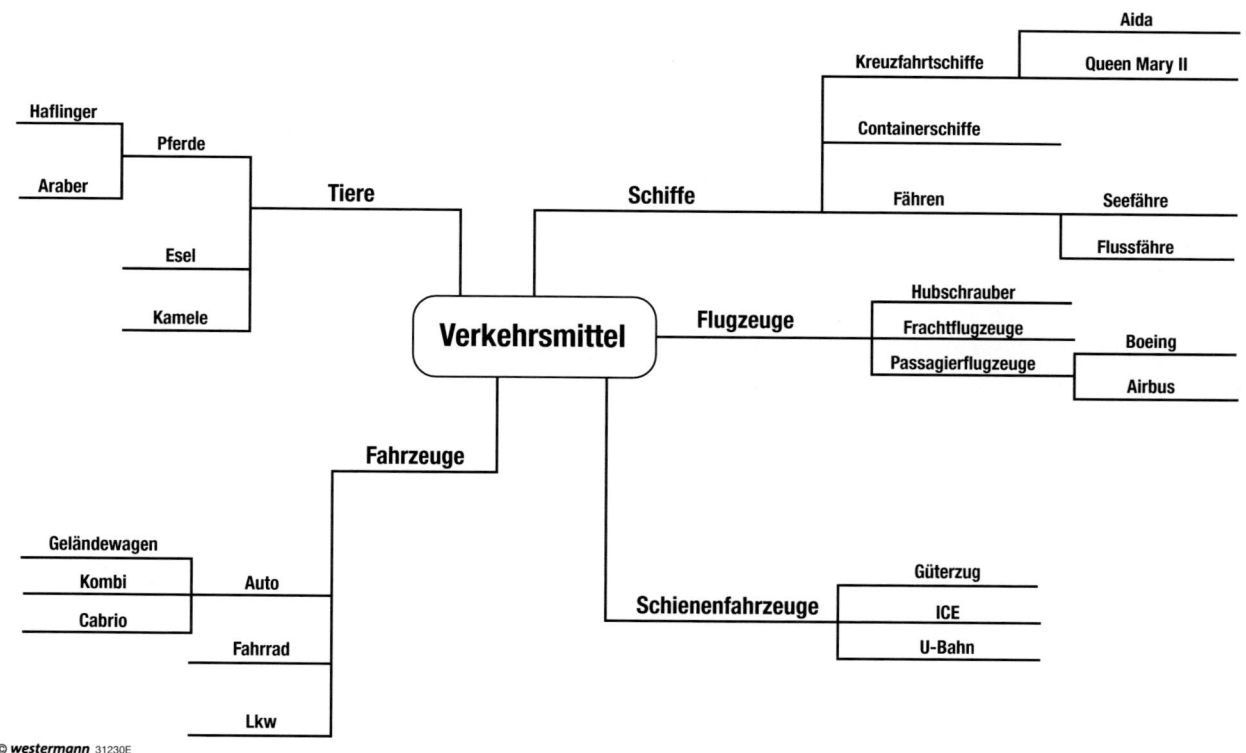

© **westermann** 31230E

2. Eine Mindmap hilft, die einzelnen Gedanken und Inhalte zu einem Thema zu ordnen. Durch die bildhafte Darstellung ist es einfacher, einen Überblick zu bekommen. Eine Auflistung der Wörter zu den Themen ist beispielsweise nicht so gut geeignet. Ein weiterer Vorteil ist, dass sich die Mindmap einfach erweitern lässt, wenn einem noch etwas einfällt. Die Mindmap enthält auf einem einzigen Blatt Papier außerdem alle wichtigen Informationen – sie ist somit eine Art Spickzettel.

3. Individuelle Lösung. Beispiel:

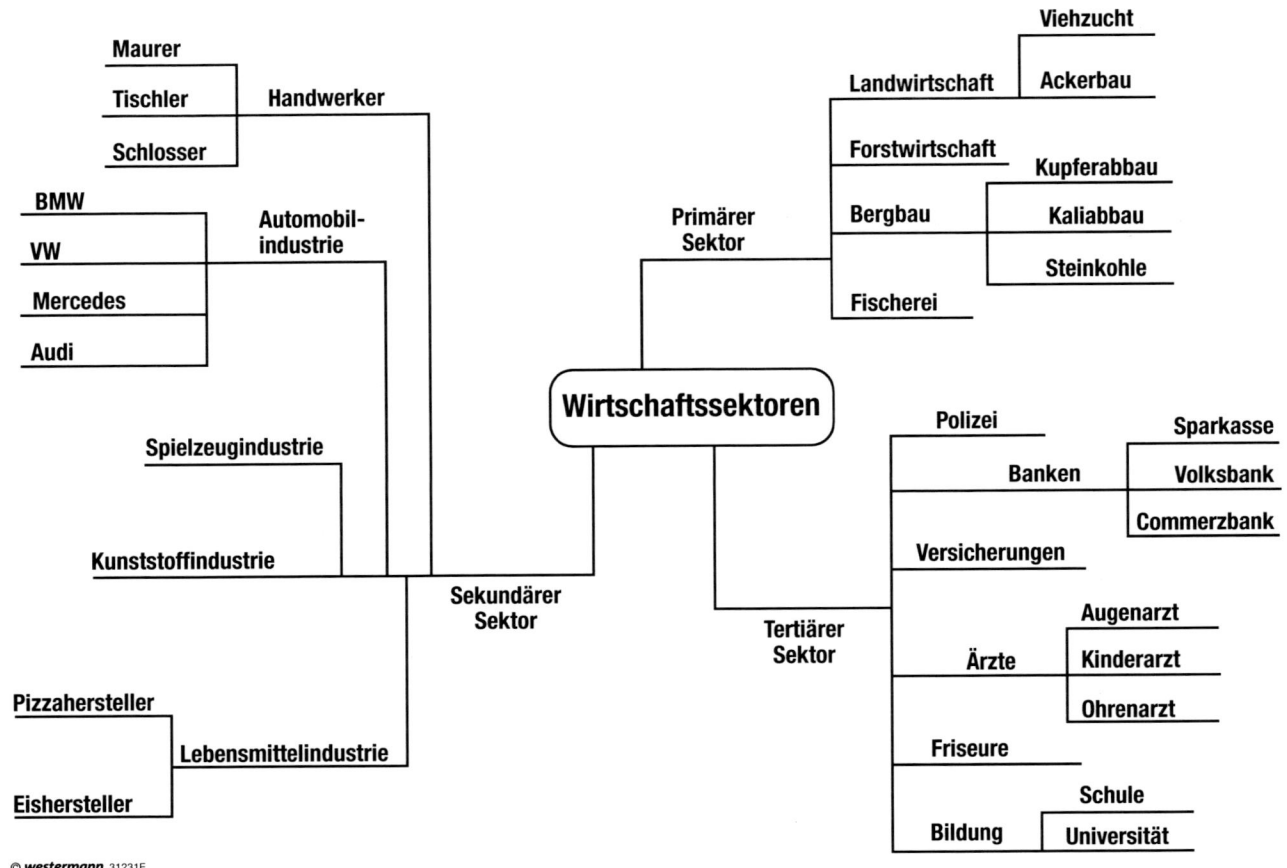

© **westermann** 31231E

Internet-Adressen

zum Herunterladen von Mindmanager Smart:
http://mindmanager-smart.updatestar.com/de

Unterrichtsvorschlag

Unterrichtsphase	Inhaltlicher Schwerpunkt	Unterrichtsverlauf	Medien/Materialien
Einstieg	Vorstellung einer Mindmap	– Lehrer stellt den Schülern eine Mindmap (z. B. M2) an der Tafel/auf Folie vor – Besprechung des Aufbaus einer Mindmap unter Einbeziehung von M1	M1, M2
Erarbeitung	Kennzeichen	– gemeinsames Lesen des Lehrbuchtextes – Aufgabe 1 – Aufgabe 2 – Aufgabe 3 (auch als Hausaufgabe)	M1, M2
Vertiefung	Erstellung einer Mindmap am Computer	Die Schüler erstellen eine Mindmap (zu Aufgabe 1 oder 3) am Computer, sodass neben der Methode auch der Umgang mit dem Medium trainiert wird. Dazu gibt es verschiedene Programme (z. B. das kostenlose und leicht zu bedienende Programm MindManager Smart).	Computer mit Mindmap-Programm

S. 162/163 Wirtschaftsraum Hannover-Braunschweig

Kompetenzen

Die Schülerinnen und Schüler können
– grundlegende Strukturen von Wirtschaftsräumen beschreiben und charakterisieren. (Fachwissen)

Grundbegriffe

– Güterkreislauf
– Geldkreislauf

Zusatzinformationen zu den Materialien

M1 Das Steinkohlenkraftwerk Mehrum liegt am Mittellandkanal in Mehrum bei Hohenhameln. Es hat eine Nettoleistung von 690 Megawatt. Der heute noch in Betrieb befindliche Block 3 wurde 1979 fertiggestellt. Der Schornstein des Kraftwerks ist 250 Meter hoch. Die Kohleanlieferung erfolgt über einen Binnenhafen am Mittellandkanal, der nahe dem Kraftwerk liegt. Im Kraftwerk sind 130 Personen beschäftigt.

M2 Das Volkswagenwerk Wolfsburg ist seit 1939 das Stammwerk der Volkswagen AG. Seit 1974 wird hier der VW Golf produziert, mittlerweile hoch automatisiert. 2007 ging der 25-Millionste Golf vom Band. In Wolfsburg sind über 53 000 Menschen bei VW beschäftigt.

M4 Quelle: LSN-Online – die kostenfreie Regionaldatenbank für Niedersachsen (http://www1.nls.niedersachsen.de/statistik/)

Tipps zum Atlaskarteneinsatz

Diercke Weltatlas, 37.5: Ost-Niedersachsen – Zulieferer der Automobilindustrie
Diercke Weltatlas 2, 10 (Regionalteil Niedersachsen): Wirtschaft; 28.2: Östliches Niedersachsen – Zulieferer der Automobilindustrie

Vorschlag für ein Tafelbild

Tafelbild 1: Kennzeichen eines Wirtschaftsraumes
– keine klaren Grenzen
– großes Angebot an verschiedensten Arbeitsplätzen
– wirtschaftliche Schwerpunkte
– starke Verflechtungen innerhalb des Wirtschaftsraums
– hebt sich durch besondere Struktur von dem ihn umgebenden Raum ab

Tafelbild 2: Wirtschaftsraum Hannover-Braunschweig

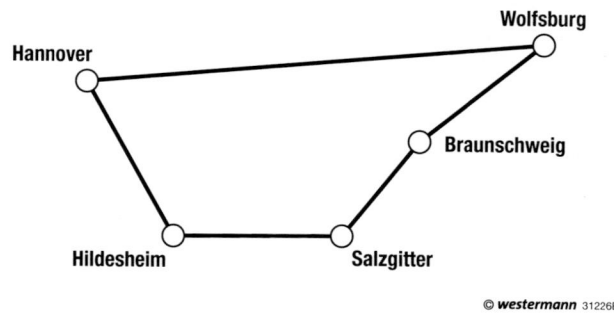

© **westermann** 31226E

Vorschlag zur Binnendifferenzierung

Bei Aufgabe 4 können die Schüler in Gruppen aufgeteilt werden, sodass nicht jeder Schüler alle sechs Unternehmen recherchieren muss. Die Unternehmen können auch in Form von Kurzreferaten, die im Vorfeld angefertigt wurden, in der Unterrichtsstunde vorgestellt werden.

Lösungen der Arbeitsaufträge

1. M1: Das Bild zeigt ein Kraftwerk in Mehrum. Es liegt zwischen Peine und Hannover am Mittellandkanal. Es gehört zum Industriezweig der Energiegewinnung. Weitere große Kraftwerke gibt es in Wolfsburg, Salzgitter und südlich von Helmstedt.

M2: Das Bild zeigt den Automobilbau in Wolfsburg. Weitere wichtige Standorte des Fahrzeugbaus befinden sich in Hannover, Braunschweig und Salzgitter.

M3: Dieses Bild ist nicht eindeutig zuzuordnen. Ein Beratungsgespräch kann in vielen Dienstleistungsbereichen vorkommen, z. B. im Bereich Finanzwesen, bei Handelsunternehmen, an der Universität, bei Versicherungen, Banken oder auf dem Messegelände. Besonders viele dieser Angebote finden sich im Raum Hannover.

2. Individuelle Lösung. Beispiel Güterkreislauf: Eine Frau arbeitet als Sachbearbeiterin bei einer Krankenkasse. Sie stellt somit ihre Arbeitskraft zur Verfügung. Gleichzeitig nimmt sie aber an Sportkursen teil, die von der Krankenkasse angeboten werden.

Beispiel Geldkreislauf: Ein Mann arbeitet bei einem Automobilhersteller und erhält dafür einen Lohn. Von diesem Lohn spart er Geld, das er später nutzt, um ein Auto zu kaufen.

3. Die mit Abstand größte Stadt im Wirtschaftsraum Hannover-Braunschweig ist Hannover. Sie ist mit über 500 000 Einwohnern etwa doppelt so groß wie die nächstgrößere Stadt Braunschweig mit rund 250 000 Einwohnern. Die Städte Wolfsburg, Hildesheim und Salzgitter sind mit rund 100 000 Einwohnern etwa gleich groß.

Auch bei der Anzahl der Beschäftigten ist Hannover die Nummer 1 im Wirtschaftsraum. Bei allen Städten ist festzustellen, dass es mehr Einwohner als Beschäftigte gibt. Bei Wolfsburg und Hildesheim ist die Beschäftigtenzahl jedoch fast so groß wie die Einwohnerzahl. Salzgitter hat mit Abstand die wenigsten Beschäftigten aller Städte des Wirtschafsraums Hannover-Braunschweig.

4. *Bahlsen*

Deutsches Familienunternehmen, das 1889 gegründet wurde. Es ist weltweit tätig und gehört zu den Lebensmittelproduzenten, speziell Backwaren. Am bekanntesten ist sicher der Leibniz Butterkeks. Im Jahr 2013 hatte das Unternehmen rund 2500 Mitarbeiter und einen Umsatz von 526 Mio. Euro. Das Unternehmen verkaufte rund 142 000 Tonnen Backwaren.

VW

Die Volkswagen Aktiengesellschaft (abgekürzt VW AG) hat ihren Sitz in Wolfsburg. Sie ist der größte Hersteller von Automobilen in Europa und Nummer zwei in der Welt. Zu Volkswagen zählen auch Marken wie Audi, Seat, Skoda, Bugatti oder Bentley. Insgesamt arbeiteten 2014 rund 570 000 Mitarbeiter in der ganzen Welt für VW. Allein im Wirtschaftsraum Hannover-Braunschweig arbeiten rund 100 000 Menschen bei VW. Der Umsatz betrug 2014 etwa 193 Mrd. Euro. Die bekanntesten Modelle sind der Käfer und der Golf. Gegründet wurde das Unternehmen 1937 in Berlin.

New Yorker

New Yorker ist ein Bekleidungsunternehmen, das 1971 in Flensburg gegründet wurde und heute seinen Hauptsitz in Braunschweig hat. Es gibt fast 1000 Filialen in rund 40 Ländern (vor allem in Europa). 2014 arbeiteten rund 16 000 Menschen für New Yorker.

Continental

Als „Continental-Caoutchouc- und Gutta-Percha-Compagnie" wird Continental im Jahr 1871 in Hannover gegründet. Im Stammwerk in Hannover werden unter anderem Weichgummiwaren, gummierte Stoffe und Massivbereifungen für Kutschen und Fahrräder hergestellt. Heute ist das Unternehmen weltweit unter den ersten Fünf der Automobilzulieferer. Es bietet Bremssysteme, Systeme und Komponenten für Antriebe und Fahrwerk, Instrumentierung, Infotainment-Lösungen, Fahrzeugelektronik, Reifen und technische Produkte an, die zu mehr Fahrsicherheit und zum globalen Klimaschutz beitragen. 2013 hatte das Unternehmen rund 178 000 Mitarbeitern in 49 Ländern. Der Umsatz betrug rund 33 Mrd. Euro.

Salzgitter AG

Die Salzgitter AG zählt zu den traditionsreichen deutschen Konzernen in der Stahlindustrie und wurde 1858 gegründet. Sie ist einer der führenden Stahl- und Technologiekonzerne Europas mit einem Umsatz von ca. 10 Mrd. Euro, einer Kapazität von nahezu 9 Mio. Tonnen Rohstahl und über 25 000 Mitarbeitern. Sie ist einer der größten Stahlproduzenten Europas sowie Weltmarktführer im Bereich Großrohre.

TUI

Die TUI AG ist Europas führender Touristikkonzern. Die drei Geschäftsbereiche TUI Travel (Veranstalter-, Vertriebs-, Flug- und Zielgebietsaktivitäten), TUI Hotels & Resorts und TUI Kreuzfahrten bilden die World of TUI. Darüber hinaus verfügt der Konzern derzeit über eine Finanzbeteiligung an der Containerreederei Hapag-Lloyd. Im Geschäftsjahr 2012/13 erzielte die TUI einen Umsatz von 18,5 Mrd. Euro. Die Zahl der Beschäftigten lag 2013 bei rund 74 400 Mitarbeitern. Gegründet wurde das Unternehmen 1924 als Preußische Bergwerks- und Hüttenaktiengesellschaft. Erst 1997 stieg das Unternehmen in die Touristikbranche ein.

5. Der Wirtschaftsraum Hannover-Braunschweig hat ungefähr eine West-Ost-Ausdehnung von 120 Kilometern und eine Nord-Süd-Ausdehnung von 60 Kilometern.

Insgesamt leben rund drei Millionen Menschen in diesem Raum. Die größte Stadt ist Hannover – gleichzeitig Landeshauptstadt von Niedersachsen – mit über 500 000 Einwohnern. Weitere bedeutende Städte sind Braunschweig, Wolfsburg, Salzgitter und Hildesheim.

Die Verkehrsanbindung zwischen den Städten ist sehr gut. Zwischen vielen Städten bestehen direkte Autobahnverbindungen und Eisenbahnlinien. Auch die Anbindung an den Mittellandkanal ist bei den großen Städten gewährleistet. Zwischen Hannover und Wolfsburg gibt es sogar eine ICE-Hochgeschwindigkeitsstrecke. Die Entfernungen zwischen den größten Städten sind somit schnell zu überwinden (z. B. Hannover–Wolfsburg ca. 100 km, Hannover–Hildesheim 30 km, Hannover–Braunschweig 60 km, Braunschweig–Wolfsburg 30 km, Salzgitter–Braunschweig 20 km). Hannover besitzt zudem einen großen Verkehrsflughafen.

Besonders charakteristisch für den Wirtschaftsraum sind Industrien wie Eisen- und Stahlerzeugung, Metallindustrie, Maschinenbau, Kraftfahrzeugbau, Schienenfahrzeugbau, Elektrotechnik/Informationstechnik. Diese Bereiche sind eng miteinander verknüpft.

Es gibt aber auch spezielle Unternehmen wie die Druckindustrie in Braunschweig oder viele Dienstleistungen im Raum Hannover wie Finanzunternehmen, Universität, TV, Presse, Medien, Handelsunternehmen, Service, Beratung, Messe. Hier ist zudem die chemische Industrie verstärkt angesiedelt. Außerdem ist die Nahrungsmittelindustrie in Nordstemmen, Hannover, Salzgitter und Braunschweig stark vertreten.

Unterrichtsvorschlag

Unterrichtsphase	Inhaltlicher Schwerpunkt	Unterrichtsverlauf	Medien/Materialien
Einstieg	Allgemeine Kennzeichen eines Wirtschaftsraums	Die Schüler lesen selbstständig den Lehrbuchtext und schreiben die allgemeinen Kennzeichen eines Wirtschaftsraumes auf (s. Tafelbild 1).	
Erarbeitung 1	Der Wirtschaftsraum Hannover-Braunschweig	– Anhand der Karte M5 ermitteln die Schüler die großen Städte des Wirtschaftsraums Hannover-Braunschweig. – Ein Schüler zeichnet das Tafelbild 2, das die anderen Schüler abzeichnen. – Aufgabe 1 – Aufgabe 3 – Aufgabe 5 (auch als Hausaufgabe), alternativ: Arbeitsblatt „Der Wirtschaftsraum Hannover-Braunschweig"	M1–M6, Arbeitsblatt „Wirtschaftsraum Hannover-Braunschweig" (Arbeitsheft)
Erarbeitung 2	Der einfache Wirtschaftskreislauf	– Entwicklung des einfachen Wirtschaftskreislaufs an der Tafel – Schüler übertragen den Wirtschaftskreislauf aus dem Lehrbuch in ihr Heft – Aufgabe 2	Kasten Schlüsseldenkweise „Kreisläufe verstehen"
Hausaufgabe		Aufgabe 4 (evtl. arbeitsteilig)	Internet

S. 164/165 Häfen – Knotenpunkte des Welthandels

Kompetenzen

Die Schülerinnen und Schüler können
– grundlegende Strukturen von Häfen beschreiben und charakterisieren. (Fachwissen)
– Transportwege von Gütern durch verschiedene Staaten beschreiben. (Orientierung)

Grundbegriffe

– Seehafen
– Massengüter
– Stückgüter
– Terminal
– Güterumschlag
– Binnenhafen
– Pipeline
– Raffinerie
– Container

Zusatzinformationen zu den Materialien

M1 Beim Massengutumschlag wird das lose im Schiffsrumpf transportierte Massengut (hier: Getreide) mit Saugrüsseln aus dem Schiff und in ein Silo verladen. Andere Massengüter, die weniger empfindlich sind wie z. B. Erz oder Kohle, werden im Freien gelagert.

Beim Containerumschlag werden die sich im Schiffsrumpf und auf dem Schiffsdeck befindlichen Container mittels Containerbrücken vom Schiff geladen und von einem Portalhubstapler bei Bedarf am Kai zwischengelagert oder zum weiteren Transportmittel gebracht.

M3 Quelle: http://www.hafen-hamburg.de/content/weltcontainerumschlag

M4 Ein Containerterminal ist eine Anlage, an der Container zwischen mindestens zwei Transportmitteln umgeschlagen werden (Schiff <–> Lkw oder Schiff <–> Bahn).

Tipps zum Atlaskarteneinsatz

Diercke Weltatlas, 122: Niederlande/Belgien/Luxemburg – Physische Karte; 123.2: Randstad – Raumstruktur, Raumordnung; 123.3: Rotterdam – Hafen

Diercke Weltatlas 2, 82: Niederlande/Belgien/Luxemburg – physisch; 83.1: Randstad Holland; 83.3: Rotterdam – Europoort

Diercke Drei, 112.1: Niederlande/Belgien/Luxemburg – physisch; 113.4: Deltawerke – Küstenschutzprojekt

Vorschlag zur Binnendifferenzierung

In der abschließenden Vertiefungsphase kann der schwächere Teil der Schüler Aufgabe 1, der leistungsstärkere Aufgabe 3 bearbeiten.

Lösungen der Arbeitsaufträge

1. Rhein – Niederlande, Rhein – Deutschland, Main – Deutschland, Main-Donau-Kanal – Deutschland, Donau – Deutschland, Donau – Österreich, Donau – Slowakei, Donau – Ungarn, Donau – Kroatien, Donau – Serbien

2. Insgesamt hat der Handel mit Gütern zugenommen. Es geht schneller, einen Container zu verladen als die vielen Kisten oder Einzelverpackungen, die sich im Container befinden.

Es gibt spezielle Containerschiffe und Kräne. Diese technische Entwicklung ermöglichte erst ein schnelles Entladen. Auch die Lkws sind in dieses System eingebunden. Alles ist aufeinander abgestimmt.

3. Individuelle Lösung. Beispiel:

Die Reise beginnt in Hannover auf dem Firmengelände. Mit dem Lkw wird der Container über die Autobahn nach Hamburg gebracht (Fahrweg ca. 150 km). In Hamburg wird der Container auf ein Schiff verladen, das ihn nach Hongkong bringen soll. Zunächst fährt das Schiff ca. 100 km flussabwärts die Elbe entlang. Bei Cuxhaven mündet die Elbe in die Nordsee. Das Schiff fährt nun 1500 km auf der Nordsee. Es durchquert den Ärmelkanal, der zwischen Großbritannien und Frankreich liegt. Bei der französischen Stadt Brest kommt es dann in den Atlantik. In südlicher Richtung geht es nun um Portugal herum bis zur Straße von Gibraltar, die zwischen Spanien und Marokko liegt. Der Container hat nun nochmals etwa 2000 km zurückgelegt.

Jetzt fährt das Schiff durch das Mittelmeer. Nach 4500 km kommt es nach Ägypten. Hier fährt es durch den rund 170 km langen Suezkanal, um in das Rote Meer zu gelangen. Nach gut 2300 km verlässt das Schiff wieder das Rote Meer, um über den Golf von Aden in den Indischen Ozean zu gelangen. Nach 7000 km passiert das Schiff Singapur. Nach weiteren 2600 km durch das Südchinesische Meer erreicht das Schiff Hongkong.

4. Häfen gelten als Knotenpunkte, weil Waren aus aller Welt in den Häfen umgeschlagen werden. Viele Schifffahrtswege laufen in den Häfen zusammen. In den Häfen werden die Güter auf andere Schiffe, Lkws oder Züge verladen. So ist zu erklären, dass in einem Hafen wie Rotterdam Güter aus der ganzen Welt ankommen, aber auch in die ganze Welt verschifft werden.

5. Rotterdam hat sehr viele Verbindungen nach Europa. Es sind verschiedene Transportformen wie Pipelines, Schifffahrtswege, Autobahnen oder Schienenverbindungen zu nennen. So kann innerhalb von wenigen Stunden oder Tagen ein Großteil der Bevölkerung mit Waren aus aller Welt von Rotterdam aus versorgt werden. Die Erreichbarkeit von Rotterdam ist also sehr wichtig für die Versorgung Europas.

Literatur

Breuer, K.: Der Seehafen Rotterdam – Europas Tor zur Welt. In: Diercke 360°, H. 1/2013, S. 4–7. (http://www.diercke.de/bilder/omeda/360_1_2013_Seite_4-7_Braeuer-Rotterdam.pdf)

Pfannenstein, B.: Logistische Drehscheiben für Europa. Die Häfen Rotterdam und Hamburg. In: Praxis Geographie, H. 9/2011, S. 24–28.

Internet-Adressen

http://www.portofrotterdam.com/de/hafen

Filme

in den digitalen Lehrermaterialien „BiBox":
Der Hafen der Zukunft (4:46 min; Technik im Hamburger Containerhafen)
im Internet:
hitec – Der Seehafen in Rotterdam (29:18 min; abrufbar unter https://www.youtube.com/watch?v=yXEFeVS4SG4; Die Filmszenen 3:40–15:54, 19:00–22:30 und 27:00–28:48 sind für den Unterricht nicht besonders relevant und können übersprungen werden.)

Unterrichtsvorschlag

Unterrichtsphase	Inhaltlicher Schwerpunkt	Unterrichtsverlauf	Medien/Materialien
Einstieg	Weltweiter Warentransport	– Lehrer bringt Produkte aus anderen Kontinenten mit (z. B. Bananen aus Costa Rica, T-Shirt aus Bangladesch) → Leitfrage: Wie kommen diese Produkte zu uns? – Lehrer beschreibt Weg eines Produktes unter Verwendung der im Lehrbuchtext aufgeführten Fachbegriffe (z. B. Seehafen, Binnenhafen, Stückgut, Container, Güterumschlag)	Produkte aus anderen Kontinenten
Erarbeitung 1	Containerumschlag	– Beschreibung von M1 und Vergleich mit M4, dazu Infokasten „Container" – Aufgabe 2 – Film zur Veranschaulichung der Abläufe in einem Hafen	M1, M3, M4, Infokasten, Film „Der Hafen der Zukunft"
Erarbeitung 2	Hafen Rotterdam	– Aufgabe 4 – Aufgabe 5	M2, M4–M7
Ergebnissicherung		Arbeitsblatt „Häfen"	Arbeitsblatt „Häfen" (Arbeitsheft)
Vertiefung	Topographische Übungen	arbeitsteilige GA: – Aufgabe 1 – Aufgabe 3	

S. 166/167 Methode: Thematische Karten auswerten – Der Hafen von Rotterdam

Kompetenzen

Die Schülerinnen und Schüler können
– grundlegende Strukturen von Häfen beschreiben und charakterisieren. (Fachwissen)
– eine thematische Karte auswerten. (Methode)

Zusatzinformationen zu den Materialien

M1 Die Karte entspricht in etwa der Atlaskarte „Rotterdam – Hafen" im Diercke Weltatlas (s. u.).
Roll-on-roll-off-Anlage: Roll-on-roll-off-Schiffe transportieren rollende Ladung (z. B. Pkws, Lkws, Baumaschinen). Die Schiffe verfügen über eine eigene Rampe, über die die rollende Ladung an Bord gebracht wird.

Tipps zum Atlaskarteneinsatz

Diercke Weltatlas, 34.2: Hamburg – Hafen (für Aufgabe 2); 123.3: Rotterdam – Hafen
Diercke Weltatlas 2, 49.5: Hamburg – Hafen (für Aufgabe 2); 83.3: Rotterdam – Europoort

Vorschlag zur Binnendifferenzierung

Die selbstständige Auswertung einer komplexen thematischen Karte, wie in Aufgabe 2 gefordert, ist recht anspruchsvoll und möglicherweise nicht von allen Schülern leistbar. Alternativ können Sie diesen Schülern das Arbeitsblatt mit einer Lösungshilfe an die Hand geben.

Lösungen der Arbeitsaufträge

1. In der Karte ist der Hafen von Rotterdam zu erkennen. Die Stadt Rotterdam liegt im Westen der Niederlande an der Mündung der Neuen Maas. Das Hafengebiet hat eine Nord-Süd-Ausdehnung von ungefähr 8 Kilometern und reicht ca. 40 km von der Innenstadt Rotterdams bis zum Stadtteil Hoek van Holland. Im Hafen lassen sich je nach Ladegut bestimmte Bereiche unterscheiden, wofür bestimmte Anlagen vorhanden sind. Im westlichen Bereich befinden sich Einrichtungen zum Löschen von Massengütern und Containerterminals. Im Bereich des Neuen Wasserweges/Hartelkanal liegt ein Teil des Ölhafens. Hier wird Erdöl angelandet und z. T. in Raffinerien verarbeitet. Die Produkte sind Grundstoffe für die chemische Industrie, die sich in unmittelbarer Nähe angesiedelt hat. Durch Pipelines wird das Öl weitergeleitet. Im Bereich Pernis/Neue Maas sind Containerterminals und Stückguthäfen zu erkennen. Weiter im Osten befinden sich Industrieanlagen, die von Straßen, Kanälen, Schienen und Pipelines durchzogen werden. Sie dienen dazu, die im Hafen angelandeten Güter zu verarbeiten bzw. den Weitertransport sicherzustellen. Westlich von Maasvlakte ist Maasvlakte 2 geplant. Vorwiegend wird der Hafen für den Öl- und Containerumschlag sowie Industrieanlagen genutzt. Damit das hohe Güteraufkommen in Zukunft bewältigt werden kann, ist eine Erweiterung des Hafens im Bereich von Maasvlakte 2 geplant.

121

2. In der Karte „Hamburg – Hafen" ist die Nutzung des Hamburger Hafens im Maßstab 1 : 75 000 dargestellt. Er liegt ungefähr 100 km von der Mündung der Elbe entfernt, gilt aber als Seehafen. Er grenzt im Süden an das Stadtzentrum der Hansestadt Hamburg und erstreckt sich in seiner Nord-Süd-Ausdehnung über ca. 10,5 km und in seiner Ost-West-Ausdehnung über ca. 13,5 km. Seine Fläche umfasst damit ca. 72,5 km². Die Struktur des Hafens ist sehr von den angelandeten Gütern bestimmt. So lassen sich klar nach Ladegütern getrennte Bereiche unterschieden. Während der Süden des Hafens durch die Tanklager und chemische Industrie bestimmt wird, befindet sich im Westen das Containerterminal und der Hafenbahnhof, der diesem angegliedert ist. Stückgüter und Massengüter wie Erz, Düngemittel und Getreide werden durch verschiedene Ladeeinrichtungen an unterschiedlichen Kais gelöscht. Im Südwesten ist ein großes Erweiterungsgebiet geplant. Im Osten wird das Hafengelände durch Hamburg-Veddel und Rotenburgsort begrenzt. Die Freihandelsgrenze umschließt ein großes Gebiet im Norden des Hafens. Ferner ist in der Karte erkennbar, welche Bereiche von Seeschiffen mit einem Tiefgang von 13,5 m bzw. 8 – 12 m befahren werden können, wobei deutlich wird, dass diese in erster Linie den westlichen Teil – also den Containerhafen und Hanseport sowie den Ölhafen – befahren. Der Hafen ist über mehrere Hafenbahnen an das Fernnetz der Deutschen Bahn angeschlossen, was den Weitertransport der Güter ebenso begünstigt wie die nahe Lage zu den Autobahnen im Westen und Osten. Vor allem aber begünstigt die Elbe den Weitertransport von Waren und Gütern mittels der Binnenschifffahrt. Nördlich der Elbe wird die Hafencity errichtet.

Zusammenfassend lässt sich festhalten, dass der Hamburger Hafen als Seehafen weit im Binnenland liegt, was einen Wettbewerbsnachteil gegenüber anderen Seehäfen darstellt. Er ist klar nach den Ladegütern und dem Tiefgang der Schiffe strukturiert. Erweiterungsflächen stehen zur Verfügung, und er ist das Verkehrsnetz sehr gut integriert.

Literatur

Breuer, K.: Der Seehafen Rotterdam – Europas Tor zur Welt. In: Diercke 360°, H. 1/2013, S. 4 – 7. (http://www.diercke.de/bilder/omeda/360_1_2013_Seite_4-7_Braeuer-Rotterdam.pdf)

Internet-Adressen

http://www.portofrotterdam.com/de/hafen

Filme

in den digitalen Lehrermaterialien „BiBox":
Rotterdam – Bedeutender Umschlagplatz der Weltwirtschaft (2:35 min; Vorstellung der verschiedenen Hafenbereiche mit vielen Bildern, die die Karte lebendig machen)

Unterrichtsvorschlag

Unterrichtsphase	Inhaltlicher Schwerpunkt	Unterrichtsverlauf	Medien/Materialien
Einstieg	Thematische Karten – topographische Karten	Wiederholung der Unterschiede zwischen thematischen und topographischen Karten, Kennzeichen thematischer Karten (vgl. S. 20/21)	
Erarbeitung	Auswertung der Karte „Der Hafen von Rotterdam" (M1)	gemeinsame Auswertung der Karte M1 anhand der Anleitung	M1, Anleitung „So wertest du eine thematische Karte aus"
Ergebnissicherung		Aufgabe 1	M1, Ansätze für die Auswertung der Karte M1
Vertiefung	Lebendige Karte	Die Schüler verorten die im Film „Rotterdam – Bedeutender Umschlagplatz der Weltwirtschaft" gezeigten Teilbereiche in der Karte.	Film „Rotterdam – Bedeutender Umschlagplatz der Weltwirtschaft"
Übung/Hausaufgabe		Aufgabe 2	Atlaskarte „Hamburg – Hafen", Arbeitsblatt „Auswertung der Karte ´Hamburg – Hafen´" (CD-ROM)

S. 168/169 Kompetenztraining

Lösungen der Arbeitsaufträge

1. a) *Primärer Sektor*

grüne Begriffe: Land- und Forstwirtschaft, Bergbau (wenn es nur um den reinen Abbauprozess geht)

blaue Begriffe: Weizenanbau, Forellenzucht, Kaliabbau (wenn es nur um den reinen Abbauprozess geht)

Sekundärer Sektor

grüne Begriffe: Industrie, Bergbau (wenn es um die Weiterverarbeitung geht)

blaue Begriffe: Spielzeugherstellung, Fahrzeugbau

Tertiärer Sektor

grüne Begriffe: Dienstleistungen

blaue Begriffe: Buchhandlung, Unterricht an Schulen, Reinigung, Bank, Gemüsehandel, Friseur

b) Individuelle Lösung. Beispiel:

Primärer Sektor: Braunkohlenabbau, Kiesgewinnung, Steingrube, Gemüseanbau

Sekundärer Sektor: Kunststoffproduktion, Handyherstellung, Stahlherstellung

Tertiärer Sektor: Versicherung, Maler, Reisebüro

c) individuelle Lösung

d) Individuelle Lösung. Die Schüler sollen nochmals feststellen, dass es in Deutschland nur noch wenige Menschen gibt, die im primären Sektor arbeiten. M3 zeigt, dass die meisten Beschäftigten im tertiären Sektor zu finden sind. Es wird interessant sein, ob sich bei den Traumberufen der Schüler ein ähnliches Bild ergibt.

2. *Beschreibung:*

Die Karte zeigt das Abbaugebiet Tagebau Garzweiler I und Garzweiler II. Es handelt sich um einen Tagebaubetrieb, in dem Braunkohle abgebaut wird. Das Gebiet befindet sich im Rheinischen Braunkohlenrevier im Bundesland Nordrhein-Westfalen. Auf unterstützenden Karten im Atlas ist zu sehen, dass sich das beschriebene Gebiet ca. 40 Kilometer in nordwestliche Richtung von Köln erstreckt. Es handelt sich um eine thematische Karte mit einer Maßstabsleiste. Der Kartenausschnitt zeigt ein Gebiet von etwa 18 km x 24 km.

Die dunkelbraunen Flächensignaturen zeigen den Bereich, in dem derzeit Kohle abgebaut wird, kleine schwarze Dreiecke die Abbaugrenze. Die hellgrünen Flächen stellen die Bereiche dar, in denen die Kohle bereits abgebaut und die Fläche verfüllt ist. Die roten Dreiecke zeigen das Gebiet, das nach derzeitiger Planung noch abgebaut werden soll. Bestehende Städte weisen eine rosa Flächensignatur auf. Orte, die bereits umgesiedelt wurden bzw. noch umgesiedelt werden müssen, haben eine rosafarbene Kreissignatur. Bei Städten mit einer braunen Kreissignatur handelt es sich um geplante bzw. abgeschlossene Umsiedlungen. Durch schwarze Pfeile ist gekennzeichnet, aus welchem ehemaligen Ort die Bewohner in die neuen Orte gezogen sind. Außerdem gibt es noch gelbe Linien (teilweise unterbrochen). Sie stehen für Autobahnen bzw. ehemalige Autobahnen in dieser Region. Die schwarzweiße Linie zeigt Eisenbahnverbindungen.

Besonders häufig ist die Signatur für Umsiedlungsorte zu sehen.

Festzustellen ist, dass der Tagebau Garzweiler I entweder schon verfüllt ist oder sich im Abbau befindet. Er ist größer als der Tagebau Garzweiler II. Außerdem fällt auf, dass an der Grenze zwischen Tagebau I und II eine Autobahn entfernt wurde, die A 61, die derzeit durch den geplanten Tagebau II verläuft. Die beiden Abbaugebiete verursachen einen großen Eingriff in die Landschaft und betreffen viele Ortschaften bzw. Städte.

Auswertung:

Die vielen Umsiedlungen müssen erfolgen, da die Braunkohle im Tagebau abgebaut wird. Das gesamte Gebiet wird mit riesigen Baggern abgetragen (bis zu einer Tiefe von 210 m). Deshalb müssen auch Ortschaften weichen sowie Autobahnen und Straßen entfernt werden.

Für viele Menschen bedeutet dies, dass sie ihre Heimat verlieren. Andere Ortschaften müssen Raum bereitstellen, damit diese Menschen sich dort neu ansiedeln können. Die Menschen haben dann zwar neue Häuser, aber vielleicht Freunde und Bekannte nicht mehr in ihrer Nähe wohnen.

Außerdem sind die Eingriffe in die Natur gewaltig. Bestehende Lebensräume werden zerstört und müssen sich nach der Rekultivierung neu entwickeln. Viele Tiere und Pflanzen sterben dabei, weil sie nicht wie Menschen umziehen können.

Diese enormen Eingriffe und Umsiedlungen kosten sehr viel Geld. Da sich mit der Braunkohle aber Energie erzeugen lässt, kann damit auch viel Geld verdient werden. Außerdem benötigen die Menschen und die Industriebetriebe natürlich auch den Strom für die Lebensführung und die Produktion von Gütern.

In der Karte wird deutlich, dass es sicher große Spannungen zwischen den Interessen der Menschen, der Natur und der Wirtschaft in diesem Raum gibt.

3. a) Individuelle Lösung. Beispiel:

Es könnte sich um einen Schrank handeln. Zunächst muss das Holz (ein Baumstamm) gekauft werden. Diesen schneidet ein Sägewerk in Bretter auf, die dann trocknen müssen, bevor sie weiterverarbeitet werden können. Aus den Brettern müssen die einzelnen Bestandteile zugeschnitten werden. Weitere Arbeitsgänge wie Schleifen,

Leimen und Lackieren ermöglichen letztlich den Zusammenbau. Die fertige Ware kommt dann in den Verkauf in ein Möbelhaus.

b) individuelle Lösung

4. a) München – Bayern, Leipzig – Sachsen, Hamburg – Hamburg, Entfernungen = individuelle Lösung

b) *München*

Dieser Wirtschaftsraum ist durch viele moderne Industrien wie Maschinenbau, Kraftfahrzeugbau oder Schienenfahrzeugbau gekennzeichnet. Es gibt weitere, moderne Technologien wie Luft- und Raumfahrttechnik als Hightech-Industrie. Zusätzlich ist München ein Messe- und Finanzzentrum. Auch die Medien und die Verwaltung/Versorgung spielen in dieser Region eine wichtige Rolle.

Die Verkehrsanbindung über viele Autobahnen, Schienenverbindungen und den Flughafen ist sehr gut.

Leipzig

Besonders wichtig ist in dieser Region die Chemie- und Kunststoffindustrie, was auch die vorhandene Erdölraffinerie zeigt. Einen weiteren Schwerpunkt bilden der Maschinenbau und der Kraftfahrzeugbau. Außerdem ist die Region ein Messezentrum.

Die Verkehrsanbindung über viele Autobahnen, Schienenverbindungen und den Flughafen ist sehr gut.

Hamburg

In dieser Region gibt es viele unterschiedliche Industrien: Buntmetall- und Aluminiumverhüttung, Erdölraffinerien, Maschinenbau, Schiffbau, Baustoffe/Keramik, Glas, Porzellan sowie Nahrungs- und Genussmittel. Aber auch bei den Dienstleistungen ist diese Region vielfältig ausgestattet. So ist sie ein Verwaltungs-/Versorgungszentrum, wichtig in den Bereichen Medien, Finanzen und als Messestandort. Die Verkehrsanbindung über viele Autobahnen, Schienenverbindungen, die Elbe, den Hafen und den Flughafen ist sehr gut.

Die Schüler sollen feststellen, dass alle Regionen gute Verkehrsverbindungen haben. Besonders München und Hamburg haben ein sehr breites Spektrum an Dienstleistungen und Industrie aufzuweisen. Jede Region hat aber auch ganz spezielle Stärken bzw. Charakteristika, z. B. München: Luft- und Raumfahrt, Leipzig: Kunststoff und Chemie, Hamburg: Hafen, Verhüttung, Schiffbau.

8 Endogene und exogene Prozesse verändern die Erde

S. 170/171 Kapitelauftaktseite

Quer über die Doppelseite zieht sich eine schematische Darstellung der Konvektionsströmungen. Darüber sind beispielhaft einige exogene Prozesse, darunter an der Erdoberfläche sichtbare Ergebnisse endogener Prozesse dargestellt.

Zusatzinformationen

Die schematische Darstellung der Konvektionsströmungen ist auch auf S. 185 in M4 (mit Beschriftung und Legende) abgebildet.

Alle Fotos können die Schüler im Kapitel wiederfinden. Damit wird ein Wiedererkennungseffekt erzielt, der den Schülern das Einordnen in exogene und endogene Prozesse erleichtert.

oben links: Ein zehn Meter hoher Tsunami überspült die Schutzmauer in Miyako (Japan) am 11.03.2011 (S. 183, M4)
oben Mitte: Der Tschierva-Gletscher in den Alpen (S. 205, M4)
oben rechts: Der Rheinfall bei Schaffhausen (S. 195, M3)
unten links: Aschewolke beim Ausbruch des Mount St. Helens (Schichtvulkan) (S. 176, M1)
unten Mitte: Faltung von Gesteinsschichten in den Alpen (S. 189, M2)
unten rechts: Die Dauner Maare (Eifel) (S. 180, M2)

Einsatz im Unterricht

Auf die Konvektionsströmungen kann der Lehrer hier nur sehr bedingt eingehen, da das ein komplexes Thema ist, das auf S. 184/185 ausführlich behandelt wird. Aber die Schüler können in der Abbildung die Erdoberfläche und das Erdinnere unterscheiden und damit auch die Unterteilung in exogene und endogene Prozesse. Die beiden Begriffe können bereits hier eingeführt werden (genauer werden sie auf der nächsten Doppelseite erläutert). Die Schüler beschreiben die Bilder und unterscheiden zwischen exogenen und endogenen Prozessen bzw. Kräften. Dabei muss deutlich gemacht werden, dass wir endogene Prozesse nicht direkt an der Erdoberfläche sehen können, sondern nur deren Ergebnisse.

S. 172/173 Mit Naturgefahren leben

Kompetenzen

Die Schülerinnen und Schüler können
- Unterschiede zwischen endogenen und exogenen Prozessen benennen. (Fachwissen)

Grundbegriffe

- endogene Kräfte
- exogene Kräfte
- Tsunami
- Lava

Vorschlag für ein Tafelbild

Naturereignisse: natürliches Ereignis, das keine negativen Auswirkungen auf den Menschen hat (z. B. Vulkanausbruch auf einer unbewohnten Insel)
Naturkatastrophe: Naturereignis mit schwerwiegenden Auswirkungen auf den Menschen (z. B. schweres Erdbeben in einer dicht besiedelten Region)

endogene Kräfte: von innen auf die Erdoberfläche wirkende Kräfte (z. B. Vulkanausbruch)
exogene Kräfte: von außen auf die Erdoberfläche wirkende Kräfte (z. B. Wasser, Wind)

Lösungen der Arbeitsaufträge

1. Von einem Naturereignis spricht man, wenn keine negativen Auswirkungen auf den Menschen vorliegen, z. B. ein Erdbeben auf einer unbewohnten Insel oder auch eine Sonnenfinsternis. Eine Naturkatastrophe ist ein außergewöhnliches Naturereignis, das schwerwiegende Auswirkungen auf die Menschen einschließlich ihrer Siedlungen, Verkehrswege etc. hat.
2. M1 – endogen, M2 – endogen, M3 – exogen, M4 – endogen, M5 – exogen
3. individuelle Lösung

Literatur

Hidajat, R.: Wie entsteht eine Naturkatastrophe? In: Praxis Geographie, H. 12/2006, S. 4 – 6.

Unterrichtsvorschlag

Unterrichtsphase	Inhaltlicher Schwerpunkt	Unterrichtsverlauf	Medien/Materialien
Erarbeitung 1	Begriffe: Naturereignisse – Naturkatastrophen, endogene – exogene Prozesse	– gemeinsames Lesen des ersten Abschnittes des Lehrbuchtextes – Aufgabe 1 – Tafelbild	
Erarbeitung 2	Beispiele für Naturkatastrophen	M1 – M5 werden arbeitsteilig von fünf Gruppen bearbeitet und vorgestellt, dabei jeweils Einordnung der Ursachen (exogen bzw. endogen) (Aufgabe 2) alternativ: Die Schüler bearbeiten als vorbereitende Hausaufgabe Aufgabe 3 und stellen die von ihnen ausgewählten Naturkatastrophen vor.	M1–M5
Vertiefung/Hausaufgabe		Aufgabe 3 (falls noch nicht als vorbereitende Hausaufgabe)	Internet

S. 174/175   Der Ätna – Leben am Vulkan

Kompetenzen

Die Schülerinnen und Schüler können
– die Auswirkungen der endogenen Prozesse auf das Leben der Menschen bewerten. (Beurteilen und Bewerten)

Zusatzinformationen zu den Materialien

M1 Sechs Stunden lang schossen in der Nacht des 23. Novembers 2013 bis zu 600 m hohe Lavafontänen aus einem Krater des Ätna. Diese sind im Hintergrund erkennbar, im Vordergrund ein schneebedeckter Gipfel, unterhalb dessen Lichter auf menschliche Behausungen hinweisen. Die Asche regnete auf mehrere Orte am Fuße des Vulkans und die nahe gelegene Stadt Taormina herab.

M3 Basalt ist das weltweit verbreitetste Vulkangestein. Es besteht vor allem aus einer Mischung aus Eisen- und Magnesium-Silikaten mit Olivin und Pyroxen sowie calciumreichem Feldspat (Plagioklas). Basalt ist normalerweise dunkelgrau bis schwarz und besteht zum größten Teil aus einer feinkörnigen Grundmasse. Die basaltische Lava fließt sehr schnell. Kühlt sie schnell ab, so bilden sich zusammenhängende Gesteinsgefüge. Findet die Abkühlung jedoch verzögert statt, entstehen durch das Zusammenziehen meist sechseckige Basaltsäulen. Basalte werden für Massivbauten, Boden- und Treppenbeläge, Fassadenplatten, Grab- und Denkmäler und in der Steinbildhauerei verwendet. Darüber hinaus findet Basalt als Baustoff aufgrund seines druck- und verschleißfesten, schwer zu bearbeitenden, aber nicht zu spröden Charakters hauptsächlich für den Unterbau von Straßen und Bahngleisen Verwendung. Am Ätna werden auch Häuser aus basaltischem Gestein errichtet.

Vorschlag zur Binnendifferenzierung

Bei leistungsschwachen Schülern kann auf die Erklärung in Aufgabe 2 verzichtet werden. Sie beschreiben dann nur die Nutzung rund um den Ätna.
Der Steckbrief vom Ätna (Aufgabe 4) muss nicht von allen Schülern angefertigt werden.

Lösungen der Arbeitsaufträge

1. Bei einem Ausbruch des Ätna würde es zu einer großen Lavafontäne von einigen hundert Metern kommen und eine riesige Aschewolke würde den Himmel über der Insel verdecken. Der Flugverkehr wäre beeinträchtigt und die Asche und Lavaströme könnten Häuser, Straßen und Felder zerstören. Die Menschen müssten sich in Sicherheit bringen.

2. Basalt, ein vulkanisches Ergussgestein, wird zur Herstellung von Baustoffen am Ätna abgebaut. Die dicht besiedelte Landschaft um den Ätna ist durch die verwitternde Lava äußerst fruchtbar. Daher werden auf den Feldern Wein, Südfrüchte, Obst oder Gemüse angebaut und die Landwirte können hohe Erträge erzielen. Der Tourismus – der Ätna ist seit 2013 UNESCO-Weltnaturerbe – bringt für die Region Arbeitsplätze und hohe Einnahmen.

3. Vom Ätna gehen bei seinen zahlreichen Ausbrüchen Gefahren für den Menschen aus, wie Lavafontänen mit Aschewolken, leichte Erdstöße, Lavaströme (→ „Feind").
Viele Menschen wohnen jedoch ganz in der Nähe des Vulkans, da z. B. Lava und Asche große Mengen an Mineralien enthalten, gut Wasser speichern können und somit ideale Voraussetzungen für die Landwirtschaft bieten. Außerdem bringt der Tourismus den Einheimischen zusätzliche Einnahmen und Arbeitsplätze (→„Freund").

4. Steckbrief Ätna

Lage: Italien, auf der Insel Sizilien, nordwestlich der Stadt Catania, 37° 45' N, 15° O

Höhe: ca. 3350 m (kann sich nach Ausbrüchen verändern)

Gefährlichkeit: ständig aktiver Vulkan, schon sehr viele Ausbrüche, relativ wenige Tote, aber viele Zerstörungen; da Lava sehr dünnflüssig ist, kommt es nicht zu explosiven Ausbrüchen, sondern nur zu Flankeneruptionen

letzte Ausbrüche: 20.02.2013, 23.09.2013, 26.10.2013, 16./17.11.2013, 16.–18.06.2014 (Stand: 09/2014)

Gesteinsarten: Basalt

Besonderheiten: Europas größter aktiver Vulkan

Literatur

Vulkanismus und Risiko – Eine Lerneinheit in Modulen. Themenheft Praxis Geographie, H. 2/2013.

Schmid, M.: Stromboli – Logenplatz am Puls der Erde. Vulkanismus hautnah erleben. In: Praxis Geographie, H. 12/2006, S. 4–6.

Internet-Adressen

detaillierte Links zu Aufgabe 4:

http://www.vulkane.net/vulkane/etna/etna.html

http://www.swisseduc.ch/stromboli/etna/index-de.html

Filme

im Internet lassen sich zahlreiche Videos von Ausbrüchen des Ätna finden, z. B. http://www.swisseduc.ch/stromboli/etna/index-de.html oder unter http://www.youtube.com

Unterrichtsvorschlag

Unterrichtsphase	Inhaltlicher Schwerpunkt	Unterrichtsverlauf	Medien/Materialien
Einstieg	Ein Ausbruch des Ätna	Schüler betrachten das Video eines Ausbruchs des Ätna alternativ: Betrachtung von M1 mit zugehörigem Lehrbuchtext (1. und 2. Textabschnitt)	Video eines Ausbruchs des Ätna, M1
Erarbeitung	Leben am Ätna	– Lokalisierung des Ätna mit M4 – gemeinsames Lesen des restlichen Lehrbuchtextes – Aufgabe 1 – Aufgabe 2	M2–M6
Ergebnissicherung		Aufgabe 3 alternativ: Arbeitsblatt „Leben mit dem Ätna"	Arbeitsblatt „Leben mit dem Ätna" (CD-ROM)
Vertiefung/Hausaufgabe		Aufgabe 4	Internet

S. 176/177   Vulkantypen

Kompetenzen

Die Schülerinnen und Schüler können

– Vulkane und ihre Entstehung als Ergebnis endogener Prozesse erläutern. (Fachwissen)
– verschiedene Vulkantypen analysieren. (Fachwissen)

Grundbegriffe

– Schichtvulkan
– Magma
– pyroklastischer Strom
– Schildvulkan

Zusatzinformationen zu den Materialien

M1 Der Mount St. Helens im amerikanischen Bundesstaat Washington war bis zum 18. Mai 1980 ein ruhiger Vulkan.

Dann aber erschütterte eine starke Explosion den Berg, deren Kraft 1000-mal größer war als die einer Atombombe. Dadurch brach die gesamte Nordseite des Berges ab, sodass sich Lavamassen die Hänge herunter ergossen. Zudem breitete sich eine riesige Gas- und Aschewolke mit Temperaturen von bis zu 260 °C und einer Geschwindigkeit von mehreren Hundert Stundenkilometern in westlicher und nördlicher Richtung des Berges aus. Diese pyroklastischen Ströme töteten alle Lebewesen in einem Gebiet von 600 km². Kurz darauf wälzte sich eine riesige Schlammlawine aus geschmolzenem Schnee und Eis den Berg hinunter. 57 Menschen starben beim Ausbruch des Mount St. Helens.

M2 Der Kilauea ist ein aktiver Schildvulkan auf der zu Hawaii gehörenden Insel Big Island und einer der aktivsten Vulkane der Erde. Wie bei den meisten Vulkanen, die über Hotspots liegen, sind die Ausbrüche effusiv: Lava quillt aus dem Erdinneren nach oben und fließt in kontinuierlichen Lavaströmen ab. Der jüngste Ausbruch des Kilauea dauert seit Januar 1983 an.

Vorschlag für ein Tafelbild

	Schichtvulkan	Schildvulkan
Magma	sehr gasreich	enthält sehr wenig Gas
Lava	zähflüssig, ca. 800 °C heiß	dünnflüssig, ca. 1100 °C heiß
Ausbruch	explosiv Auswurf von Gesteinsstücken (vulkanische Bomben) und Asche, bei Regen bilden sich Schlammströme, pyroklastische Ströme, zähflüssige Lava fließt nicht weit	effusiv dünnflüssige Lava fließt weit
Vulkanform	kegelförmig	schildförmig
Aufbau des Vulkans	abwechselnd Asche- und Lavaschichten	Lavaschichten
Beispiele	Mount St. Helens, Vesuv, Kilimandscharo	Kilauea, Mouna Loa

Lösungen der Arbeitsaufträge

1. M1: Rauchwolke, großer und tiefer Krater oben in einem Berg

M2: rotglühender Lavastrom fließt über bereits erstarrte Lavabrocken

2. Aufgrund des Ascheauswurfs ist der Eyjafjallajökull dem Typ Schichtvulkan zuzuordnen.

3. Je heißer die Lava, umso dünnflüssiger ist sie und umso schneller und weiter kann sie fließen, bevor sie erstarrt. → Schildvulkan, eher flach und ausgedehnt

Weniger heiße Lava ist zähflüssiger, fließt also nicht so schnell und deshalb auch nicht so weit, sie erstarrt an den Hängen des Vulkans. → Schichtvulkan, Vulkankegel

4. Bei Schichtvulkanen sind besonders die Ascheausbrüche und die pyroklastischen Ströme gefährlich. Die Asche zerstört die Ernte auf den Feldern, in Verbindung mit Regen bilden sich Schlammströme, die die Verkehrswege zerstören können. Die Asche kann auch in großen Gebieten den Flugverkehr beeinträchtigen. Die pyroklastischen Ströme sind durch hohe Temperaturen und besonders durch ihre große Geschwindigkeit extrem gefährlich.

Bei Schildvulkanen fließt die dünnflüssige Lava zwar weite Strecken, die aber meist vorhersehbar sind, sodass sich die Menschen in Sicherheit bringen können. Da das Magma nur wenig Gas enthält, kommt es nicht zu einem explosiven Ausbruch wie bei einem Schichtvulkan und damit auch nicht zu so großen Zerstörungen.

5. Mount St. Helens: USA, Vesuv: Italien, Kilimandscharo: Tansania, Mauna Loa: USA (Hawaii), Kilauea: USA (Hawaii), Eyjafjallajökull: Island

6. Individuelle Lösung. Beispiel: Pompeji lag am Golf von Neapel, hatte zur Zeit des Untergangs etwa 8000−100000 Einwohner, wurde 79 n. Chr. durch Ausbrüche des Vesuv völlig zerstört, hauptsächlich durch pyroklastische Ströme. Heftige Asche- und Bimssteinauswürfe ließen Dächer einstürzen und bedeckten alles mit einer etwa 25 Meter mächtigen Schicht. Heute können Ausgrabungen besichtigt werden, u. a. Abdrücke von Opfern der Naturkatastrophe.

Literatur

Vulkanismus und Risiko − Eine Lerneinheit in Modulen. Themenheft Praxis Geographie, H. 2/2013.

Szymkowiak, A.: „Super, der Vulkan bricht aus!" Vulkanismus im Schülerexperiment. In: Praxis Geographie, H. 12/2006, S. 26−27.

Internet-Adressen

http://vulcan.wr.usgs.gov/Volcanoes/MSH/framework.html (zum Mount St. Helens)

http://www.vulkane.net

http://www.swisseduc.ch/stromboli/perm/msh/index-de.html

Filme

in den digitalen Lehrermaterialien „BiBox":

Vulkanforscher in Chile (3:05 min; mit Vulkanforschern an einem chilenischen Schichtvulkan)

FWU:

4602763 Vulkanismus − Phänomene, Ursachen, Gefahren

Tipps zum Atlaskarteneinsatz

Diercke Weltatlas, 242/243.3: Erdbeben und Vulkanismus
Diercke Weltatlas 2, 174/175.3: Erdbeben und Vulkanismus
Diercke Drei, 8/9.1: Plattentektonik, Vulkanismus, Erdbeben

Unterrichtsvorschlag

Unterrichtsphase	Inhaltlicher Schwerpunkt	Unterrichtsverlauf	Medien/Materialien
Einstieg	Vergleich der Ausbrüche von Schicht- und Schildvulkanen	Beschreibung der Vulkanausbrüche in M1 und M2 (Aufgabe 1)	M1, M2
Erarbeitung	Unterschiede zwischen Schicht- und Schildvulkanen	– die Schüler ermitteln selbstständig anhand der Materialien und des Lehrbuchtextes die Unterschiede zwischen Schicht- und Schildvulkanen und tragen diese in eine vorgegebene Tabelle (s. Tafelbild) ein – Film „Vulkanforscher in Chile" – Aufgabe 3 – Aufgabe 4	M1–M4, Film „Vulkanforscher in Chile"
Topographie	Lokalisierung bedeutender Vulkane	Aufgabe 5 (auch als Hausaufgabe)	Atlas
Ergebnissicherung		Arbeitsblatt „Vulkantypen"	Arbeitsblatt „Vulkantypen" (Arbeitsheft)
Vertiefung/Hausaufgabe	Pompeji	Aufgabe 6	Internet

S. 178/179 Die Erde bebt

Kompetenzen

Die Schülerinnen und Schüler können
– Erdbeben und ihre Entstehung als Ergebnis endogener Prozesse erläutern. (Fachwissen)
– die Auswirkungen der endogenen Prozesse auf das Leben der Menschen bewerten. (Beurteilen und Bewerten)

Grundbegriffe

– Erdkruste
– kontinentale Kruste
– ozeanische Kruste
– Hypozentrum
– Epizentrum

Zusatzinformationen zu den Materialien

M1 Die genauen Abgrenzungen zwischen den einzelnen Schalen der Erde variieren in der wissenschaftlichen Literatur. Aus Gründen der didaktischen Vereinfachung wurde auf die Differenzierung in Lithosphäre und Asthenosphäre verzichtet.

M4 Die Abbildung zeigt, wie erdbebensicheres Bauen durchgeführt werden kann. In gefährdeten Ländern, in denen solches Bauen kontrollierte Vorschrift ist (z. B. in Japan), halten sich die Opferzahlen selbst bei schweren Erdbeben in Grenzen. Besonders wichtig für erdbebensichere Bauwerke ist die mögliche Schwingung des Gebäudes, um die Energie flexibel aufzunehmen. Daher ist Stahlbeton besonders geeignet, da die Metallgeflechte in der Bausubstanz stabil, aber auch flexibel sind. Damit die Gebäude nicht sofort bei auftretenden Schwingungen zur Seite wegkippen, müssen diese tief verankert sein. Unten ist also Stabilität, nach oben hin zunehmende Flexibilität wichtig.

M8 Die Richterskala, benannt nach dem kalifornischen Erdbebenforscher Charles Francis Richter, bezieht sich auf die Auslenkung des Schreibers im Seismographen. Richter konnte damit bereits 1935 Erdbeben bis zu einer Stärke von 6,5 messen. Zur Messung stärkerer Beben werden andere Verfahren benötigt.

Tipps zum Atlaskarteneinsatz

Diercke Weltatlas, 240.2: Schalenbau der Erde; 242/243.3: Erdbeben und Vulkanismus
Diercke Weltatlas 2, 172.2: Schalenbau der Erde; 174/175.3: Erdbeben und Vulkanismus
Diercke Drei, 8.2: Schalenbau der Erde; 8/9.1: Plattentektonik, Vulkanismus, Erdbeben

Vorschlag für ein Tafelbild

Erdbeben

ruckartige Bewegungen der Erdkruste
↓
Hypozentrum sendet Erdbebenwellen aus
↓
Erdbebenwellen erschüttern Erdoberfläche (besonders stark im Epizentrum)
↓
Zerstörungen ← Schutzmaßnahmen (erdbebensicheres Bauen, Schutzübungen ...)

Vorschlag zur Binnendifferenzierung

Aufgabe 4 kann auch nur von einigen Schüler bearbeitet und dann in Form eines Kurzreferates vorgestellt werden.

Lösungen der Arbeitsaufträge

1. Die Erdkruste ist mit ca. 45 km Dicke bei einem Radius von knapp 6400 km genauso dünn wie die Schale eines Apfels.

2. Das Epizentrum des schweren Erdbebens vom 12.01.2010 in Haiti lag nur 15 km außerhalb der Hauptstadt Port-au-Prince und hatte eine Stärke von 7,0 auf der Richterskala. Viele Menschen wurden obdachlos, es gab über einen längeren Zeitraum weder Strom noch Telefonverbindungen. Die Zahl der Toten beläuft sich auf über 300 000 Menschen, über 250 000 Wohnungen und 30 000 Geschäfte wurden zerstört.

3. In asiatischen Schulklassen werden Übungen zum Schutz bei Erdbeben durchgeführt, um z. B. möglichst schnell ins Freie zu gelangen oder unter einem stabilen Tisch Schutz zu suchen. Als weiteres wird getestet, wie man erdbebensichere Häuser bauen kann.

4. individuelle Lösung

Literatur

Erdbeben. Themenheft von „Geographie und Schule", H. 151, 2004.
Harperscheidt, A.: Wenn die Erde schwingt. In: Praxis Geographie, H. 12/2006, S. 28−32.

Stempniewki, L./Fäcke, A.: Vulnerabilität und Erdbebensicherung von Bauwerken. In: Geographie und Schule, H. 151, 2004, S. 23−30.
Szymkowiak, A.: Zwei Erdbeben im Partnerpuzzle. Naturrisiko und Anfälligkeit kooperativ erarbeitet am Beispiel von Haiti und Japan. In: Praxis Geographie, H. 12/2010, S. 36−39.
Vor 100 Jahren: Erdbeben in San Francisco. Schroedel aktuell, April 2006.

Internet-Adressen

http://www.gfz-potsdam.de/portal/-?$part=CmsPart& docId=1008747 (Auf den Seiten des Geoforschungszentrums Potsdam findet man auf der Startseite die aktuellen Erdbebenmeldungen auf einer Weltkarte.)
http://earthquake.usgs.gov/ (Der United States Geological Survey bietet viele Informationen und Material rund um Erdbeben. Auf der Startseite findet man die aktuellen Erdbeben weltweit.)

Filme

in den digitalen Lehrermaterialien „BiBox":
Istanbul macht sich erdbebensicher (3:38 min; Gefährdung Istanbuls durch Erdbeben)
Beben in Sicht (3:52 min; Erdbebengefährdung von Tokio, Forschungen zu Auswirkungen und Schutzmaßnahmen)
FWU:
4610503 Erdbebenmessung in Deutschland
4602561 Erdbeben / Earthquakes

Unterrichtsvorschlag

Unterrichtsphase	Inhaltlicher Schwerpunkt	Unterrichtsverlauf	Medien/Materialien
Einstieg	Erdbeben – ein Fallbeispiel	anhand der Materialien M2−M4 berichten die Schüler über das Erdbeben von Haiti am 12.01.2010 (schließt Aufgabe 2 mit ein) alternativ: die Schüler informieren sich als vorbereitende Hausaufgabe über ein anderes großes Erdbeben und berichten darüber (Aufgabe 4)	M2, M3, M4 bzw. Internet
Erarbeitung 1	Schalenbau der Erde	– die Schüler beschreiben anhand von M1 den Schalenbau der Erde und zeichnen ihn ab – Aufgabe 1 (der Lehrer sollte möglichst einen aufgeschnittenen Apfel mitbringen)	M1, aufgeschnittener Apfel
Erarbeitung 2	Entstehung und Auswirkungen von Erdbeben	– gemeinsames Lesen des Lehrbuchtextes – Einordnung der Fallbeispiele (Haiti, evtl. weitere Beispiele) in M8	M4, M8
Erarbeitung 3	Schutz vor Erdbeben	Aufgabe 3	M5, M6, M7
Vertiefung	weitere Fallbeispiele	– Film „Istanbul macht sich erdbebensicher" und/oder Film „Beben in Sicht" – Aufgabe 4 (falls nicht bereits als vorbereitende Hausaufgabe)	Internet, Film „Istanbul macht sich erdbebensicher", Film „Beben in Sicht"

S. 180/181 Vulkane und Erdbeben in Deutschland

Kompetenzen

Die Schülerinnen und Schüler können
– Vulkane und deren Entstehung als Ergebnis endogener Prozesse erläutern. (Fachwissen)
– die Auswirkungen der endogenen Prozesse auf das Leben der Menschen bewerten. (Beurteilen und Bewerten)

Grundbegriffe

– Maar

Zusatzinformationen zu den Materialien

M2 Südlich der Eifelstadt Daun liegen die drei Dauner Maare: Gemündener Maar, Weinfelder Maar und Schalkenmehrener Doppelmaar (bestehend aus dem westlichen Maarsee und dem östlichen Trockenmaar). Im Vordergrund des Schrägluftbildes ist das Gemündener Maar zu erkennen, das bis 38 m tief ist. Der steile Kraterwall ist mit Wald bedeckt. Hier und auch im Schalkenmehrener Maar ist Wassersport erlaubt.

M4 weitere stärkere Beben (Auswahl):

2001	Halle-Neustadt	5,5 (bergbaubedingtes Beben)
2001	Kerkrade	4,0
2009	Lörrach	4,5
2014	Darmstadt	4,2

M6 Quelle: http://www.bgr.bund.de/DE/Themen/Erdbeben-Gefaehrdungsanalysen/Seismologie/Seismologie/Erdbebenauswertung/D_seit_1968/d_1968_node.html

Tipps zum Atlaskarteneinsatz

Diercke Weltatlas, 26/27: Deutschland – Physische Übersicht (für Aufgabe 4); 40.1: Ruhrgebiet um 1840 (für Aufgabe 7); 40.2: Rheinisch-Westfälisches Industriegebiet 2015 (für Aufgabe 7); 49.2: Laacher See – Vulkanregion/Nutzungskonflikte

Diercke Weltatlas 2, 16–21: Deutschland – physisch (für Aufgabe 4); 30.1: Ruhrgebiet um 1840 (für Aufgabe 7); 30.2: Rheinisch-Westfälisches Industriegebiet 2007 (für Aufgabe 7); 53.3: Vulkanregion Laacher See – Nutzungskonflikte

Diercke Drei, 46/47: Deutschland – physisch (für Aufgabe 4); 75.3–5: Ruhrgebiet um 1840, 1960, 2008 (für Aufgabe 7)

Vorschlag zur Binnendifferenzierung

Bei Aufgabe 5 kann der Lehrer schnellen Schülern weitere Beispiele für Erdbeben geben (s. Zusatzinformationen zu den Materialien, M4).

Lösungen der Arbeitsaufträge

1. Die Region heißt Vulkaneifel, weil hier die Spuren des Vulkanismus besonders deutlich sind (z. B. Maare).

2. An einer Schwächezone steigt Magma auf. Beim Kontakt des Magmas mit dem Grundwasser entsteht Wasserdampf. Dies führt zu einem sehr hohen Druck und dadurch zu einer Explosion, bei der die darüberliegenden Gesteine herausgeschleudert werden und in einem kreisförmigen Ring abgelagert werden. Der Hohlraum füllt sich mit nachbrechendem Gestein des Walls und nach und nach mit Wasser.

3. Nutzen durch Tourismus (u. a. Maare, „Brubbel" in Wallenborn), aber auch Förderung von Mineralwasser, Abbau von Bimsstein und Tuff

4. Häufig von Erdbeben betroffen: Ruhrgebiet, Gebiet westlich des Oberrheins etwa zwischen Köln – Aachen – Mönchengladbach, Saarland, Oberrheintal in Südwestdeutschland, Schwarzwald und Schwäbische Alb. Sehr geringe Erdbebenhäufigkeit: im Nordosten Deutschlands und im östlichen Bayern.

5. Alsdorf: nördlich von Aachen
Waldkirch: Schwarzwald
Saarbrücken: Saarland
Bad Ems: in der Nähe von Koblenz
Kleve: Niederrhein, nahe der Grenze zu den Niederlanden

6. individuelle Lösung

7. Die Wirtschaftskarte zeigt, dass es im Ruhrgebiet viel Kohlebergbau gegeben hat bzw. noch gibt. Diese Tatsache lässt auf Einsturzbeben schließen, die durch den Bergbau bedingt sind.

8. Der Vulkanismus in der Eifel ist, in geologischen Zeiträumen betrachtet, noch sehr jung (10 000 Jahre), d. h., es handelt sich um eine geologisch aktive Zone. Die Wahrscheinlichkeit eines Ausbruches innerhalb der nächsten 50 000 Jahre ist also durchaus gegeben. In Bezug auf den Zeitraum eines Menschenlebens ist das Risiko aber eher gering.

Schwere Erdbeben sind in Deutschland eher unwahrscheinlich, leichte und mittlerer Beben gibt es in Bergbaugebieten und in Schwächezonen, z. B. im Oberrheintal (s. Aufgabe 4).

Literatur

Kreuzberger, N.: Nutzungskonflikte am Laacher See – Fluch oder Segen des Vulkanismus? In: Diercke 360°, H. 2/2012, S. 20–23. (http://www.diercke.de/bilder/omeda/Diercke_360_2-2012_China_Kreuzberger.pdf)

Filme

FWU:
4610503 Erdbebenmessung in Deutschland

Unterrichtsvorschlag

Unterrichtsphase	Inhaltlicher Schwerpunkt	Unterrichtsverlauf	Medien/Materialien
Einstieg	Vulkane und Erdbeben in Deutschland?	Tafelanschrieb „Vulkane und Erdbeben in Deutschland" als stummer Impuls → Vorkenntnisse der Schüler	
Erarbeitung	Vulkane und Erdbeben in Deutschland – eine Bestandsaufnahme	– Einteilung der Klasse in zwei Gruppen (leistungsstärkere Schüler: Vulkane, leistungsschwächere Schüler: Erdbeben, alternativ nach Interesse) – arbeitsteilige Erarbeitung der Themen „Vulkane in Deutschland" (Aufgaben 1–3) und „Erdbeben in Deutschland" (Aufgaben 4, 5, 7) – Austausch der Arbeitsergebnisse (als Schülervorträge oder jeder Schüler wechselseitig mit einem Partner aus der anderen Gruppe)	M1–M4, M6, Atlas
Vertiefung	Gefährdung durch Erdbeben und Vulkane in Deutschland	Aufgabe 8	M5, M6, Erdgeschichtliche Zeittafel

S. 182/183   Tsunamis

Kompetenzen

Die Schülerinnen und Schüler können
– die Auswirkungen der endogenen Prozesse auf das Leben der Menschen bewerten. (Beurteilen und Bewerten)
– schadens- und risikominimierende Maßnahmen bei Tsunamis erläutern und bewerten (Fachwissen, Beurteilen und Bewerten)

Zusatzinformationen zu den Materialien

M4 zur Lage von Miyako s. M7
M5 zur Lage von Sendai s. M7

Tipps zum Atlaskarteneinsatz

Diercke Weltatlas, 174/175: Ostchina/Korea/Japan – Wirtschaft; 224/225.3: Erdbeben und Vulkanismus
Diercke Weltatlas 2, 137.4: Japan – Wirtschaft; 174/175.3: Erdbeben und Vulkanismus
Diercke Drei, 8/9.1: Plattentektonik, Vulkanismus, Erdbeben; 151.5 Japan – Wirtschaft

Vorschlag für ein Tafelbild

Tsunami
Ursachen: starke Erdbeben (90 %), untermeerische Vulkanausbrüche und Erdrutsche, Meteoriteneinschläge

Wasser im Meer gerät in Schwingungen

an der Wasseroberfläche Wellen, die sich in alle Richtungen ausbreiten und deren Höhe zur Küste hin ansteigt

Tsunami (= hohe Welle mit großer Zerstörungskraft an der Küste)

Folgen: Zerstörung der Küstenlandschaft, abfließendes Wasser reißt vieles mit ins Meer

Vorsorge: Tsunami-Frühwarnsystem, bei Tsunami-Alarm Verlassen des niedrigen Küstenstreifens und Aufsuchen von höheren Gebieten

Lösungen der Arbeitsaufträge

1. In dem Bild ist erkennbar, wie sehr dunkles, dreckiges Wasser über eine Schutzmauer in Miyako (Japan) strömt. Das herabstürzende Wasser reißt Autos und Schiffe mit sich und trifft auf die Gebäude am linken Bildrand.

2. Auslöser ist meist ein Seebeben und eine damit einhergehende Bewegung des Meeresbodens. Dadurch bewegt sich das Wasser in Wellenform und mit hoher Geschwindigkeit. Laufen diese Wellen auf die Küste auf, staut sich das Wasser und die Wellen werden höher und der Abstand zwischen den Wellen wird kleiner. Direkt am Ufer überspült die Welle das Land und die nachfolgenden Wellen schieben das Wasser ins Landesinnere.

3. Bei dem Tsunami war nahezu die komplette Ostküste Japans betroffen. Die Wellenhöhe nahe des Epizentrums betrug bis zu 10 Meter und insgesamt wurden ca. 20 000 Menschen getötet. Da das Wasser mehrere Kilometer tief ins Landesinnere vordrang, wurden weite Landstriche verwüstet. Die beiden Satellitenbilder zeigen das Ausmaß der Zerstörungen am Beispiel Sendais. Nur wenige der Gebäude sind nach dem Tsunami noch intakt, es scheint auch ein Großfeuer ausgebrochen zu sein.

4. Obwohl das auslösende Erdbeben eines der stärksten der Auswahl an Tsunamis in der Tabelle war, erreichte die Wellenhöhe mit 10–15 Metern „nur" einen relativ geringen Wert. Hingegen ist die Opferzahl vergleichsweise hoch, nur der Tsunami von 2004 forderte wesentlich mehr Opfer.

5. Portugal, Nordafrika (Atlantik), Anrainer des Indischen Ozeans, Ostasien, Ostaustralien, Pazifikküste (Westküste) Nord-, Mittel- und Südamerikas

6. Die mit Messgeräten und Funk versehenen Bojen sind im Meeresboden verankert, wodurch (in Kombination mit den Drucksensoren am Meeresboden) Veränderungen des Meeresspiegels registriert und per Satellit an das Tsunamiwarnzentrum weitergeleitet werden können. Dieses Zentrum löst dann bei Bedarf einen Tsunamialarm für die möglicherweise betroffenen Regionen aus.

Literatur

Breit, A.: Erdbeben und Tsunami in Japan 2011. Material für eine Sortieraufgabe und zum Strukturlegen. In: Praxis Geographie, H. 7–8/2012, S. 58–60.

Kelletat, D./Scheffers, A.: Tsunami im Atlantischen Ozean. In: Geographische Rundschau, H. 6, 2004, S. 4–12.

Schindler, J.: Tsunami – Tektonik, Wellenphysik und was noch? Eine Unterrichtseinheit zur vernetzenden Betrachtung einer Katastrophe. In: Praxis Geographie, H. 6/2008, S. 48–52.

Szymkowiak, A./Hidajat, R.: Lernen aus der Katastrophe. In: Praxis Geographie, H. 4, 2005, S. 44–47.

Vorlaufer, K.: Der Tsunami und seine Auswirkungen in Thailand. In: Geographische Rundschau, H. 6, 2005, S. 60–65.

Internet-Adressen

http://www.dkkv.org/upload/downloads/Tsunami_updated.pdf (umfangreiche Unterrichtsreihe über Tsunamis zum Herunterladen beim Deutschen Komitee Katastrophenvorsorge e. V.)

http://www.agenda21-treffpunkt.de/lexikon/tsunami.htm (viele und sehr gute Informationen rund um den Tsunami von 2004)

http://bib.gfz-potsdam.de/pub/m/merkblatt_tsunami.pdf (Merkblatt für Auslandsreisende zu Tsunamis)

http://www.scinexx.de/dossier-100-1.html (Informationen und Links zum Thema „Tsunami")

Filme

in den digitalen Lehrermaterialien „BiBox":

Historische Tsunamis (2:52 min; frühere Tsunamis im Mittelmeer und daraus Ableitung von zukünftigen Gefährdungen)

FWU:

4602338 Tsunami – Die große Flut

Unterrichtsvorschlag

Unterrichtsphase	Inhaltlicher Schwerpunkt	Unterrichtsverlauf	Medien/Materialien
Einstieg	Begriffsklärung und Erscheinungsbild eines Tsunamis	Beschreibung des Fotos M4 (Aufgabe 1)	M4, evtl. zusätzlich Videos von Tsunamis aus dem Internet
Erarbeitung 1	Entstehung und Folgen eines Tsunamis	– Lehrbuchtext wird gemeinsam gelesen – anhand von M3 wird die Entstehung eines Tsunamis gemeinsam besprochen (Aufgabe 2) – die Schüler bearbeiten selbstständig Aufgabe 3	M1, M3, M4, M5, M7
Erarbeitung 2	Tsunamis weltweit	– Aufgabe 4 – Aufgabe 5	M2, Karte S. 190/191, evtl. zusätzlich Weltkarte mit Staaten zur Lokalisierung der in M2 angegebenen Tsunamis
Erarbeitung 3	Schutzmaßnahmen	Aufgabe 6	M6
Ergebnissicherung		Arbeitsblatt „Tsunami"	Arbeitsblatt „Tsunami" (Arbeitsheft)
Vertiefung	Gefährdung des Mittelmeers	Film „Historische Tsunamis"	Film „Historische Tsunamis"

S. 184/185   Von der Kontinentalverschiebung zur Plattentektonik

Kompetenzen

Die Schülerinnen und Schüler können
– die Theorie der Plattentektonik erklären. (Fachwissen)

Grundbegriffe

– Theorie der Kontinentalverschiebung
– Sea Floor Spreading
– Theorie der Plattentektonik
– Konvektionsströme

Zusatzinformationen zu den Materialien

zu Alfred Wegener: Alfred Wegener wurde 1880 in Berlin geboren, studierte Physik, Meteorologie und Astronomie und promovierte 1905. Die Hauptregion seiner Forschungsaktivitäten war Grönland. Insgesamt viermal ist er ins grönländische Inlandeis aufgebrochen. Von seiner letzten Expedition 1930 kehrte er nicht zurück.

1912 hatte Alfred Wegener während einer Tagung der Geologischen Gesellschaft in Frankfurt seine Theorie der Kontinentalverschiebung vorgestellt, und drei Jahre später wurde sein Hauptwerk „Die Entstehung der Kontinente und Ozeane" veröffentlicht. Alfred Wegener zufolge „schwamm" die gesamte Landmasse der Erde ursprünglich als eine einzige Scholle (Pangäa) auf der Asthenosphäre und zerbrach erst vor 200 Millionen Jahren, und zwar zunächst in einen nördlichen und in einen südlichen Kontinent: Laurasia und Gondwanaland. Diese Theorie ist lange umstritten geblieben. Erst nach dem Zweiten Weltkrieg setzte sich das erweiterte Modell der Plattentektonik endgültig durch. Alfred Wegener ist in die Geschichte als einer der bedeutendsten deutschen Polarforscher und Geowissenschaftler eingegangen. Kaum ein deutscher Geowissenschaftler hat durch einen neuen Gedanken die Forschung auch international so nachhaltig beeinflusst wie Alfred Wegener.

M1 Die Karte kann vergrößert kopiert, auf Pappe geklebt und die beiden Kontinente ausgeschnitten werden. Dann können die Kontinente zur besseren Veranschaulichung ineinandergelegt werden, entsprechend dem Zustand vor 250 Mio. Jahren.

M2 Eine Animation zur Verschiebung der Kontinente finden Sie unter http://www.diercke.de/bilder/omeda/1_erdplatten-flv.pdf.

M4 Die Schüler sollten darauf hingewiesen werden, dass das absinkende Magma zwar kühler ist als das aufsteigende, jedoch immer noch sehr warm.

Tipps zum Atlaskarteneinsatz

Diercke Weltatlas, 240/241.1: Erde – Physische Übersicht; 242.1: Erdgeschichte und Kontinentaldrift; 242/243.2: Geotektonik
Diercke Weltatlas 2, 172/173.1: Physische Übersicht; 174.1: Erdgeschichte und Kontinentaldrift; 174/175.2: Geotektonik
Diercke Drei, 6/7.1 Physische Übersicht; 8/9.1: Plattentektonik, Vulkanismus und Erdbeben; 10.1: Kontinente vor 250 Millionen Jahren; 10.2: Kontinente vor 135 Millionen Jahren; 11.3: Kontinente vor 60 Millionen Jahren; 11.4 Kontinente in der Gegenwart

Vorschlag für ein Tafelbild

Anfang 20. Jahrhundert

Alfred Wegener: *Theorie der Kontinentalverschiebung*

– alle Kontinente hingen früher zusammen und bildeten Urkontinent (Pangäa)

– Urkontinent brach auseinander, einzelne Kontinente driften seitdem langsam auseinander

– Ursache noch unbekannt

1940er-Jahre

Theorie der Plattentektonik

– Erdkruste besteht aus einzelnen Platten (entsprechen nicht den Kontinenten!)

– Platten werden durch Konvektionsströme im Inneren der Erde bewegt (aufeinander zu, voneinander weg oder aneinander vorbei)

– Bewegungsgeschwindigkeit: wenige Zentimeter/Jahr

Vorschlag zur Binnendifferenzierung
Aufgabe 5 kann als Zusatzaufgabe für Schüler dienen, die bereits mit Aufgabe 4 fertig sind.

Lösungen der Arbeitsaufträge
1. In Afrika und Südamerika findet man gleiche Gesteine, gleiche Fossilien sowie in die gleiche Richtung verlaufende Gletscherspuren. Zudem passen die Umrisse wie bei einem Puzzle ineinander.
2. *Vor 250 Mio. Jahren:* Eine große Landmasse (Pangäa) erstreckt sich von der heutigen Antarktis über den heutigen Atlantik bis zum heutigen Nordost-Asien.
Vor 65 Mio. Jahren: Der Urkontinent Pangäa ist auseinandergebrochen. Die Antarktis und Australien hängen noch zusammen, ebenso besteht noch eine Landbrücke zwischen der Antarktis und Südamerika sowie zwischen Nordamerika und Europa. Indien ist noch nicht mit der eurasischen Landmasse verbunden.
In 40 Mio. Jahren: Südamerika hat sich weiter nach Westen verschoben, Afrika nach Südwesten. Dadurch besteht keine Landverbindung mehr zwischen Afrika und Eurasien. Eurasien hat sich weit nach Osten in den heutigen Pazifik verlagert, Europa in der heutigen Form gibt es praktisch nicht mehr. Der indische Subkontinent ist viel kleiner geworden. Auch Australien ist in der heutigen Form nicht mehr existent.
3. Als Ursache nimmt man heute Konvektionsströme im Erdmantel an, die aus unterschiedlichen Temperaturen zwischen Erdkern und den äußeren Schichten der Erde resultieren. Die Erdplatten werden durch diese Ströme bewegt.

4. Es gibt drei grundsätzlich unterschiedliche Bewegungsmöglichkeiten an den Plattengrenzen:
– aneinander vorbei (konservierende Plattengrenze)
Beispiel: Kalifornien. Die nordamerikanische Platte bewegt sich nach Süden, die Pazifische Platte nach Norden.
– aufeinander zu (konvergierende Plattengrenze)
Beispiel: Westküste Südamerika: Die Nazca-Platte bewegt sich nach Osten, die Südamerikanische Platte nach Westen.
– voneinander weg (divergierende Plattengrenze)
Beispiel: Mittelatlantik: Die Südamerikanische Platte bewegt sich nach Westen, die Afrikanische Platte nach Osten.
5. In ihrem südlichen Bereich bewegt sich die Pazifische Platte bis zu 18,3 cm pro Jahr nach Westen.

Literatur
Kistler, H.: Von Wegeners Kontinentaldrifttheorie zum Modell der Plattentektonik. In: Geographische Rundschau, H. 6, 1980, S. 297−302.

Internet-Adressen
http://www.scinexx.de/index.php?cmd=focus_detail&f_id=48&rang=1 (komplettes Dossier über die Theorie der Plattentektonik und ihren Begründer Alfred Wegener)

Filme
FWU:
4602428 Plattentektonik / Plate Tectonics

Unterrichtsvorschlag

Unterrichtsphase	Inhaltlicher Schwerpunkt	Unterrichtsverlauf	Medien/Materialien
Einstieg	Theorie der Kontinentalverschiebung	– Lehrervortrag zu Alfred Wegener und seiner Theorie der Kontinentalverschiebung unter Verwendung von M1 und M2 (evtl. auch Einsatz einer Animation zu M2) – Aufgabe 1 – Aufgabe 2	M1, M2, evtl. Animation zur Kontinentalverschiebung
Erarbeitung	Theorie der Plattentektonik	– Demonstrationsexperiment zur Kontinentalverschiebung (zur Erklärung der Ursachen) – Lehrervortrag zur Theorie der Plattentektonik unter Verwendung von M4 – Aufgabe 3 – Aufgabe 4 – Aufgabe 5	M3, M4, Experiment zur Kontinentalverschiebung (CD-ROM)

S. 186/187   Methode: Ein Rollenspiel durchführen – Erdbebenkonferenz in San Francisco

Kompetenzen

Die Schülerinnen und Schüler können
– die Auswirkungen der endogenen Prozesse auf das Leben der Menschen bewerten. (Beurteilen und Bewerten)
– schadens- und risikominimierende Maßnahmen bei Erdbeben erläutern und bewerten. (Fachwissen, Beurteilen und Bewerten)

Tipps zum Atlaskarteneinsatz

Diercke Weltatlas, 242/243.3: Erdbeben und Vulkanismus
Diercke Weltatlas 2, 174/175.3: Erdbeben und Vulkanismus
Diercke Drei, 8/9.1: Plattentektonik, Vulkanismus, Erdbeben

Vorschlag zur Binnendifferenzierung

Bei der Verteilung der Rollen können die unterschiedlichen Leistungsfähigkeiten und Interessen der Schüler berücksichtigt werden. So gibt es leichtere und schwerere Rollen (eher leicht: Stadtverwaltung, eher schwer: Geologen).
Die von den Gruppen ausgewählten Konferenzteilnehmer sollten fähig sein, sich an einer Diskussion zu beteiligen.

Unterrichtsvorschlag

Unterrichtsphase	Inhaltlicher Schwerpunkt	Unterrichtsverlauf	Medien/Materialien
Einstieg	Erdbebengefahr in San Francisco	gemeinsames Lesen des Lehrbuchtextes	
Erarbeitung	Vorbereitung Rollenspiel	– Lehrer liest Einladungsbrief vor – Vorbereitung gemäß der Anleitung in Aufgabe 1	Einladungsbrief, weitere Lehrbuchseiten, Atlas, Internet, die Seismologen können das Infoblatt „Seismograph" erhalten (CD-ROM)
	Rollenspiel	Durchführung gemäß der Anleitung in Aufgabe 1	evtl. OHP mit Folien der Schüler
	Nachbereitung Rollenspiel	– Nachbereitung gemäß der Anleitung in Aufgabe 1 – allgemeine Bewertung des Rollenspiels	

S. 188/189   Erdkruste entsteht und versinkt

Kompetenzen

Die Schülerinnen und Schüler können
– die Theorie der Plattentektonik erklären. (Fachwissen)
– exogene Prozesse als Gestalter der verschiedenen Landschaften erläutern. (Fachwissen)

Grundbegriffe

– Subduktionszone
– Tiefseegraben
– Faltengebirge

Zusatzinformationen zu den Materialien

M1 s. auch Schema „Schnitt durch die Erdkruste" in den Atlanten (s. u.)

M3 Die metamorphen Gesteine werden erst auf S. 192 eingeführt, daher wird hier nur von „umgewandelten Gesteinen" gesprochen. Bei Bedarf sollte der Lehrer hier bereits nähere Erläuterungen geben.

Tipps zum Atlaskarteneinsatz

Diercke Weltatlas, 88.2: Tektonik; 240/241.3: Schnitt durch die Erdkruste (schematisch)
Diercke Weltatlas 2, 172/173.3: Schnitt durch die Erdkruste
Diercke Drei, 8/9.3: Schnitt durch die Erdkruste

Vorschlag zur Binnendifferenzierung

Die Aufgaben 3–6 können binnendifferenziert aufgegeben werden. Es ist nicht unbedingt notwendig, dass alle Schüler alle Aufgaben erledigen.

Lösungen der Arbeitsaufträge

1. Eine ozeanische und eine kontinentale Platte bewegen sich aufeinander zu. Dabei schiebt sich die ozeanische unter die kontinentale Platte. Durch das Abtauchen in große Tiefe wird das Krustenmaterial aufgeschmolzen und kann zum Teil an Schwächezonen wieder aufsteigen (Vulkanismus). Die kontinentale Kruste wird durch den seitlichen Druck zusammengeschoben und gefaltet (Faltengebirge). Diese Prozesse werden von Erdbeben begleitet.

2. Bereits in der Jura- und Kreidezeit kam es im Raum des ausgedehnten Meeres im heutigen Mittel- und Südeuropa (Tethys-Meer) zur Ablagerung von Material, das von Flüssen eingeschwemmt wurde, aber auch zur Ablagerung mächtiger Kalkschichten, vorwiegend aus Schalen von Kleinlebewesen (u. a. Muscheln). Durch den anhaltenden seitlichen Druck der Afrikanischen Platte gegen die Eurasische Platte beginnt in der Kreidezeit die Faltung und Hebung: Ein Faltengebirge entsteht. Sobald Landmasse über den Meeresspiegel ragt, setzt auch die Abtragung ein.

3. Hebungs- und Abtragungsprozess halten sich die Waage, d. h., es wird in der Höhe etwa so viel abgetragen wie durch Hebung in der Höhe gewonnen wird.

4. Hebung um etwa 1 Millimeter pro Jahr, d. h. 1 Meter in 1000 Jahren, also 1000 Meter in 1 Million Jahren. Folglich hätte das Matterhorn ohne Abtragungsprozesse in 1 Million Jahren eine Höhe von 5478 m.

5. Italien liegt an der Grenze zwischen Afrikanischer und Eurasischer Platte, die sich aufeinanderzubewegen (s. S. 185, M3). In Verbindung mit diesem Stauchungsprozess, der die Alpen entstehen lässt, kommt es auch zu vielen Erdbeben.

6. Als im Raum der heutigen Alpen noch ein Meer war, wurden auch Schalen von Muscheln und anderen Lebewesen, die es heute gar nicht mehr gibt, am Meeresboden abgelagert, mit weiteren Sedimentschichten überdeckt und schließlich verfestigt, sodass Abdrücke erhalten geblieben sind. Mit der Hebung kamen diese Gesteinsschichten einschließlich der verfestigten Abdrücke (Fossilien) an die Erdoberfläche in große Höhe.

Literatur

Laug, A./Laug, K.: Nicht von Pappe. Schüler präsentieren Bewegungen der Erdplatten mithilfe von Modellen. In: Praxis Geographie, H. 11/2001, S. 10–16.

Filme

FWU:
4602428 Plattentektonik / Plate Tectonics
4601054 Die Entstehung der Alpen

Unterrichtsvorschlag

Unterrichtsphase	Inhaltlicher Schwerpunkt	Unterrichtsverlauf	Medien/Materialien
Einstieg	Wiederholung Plattentektonik	Anhand des Arbeitsblattes wiederholen die Schüler die ihnen bereits bekannten Aspekte zur Plattentektonik.	Arbeitsblatt „Plattentektonik" (CD-ROM)
Erarbeitung 1	Vertiefung Plattentektonik: Subduktionszonen	– gemeinsames Lesen des 1. Abschnittes des Lehrbuchtextes – Aufgabe 1	M1
Erarbeitung 2	Entstehung der Alpen	– gemeinsames Lesen des 2. Abschnittes des Lehrbuchtextes – Aufgabe 2 – Aufgabe 3 – 6 (auch als Hausaufgabe)	M3, Erdgeschichtliche Zeittafel

S. 190/191   Orientierung: Erde – Naturgefahren

Kompetenzen

Die Schülerinnen und Schüler können
– Naturgefahren auf der Erde lokalisieren und die Verteilung von Erdbeben und Vulkanismus erläutern. (Fachwissen)

Tipps zum Atlaskarteneinsatz

Diercke Weltatlas, 240/241.1: Erde – Physische Übersicht
Diercke Weltatlas 2, 172/173.1: Physische Übersicht
Diercke Drei, 6/7.1: Physische Übersicht

Vorschlag zur Binnendifferenzierung

Nicht alle Schüler müssen alle Aufgaben bearbeiten. Als Zusatzaufgaben bieten sich z. B. die Aufgaben 7 – 9 an.

Lösungen der Arbeitsaufträge

1. Beispiele:
Sundagraben, südlich von Java (Indonesien), 7450 m
Philippinengraben, verläuft nordöstlich parallel zu den Philippinen, 10 540 m
Atacamagraben, Westküste Südamerikas, vor Chile, 8066 m
Tongagraben, Pazifik, etwa 2500 km östlich von Australien, 10 882 m
Marianengraben, etwa 1500 km östlich der Philippinen, 11 034 m

2. a) b) Beispiele (Einwohnerzahlen von 2013, Quelle: http://www.weltbevoelkerung.de/laenderdatenbank. html; alternativ sind die Einwohnerzahlen auch im Diercke Weltatlas auf S. 284/285 zu finden):

Japan	127,3 Mio.
Indonesien	248,5 Mio.
Türkei	76,1 Mio.
Mexiko	117,6 Mio.
Chile	17,6 Mio.

3. An der Küste verläuft direkt keine Plattengrenze, die nächste Plattengrenze ist der Mittelatlantische Rücken (Eurasische und Nordamerikanische Platte), aber auch hier gibt es überwiegend nur leichtere Seebeben. Die Gefährdung durch Tsunamis ist also an der Nordseeküste sehr gering.

4. Australien liegt inmitten der Indisch-Australischen Platte, weist also keine Plattengrenze auf.

5. Die Nazca-Platte und die Südamerikanische Platte. Die Nazca-Platte verschiebt sich nach Osten und taucht unter die Südamerikanische Platte (Subduktion).

6. a) Beispiele: Japan, Süd- und Südostküste der USA, Madagaskar, Australien, Indien

b) Internetrecherche oder Fachbuch notwendig!
Hurrikan: Atlantik und Nordpazifik
Taifun: Ost- und Südostasien
Zyklon: Indischer Ozean einschließlich Arabisches Meer, südlicher Pazifik
Willy Willy: Australien

7. Die linienhafte Häufung entsteht dadurch, dass Vulkanismus und Erdbeben vorwiegend an Plattengrenzen auftreten, die eben linienhaft verlaufen.

8. Der Pazifik ist umrahmt von Plattengrenzen, an denen sich ringförmig Vulkanismus und Erdbeben häufen.

9. Am Mittelatlantischen Rücken bewegen sich zwei Platten voneinander weg (im Norden die Eurasische und die Nordamerikanische Platte, im Süden die Afrikanische und die Südamerikanische Platte), Magma tritt aus der Spalte aus, neuer Meeresboden wird gebildet (Sea Floor Spreading, S. 184). In Indonesien bewegen sich zwei Platten (die Indisch-Australische und die Chinesische Platte) aufeinander zu, es handelt sich also um eine Subduktionszone, bei der das aufgeschmolzene Material der abgetauchten Kruste als Magma wieder aufsteigen kann.

Unterrichtsvorschlag

Unterrichtsphase	Inhaltlicher Schwerpunkt	Unterrichtsverlauf	Medien/Materialien
Erarbeitung	Orientierung: Naturgefahren der Erde	Die Schüler bearbeiten selbstständig die Aufgaben 1–9, auch als Hausaufgabe oder arbeitsteilig.	M1, Atlas, Internet

S. 192/193 Gesteine entstehen und zerfallen

Kompetenzen

Die Schülerinnen und Schüler können
– Grundzüge des Gesteinskreislaufs beschreiben. (Fachwissen)

Grundbegriffe

– magmatisches Gestein
– Tiefengestein
– Ergussgestein
– Sedimentgestein
– metamorphes Gestein

Zusatzinformationen zu den Materialien

M3 B Das Foto zeigt die Sandsteinfelsen auf Helgoland im Bereich der Langen Anna (= einzeln stehender Felsen), die durch einen Damm vor weiterer Erosion geschützt wird.

Vorschlag für ein Tafelbild

Gesteinsgruppe	Entstehung	Kennzeichen	Beispiel
Magmatische Gesteine			
– Tiefengesteine	Abkühlung von Magma in der Erdkruste oder im Erdmantel	große Kristalle	Granit
– Ergussgesteine	Abkühlung von Lava an der Erdoberfläche	kleine Kristalle, einfarbig	Basalt
Sedimentgesteine	in großen Senken oder im Meer abgelagertes Gesteinsmaterial wird durch den Druck darüberliegender Schichten verfestigt	meist farblich unterschiedliche Schichten	Kalkstein
metamorphe Gesteine	beim Absinken in große Tiefen werden Gesteine durch Hitze und Druck umgewandelt	oft wellenförmige Bänder	Gneis

Vorschlag zur Binnendifferenzierung

Zu Aufgabe 1 können schwächere Schüler auch das Arbeitsblatt zum Gesteinskreislauf verwenden, in das sie nur die fehlenden Begriffe eintragen müssen.
Aufgabe 5 kann auch als Zusatzaufgabe für schnelle Schüler verwendet werden.

Lösungen der Arbeitsaufträge

1. Erläuterung anhand von M2. Ausgangspunkt könnte die Zufuhr von Magma aus tieferen Erdschichten sein. Wichtig ist die Vollständigkeit, d.h. die Berücksichtigung aller Pfeile und Begriffe und die Verdeutlichung des Kreislaufcharakters mit verschiedenen möglichen Wegen. Zum Beispiel kann ein Sediment absinken und unter hohem Druck und hoher Temperatur zu einem metamorphen Gestein umgewandelt oder sogar vollständig zu Magma aufgeschmolzen werden. Es kann aber auch durch Hebung gleich wieder der Abtragung unterliegen. Beispiel: s. Lösung Arbeitsblatt „Der Kreislauf der Gesteine" (CD-ROM)

2. Steine können im Meer entstehen, also hat Nora Recht und in diesem Punkt hat Franka nicht Recht, aber Gesteine können auch durch Vulkane entstehen – hier hat Franka Recht. Steine waren nicht schon immer da, Johannes hat mit seiner Aussage also nicht Recht.
3. A – 3, B – 1, C – 2
4. Individuelle Lösung. Zuordnung mithilfe der in M1 genannten optischen Eigenschaften und ggf. eines Bestimmungsbuches.
5. a) Meerestiere (oder auch Landtiere oder Pflanzen) sterben, sinken zum Meeresgrund (bzw. zum Boden) und werden von weiteren Ablagerungen bedeckt. Das eigentliche Lebewesen wird zersetzt, aber die Form wird durch Verfestigung der Ablagerung erhalten (Versteinerung).
b) In metamorphen Gesteinen gibt es keine Fossilien, da diese durch den hohen Druck und die hohe Temperatur bei der Gesteinsumwandlung zerstört werden.
Ergänzende Information: Fälschlicherweise werden oft Kalksteine (mit Fossilien) als Marmor (metamorphes Gestein) bezeichnet.

Literatur

Hausdörfer, A.: Wenn Steine erzählen ... Ein Lernzirkel zu Gestein und Verwitterung. In: Praxis Geographie, H. 5/2008, S. 29–33.

Internet-Adressen

http://www.gesteine-minerale.de
http://www.kristallin.de/gesteine/index.htm

Unterrichtsvorschlag

Unterrichtsphase	Inhaltlicher Schwerpunkt	Unterrichtsverlauf	Medien/Materialien
Einstieg	Gesteine sind unterschiedlich	– Der Lehrer oder die Schüler bringen verschiedene Gesteine mit in den Unterricht. Die Schüler betrachten, beschreiben und sortieren die Gesteine, ohne weitere Informationen. – Leitfrage: Wie sind die verschiedenen Gesteine entstanden?	verschiedene Gesteine
Erarbeitung 1	Gesteinskreislauf	– gemeinsames Lesen des Lehrbuchtextes – Aufgabe 1	M2, evtl. Arbeitsblatt/ Lösung „Der Kreislauf der Gesteine" (CD-ROM)
Ergebnissicherung 1		Aufgabe 2	
Erarbeitung 2	Gesteinsgruppen	Bestimmung der mitgebrachten Gesteine anhand von M1 und evtl. Bestimmungsbüchern, hilfreich ist eine Lupe (Aufgabe 4)	verschiedene Gesteine, M1, Bestimmungsbücher für Gesteine
Ergebnissicherung 2		Aufgabe 3	M3
Vertiefung		Aufgabe 5 (auch als Hausaufgabe)	M2

S. 194/195   Der Wasserkreislauf

Kompetenzen

Die Schülerinnen und Schüler können
– Grundzüge des Wasserkreislaufs beschreiben. (Fachwissen)

Grundbegriffe

– Atmosphäre
– Grundwasser
– Bodenversiegelung

Zusatzinformationen zu den Materialien

M3 Der Rheinfall ist der größte Wasserfall Europas, neben dem doppelt so hohen, aber halb so wasserreichen Dettifoss auf Island. Er befindet sich in der Schweiz, rund vier Kilometer westlich der Stadt Schaffhausen. Auf dem Weg vom Bodensee nach Basel stellen sich dem Hochrhein mehrfach widerstandsfähige Gesteine in den Weg, die das Flussbett verengen und die der Fluss in Stromschnellen und einem Wasserfall, dem Rheinfall, überwindet. Der Rheinfall hat eine Höhe von 23 m und eine Breite von 150 m. Bei mittlerer Wasserführung des Rheins stürzen hier 373 m³ Wasser pro Sekunde über die Felsen.

M4 Aus Gründen der didaktischen Reduktion wurde auf die Darstellung der Vorgänge Sublimation (Eis → Wasserdampf) und Resublimation (Wasserdampf → Eis) verzichtet.

Vorschlag zur Binnendifferenzierung

Die Aufgaben 5–7 müssen nicht von allen Schülern bearbeitet werden.

Lösungen der Arbeitsaufträge

1. Sinnvoller Ausgangspunkt ist die Verdunstung von der Meeresoberfläche. Wichtig ist, dass alle Möglichkeiten berücksichtigt werden (z. B. auch die Verdunstung von Landflächen), sodass die verschiedenen Wege deutlich werden.

2. M2: Verdunstung im tropischen Regenwald nach einem Regen.

M3: Aufgrund der Schwerkraft fließt Wasser mit dem Gefälle ab.

3. a) Beobachtung: Es bilden sich an der kalten Wasserflasche Wassertropfen. Wasserdampf (gasförmig) ist also zu flüssigem Wasser kondensiert.

b) Erklärung: Kalte Luft kann nicht so viel Wasserdampf aufnehmen wie warme Luft. Die Luft in unmittelbarer Umgebung der Flasche kühlt ab, kann damit nicht mehr so viel Wasserdampf halten, ein Teil des in der Luft enthaltenen Wasserdampfes kondensiert und setzt sich als Wassertropfen auf der kalten Flasche ab.

c) Einordnung in den Wasserkreislauf: Warme Luft mit viel Wasserdampf steigt auf und kühlt mit zunehmender Höhe ab. Dadurch kann sie den Wasserdampf nicht mehr halten, der Wasserdampf kondensiert zu kleinen Tropfen, es bilden sich Wolken.

4. Wahrscheinlichster Weg zunächst (es sei denn, der Tropfen verdunstet schon auf dem Weg bis zur Wesermündung): Der Tropfen kommt mit der Leine in die Aller, dann in die Weser und in die Nordsee. Der weitere Weg kann mit Bezug zum Wasserkreislauf entwickelt werden. Falls das Wasser wieder verdunstet, beginnt die Reise von vorn und der Wassertropfen kann in Form von Schnee in kalten Regionen (→ Speicherung im Gletscher) oder in anderen Regionen der Erde wieder als flüssiger Niederschlag auf die Erde fallen.

5. Durch die Abholzung wird die Versickerung im Boden reduziert, es fließt mehr Wasser oberirdisch ab. Da die Zwischenspeicherung im Boden ausbleibt, fließt bei Starkregen oder lange anhaltenden Regenfällen das Wasser auch in kürzerer Zeit über die Bäche in die Flüsse, was zu Hochwasser führen kann.

6. Niederschlag und Verdunstung beeinflussen sich wechselseitig. Ist der Niederschlag hoch (z. B. im tropischen Regenwald), kann auch wieder viel Wasser verdunsten (s. auch M2). Ist aber über großen Landflächen keine/kaum Verdunstung möglich, weil gar kein Wasser da ist (z. B. in großen Wüsten), kann auch regional kein Niederschlag entstehen. → Teufelskreis, d. h. positive Rückkopplung

7. Die für einen Kreislauf wesentlichen Merkmale sind vorhanden: Antriebskräfte für den Gesteinskreislauf sind die endogenen und die exogenen Kräfte. Ansonsten gilt auch hier: Es gibt viele verschiedene Wege, aber keine Sackgassen (s. auch Aufgabe 1, S. 193).

Filme
FWU:
4643725 Wasserkreislauf
4980319 Der Kreislauf des Wassers

Unterrichtsvorschlag

Unterrichtsphase	Inhaltlicher Schwerpunkt	Unterrichtsverlauf	Medien/Materialien
Einstieg	Beobachtungen zum Wasserkreislauf	Lehrer stellt zu einzelnen Teilbereichen des Wasserkreislaufs Fragen (z. B. Was passiert mit dem Regen, der auf die Erde fällt? Wohin fließt das Wasser im [Bach oder Fluss in der Nähe der Schule]? Woraus bestehen Wolken?), um zum Wasserkreislauf zu kommen	
Erarbeitung	Wasserkreislauf	Beschreibung des Wasserkreislaufs anhand von M1 (Aufgabe 1) unter Einbezug des 1. Abschnitts des Lehrbuchtextes	M1
Ergebnissicherung		– Aufgabe 2 – Aufgabe 4 (auch als Hausaufgabe) – Arbeitsblatt „Der Wasserkreislauf"	M1, M2, M3, Arbeitsblatt „Der Wasserkreislauf" (Arbeitsheft)
Vertiefung 1	Experiment	Aufgabe 3 (es reicht auch, wenn eine Flasche für alle Schüler verwendet wird bzw. eine Flasche pro Bankreihe)	sehr kalte Flasche
Vertiefung 2		– Schlüsseldenkweise „Natürliche Kreisläufe verstehen" – Aufgaben 5–7 (auch als Hausaufgabe)	Kasten Schlüsseldenkweise „Natürliche Kreisläufe verstehen", M2 auf S. 193

S. 196/197 Formung der Landschaft durch Flüsse

Kompetenzen

Die Schülerinnen und Schüler können
- exogene Prozesse als Gestalter der verschiedenen Landschaften erläutern. (Fachwissen)
- den Verlauf von Flüssen von der Quelle bis zur Mündung beschreiben und Prozesse in den Flussabschnitten charakterisieren. (Fachwissen)

Grundbegriffe

- Kerbtal
- Klamm
- Sohlental
- Mäander
- Muldental
- Gleithang
- Prallhang

Zusatzinformationen zu den Materialien

M5 Stromstrich = Verbindungslinie der Punkte mit der größten Fließgeschwindigkeit an der Oberfläche eines Fließgewässers. Er liegt auf geraden Flussabschnitten normalerweise etwa in der Mitte und wird durch die Zentrifugalkraft in Biegungen in den Außenbereich der Biegung verlagert.

Vorschlag für ein Tafelbild

Flüsse formen Landschaften
Flussabschnitte: Oberlauf, Mittellauf, Unterlauf
Talformen:
Kerbtal   31229E

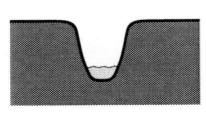

Klamm   31229E_1

Sohlental   31229E_2

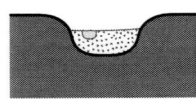

Muldental   31229E_3

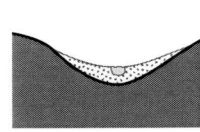

Mäander: Gleithang (flach durch Sedimentation), Prallhang (steil durch Erosion)

Vorschlag zur Binnendifferenzierung

Aufgabe 5 kann auch als Zusatzaufgabe für leistungsstarke Schüler eingesetzt werden.

Lösungen der Arbeitsaufträge

1. Im Oberlauf sorgt das starke Gefälle des Flusses für eine hohe Fließgeschwindigkeit und damit für eine starke Erosion. Der Fluss gräbt sich dadurch tief in das Gestein ein, man spricht von Tiefenerosion. Im Mittellauf lässt wegen des geringeren Gefälles die Tiefenerosion nach, Seitenerosion und Ablagerung von mitgeführten Sedimenten nehmen zu. Hier fließt der Fluss häufig in Mäandern. Im Unterlauf nehmen Gefälle und Fließgeschwindigkeit weiter ab, sodass das mitgeführte Material sedimentiert.
2. a) Kerbtal: Oberlauf. Die hohe Fließgeschwindigkeit sorgt für erhöhte Tiefenerosion bei gleichzeitig geringer Seitenerosion.
Klamm: Oberlauf. Im Vergleich zum Kerbtal ist die Seitenerosion noch geringer.
Sohlental: Mittellauf. Wegen des geringeren Gefälles lässt die Tiefenerosion nach, die Seitenerosion setzt stärker ein und es findet eine verstärkte Sedimentation statt.
Muldental: Unterlauf. Gefälle und Fließgeschwindigkeit nehmen ab, dadurch steigt die Sedimentation, es entstehen flache Muldentäler.
b) A: Kerbtal, B: Klamm
3. Am Prallhang sorgt der Stromstrich mit der höchsten Fließgeschwindigkeit für Erosion, am Gleithang ist die Strömung sehr gering, es findet Sedimentation statt.
4. Individuelle Lösung. Beispiele: Niedersachsen: Ems, Deutschland: Mosel, Europa: Seine.
5. Individuelle Lösung. Es muss deutlich werden, dass der Fluss im Bereich des oberen Prallhangs weiter nach links wandern wird, wohingegen der untere Prallhang weiter nach rechts wandern wird. Die beiden Gleithänge verschieben sich analog dazu.

Unterrichtsvorschlag

Unterrichtsphase	Inhaltlicher Schwerpunkt	Unterrichtsverlauf	Medien/Materialien
Einstieg	Experiment „Erosion und Sedimentation"	s. Anleitung Experiment „Erosion und Sedimentation"	Experiment „Erosion und Sedimentation" (CD-ROM), Holzbrett oder feste Pappe, Erde, Gießkanne mit Wasser
Erarbeitung 1	Erosion und Sedimentation	gemeinsames Lesen des Lehrbuchtextes linke Spalte, dabei Rückbezug auf das einführende Experiment	
Erarbeitung 2	Talformen	– Aufgabe 1 – Aufgabe 2 – Aufgabe 3	M1–M5, Infokasten
Vertiefung/Hausaufgabe		– Aufgabe 4 – Aufgabe 5	

S. 198/199   Von der Quelle bis zur Mündung

Kompetenzen

Die Schülerinnen und Schüler können

– exogene Prozesse als Gestalter der verschiedenen Landschaften erläutern. (Fachwissen)
– den Verlauf von Flüssen von der Quelle bis zur Mündung beschreiben und Prozesse in den Flussabschnitten charakterisieren. (Fachwissen)

Grundbegriffe

– Einzugsgebiet
– Wasserscheide
– Ästuar
– Delta

Zusatzinformationen zu den Materialien

M1 Die Quelle der Ems befindet sich in der Nähe von Schloß Holte-Stutenbrock (NRW, Nähe Bielefeld, am Rande des Naturschutzgebietes Moosheide). Die oberste Quelle im Ortsteil Stukenbrock-Senne ist eine Sickerquelle, die ganzjährig schüttet. Viele Wasseraustritte nähren den Quellbach. Die Emsquelle war in der Vergangenheit mit Stein, Holz und Kies verbaut. Seit der Renaturierung im Jahre 1994 kann das Quellgebiet über einen Holzsteg begangen werden.

M2 Die Rhumequelle ist eine große Karstquelle im östlichen Teil des Höhenzugs Rotenberg in Niedersachsen bei Rhumspringe (Landkreis Göttingen). Sie ist ein Naturdenkmal und wurde 2006 als ein Bestandteil der Zechstein-Landschaft am Südharz in die Liste der 77 ausgezeichneten Nationalen Geotope aufgenommen. Sie ist mit einer mittleren Quellschüttung von 2000 Litern pro

Sekunde die drittstärkste Quelle Deutschlands. Die Wassertemperatur beträgt ganzjährig konstant 8–9 °C.
Das Wasser tritt aus einem trichterförmigen Hauptquelltopf mit etwa 500 m² Fläche sowie aus zahlreichen Nebenquellen hervor. Im etwa 7–8 m tiefen Quelltopf schimmert das Wasser grün-bläulich bis türkis. Das Wasser fließt in einem bereits an der Quelle 5 m breiten Fluss ab.

M4 Das weit verästelte Lenadelta umfasst eine Fläche von rund 45 000 km², von West nach Ost maximal 230 km und von Nord nach Süd bis zu 150 km. Die Lena mündet in die Laptewsee, ein Randmeer des Nordpolarmeers.

M6 Das Ästuar ist von Blankenese bis Brunsbüttel zwischen 1 und 2,5 km breit und weitet sich dann zwischen Brunsbüttel und Cuxhaven auf bis zu 15 km auf.

Tipps zum Atlaskarteneinsatz

Dierke Weltatlas, 90.2: Küsten und Flüsse; 90.3: Donaumündung – Deltaküste; 135.3: Lagune von Venedig, Podelta – Küstenlandschaften; 152.1: Unter-Ägypten – Bevölkerung (Nildelta)
Dierke Weltatlas 2, 104.2: Unter-Ägypten – Bevölkerung (Nildelta)

Vorschlag für ein Tafelbild

Von der Quelle bis zur Mündung
Quelle → Bach → Nebenfluss → Fluss → Mündung

Einzugsgebiet: Gesamtes Gebiet, aus dem ein Fluss sein Wasser bezieht. Einzugsgebiete sind durch Wasserscheiden voneinander getrennt.

Mündungsformen

	Voraussetzung	Kennzeichen	Beispiel
Ästuar	starke Gezeiten des Meeres, in das der Fluss mündet	weit ins Land reichender Mündungstrichter	Elbe
Delta	kaum oder nur geringe Gezeiten des Meeres, in das der Fluss mündet	Mündung ist ins Meer verlagert, viele Flussverzweigungen	Lena

Vorschlag zur Binnendifferenzierung

Die Aufgaben 4 und 5 können als Zusatzaufgaben für schnelle Schüler eingesetzt werden.

Lösungen der Arbeitsaufträge

1. M1: Die Quelle sieht eher aus wie eine feuchte, sumpfige Stelle im Wald. Die Ems ist noch kaum als Bach erkennbar.
M2: Die Rhumequelle sieht eher aus wie ein kleiner Teich, sie hat schon eine – im Vergleich zur Emsquelle – große Wassermenge.

2. Zum Wassereinzugsgebiet eines Flusses gehören alle Nebenflüsse, die in den Hauptfluss münden, einschließlich ihrer Neben- bzw. Quellflüsse. Das Wassereinzugsgebiet ist begrenzt durch die Wasserscheide. Quellen und Bäche jenseits der Wasserscheide münden in einen anderen Hauptfluss. Beispiel: Die Rhume entspringt in der Rhumequelle, als Bach bzw. kleiner Fluss fließt sie in die Leine (die Rhume ist also ein Nebenfluss der Leine), die Leine fließt in die Aller (die Leine ist ein Nebenfluss der Aller) und die Aller fließt in die Weser (die Aller ist ein Nebenfluss der Weser), die Weser mündet schließlich in die Nordsee.

143

3. a) Ems: Teutoburger Wald, Rhume: Ohmgebirge
b) Die Rhume gehört zum Einzugsgebiet der Weser. Die Ems mündet direkt ins Meer, also Einzugsgebiet der Ems.
c) Beispiele:
Neckar: Schwarzwald, Lech: Alpen (Arlberg), Saale: Frankenwald, Elbe: Riesengebirge, Ruhr: Rothaargebirge
4. Eine europäische Wasserscheide trennt auf europäischer Ebene große Wassereinzugsgebiete mit unterschiedlichen Mündungsmeeren, z. B. zwischen Rhein (→ Nordsee) und Donau (→ Schwarzes Meer).
5. Zum Einzugsgebiet der Elbe gehören: Bode, Thyra, Wipper.
Zum Einzugsgebiet der Weser gehören: Oker, Innerste, Söse, Oder.

(Berücksichtigt sind nur die auf der Karte „Deutschland mittlerer Teil – Physische Karte" [Diercke Weltatlas, 22/33] eindeutig gekennzeichneten Flüsse.)
6. Lena: fächerförmiges Mündungsgebiet mit vielen Verzweigungen und vielen kleinen Mündungsflüssen → Deltamündung
Elbe: Die Elbe verbreitert sich in Richtung Mündung trichterartig. → Trichtermündung
7. Themse: Trichtermündung, Po: Deltamündung, Nil: Deltamündung, Weser: Trichtermündung, Donau: Deltamündung, Garonne: Trichtermündung, Rhone: Deltamündung

Literatur

Kausch, B./Meyer, C.: Von der Quelle zur Mündung. Über Flüsse und Talformen im Bilde sein. In: Praxis Geographie, H. 7–8/2008, S. 54–59.

Unterrichtsvorschlag

Unterrichtsphase	Inhaltlicher Schwerpunkt	Unterrichtsverlauf	Medien/Materialien
Erarbeitung 1	Quellen	– Berichte der Schüler über Quellen, die sie bereits gesehen haben – Vergleich mit den Quellen in M1 und M2 (Aufgabe 1) – gemeinsames Lesen des Lehrbuchtextes 1. Abschnitt	M1, M2
Erarbeitung 2	Einzugsgebiet und Wasserscheiden	– Aufgabe 2 – Aufgabe 3 in EA/PA – Aufgabe 4 (auch als Zusatzaufgabe) – Aufgabe 5 (auch als Zusatzaufgabe)	M3, M5, Atlas
Erarbeitung 3	Mündungsformen	– Beschreibung von M4 und M6 (Aufgabe 6, 1. Teil) – gemeinsames Lesen des Lehrbuchtextes 2. Abschnitt – Zuordnung der Mündungsformen zu M4 und M6 (Aufgabe 6, 2. Teil)	M4, M6
Ergebnissicherung/ Hausaufgabe		Aufgabe 7	Atlas

S. 200/201 Projekt: Wir untersuchen einen Bach

Kompetenzen

Die Schülerinnen und Schüler können
– einen Bach im Hinblick auf verschiedene Aspekte untersuchen. (Methode)

Vorschlag zur Binnendifferenzierung

Je nach zur Verfügung stehender Zeit können die verschiedenen Untersuchungen auch arbeitsteilig durchgeführt werden.

Literatur

Stein, C.: Geographische Bachuntersuchung. Eine Chance für den Geographieunterricht. In: Praxis Geographie, H. 11/2007, S. 10–17.

Unterrichtsvorschlag

Unterrichtsphase	Inhaltlicher Schwerpunkt	Unterrichtsverlauf	Medien/Materialien
Projekt	Bachuntersuchung	s. Anleitung im gelben Kasten	s. Zettel „Das braucht ihr für die Bachuntersuchung"

S. 202/203 Hochwasser und Hochwasserschutz

Kompetenzen

Die Schülerinnen und Schüler können
– die Notwendigkeit von Hochwasserschutzmaßnahmen an Flüssen beurteilen. (Beurteilen und Bewerten)

Zusatzinformationen zu den Materialien

M1 Loschwitz ist ein Stadtteil von Dresden und erstreckt sich nordöstlich der Elbe.
M2 Seydewitz ist ein Ortsteil der Stadt Belgern-Schildau an der sächsisch-brandenburgischen Grenze, südwestlich der Stadt Mühlberg, und liegt direkt an der Elbe.

Vorschlag für ein Tafelbild

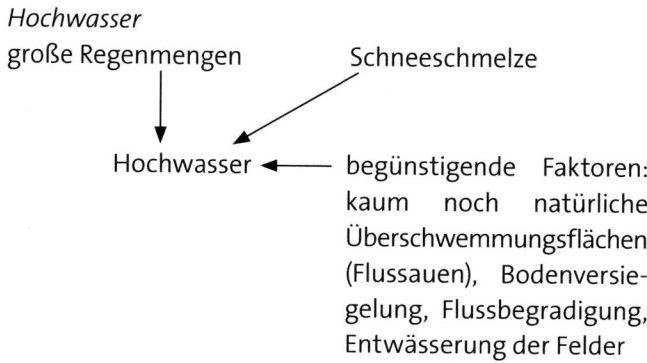

Hochwasser
große Regenmengen   Schneeschmelze

Hochwasser ← begünstigende Faktoren: kaum noch natürliche Überschwemmungsflächen (Flussauen), Bodenversiegelung, Flussbegradigung, Entwässerung der Felder
Gegenmaßnahmen: Aufforstung, Entsiegelung, Renaturierung

Vorschlag zur Binnendifferenzierung

Zum Einstieg in die Unterrichtseinheit kann auch ein Schüler ein Referat über das Elbehochwasser im Juni 2013 halten.

Lösungen der Arbeitsaufträge

1. Viele Siedlungen entlang der Elbe wurden überschwemmt. Gülle, Dreck und Öl wurden bis in die Häuser gespült. Die Einwohner haben ihre Heimat verloren, kommen nur noch zum Aufräumen in das Dorf. Die Häuser und das Hab und Gut sind zerstört.
2. Ursachen für natürliche Flusshochwasser sind Niederschläge im Einzugsgebiet der Flüsse, teilweise in Kombination mit der Schneeschmelze.
3. Aufgrund der Bodenversiegelung kann Regenwasser nur zum Teil im Boden versickern. Stattdessen fließt es in die Kanalisation, von wo aus es über die Kläranlagen in Flüsse und Bäche gelangt. Auch von freien Ackerflächen und Wiesen wird das Regenwasser durch künstlich angelegte Gräben schnell in die Flüsse geleitet, wo dann sehr viel mehr Wasser in kürzerer Zeit zusammenfließt. Außerdem wurden die Flüsse begradigt, d. h., man beseitigte die Mäander. Nun müssen die Flüsse die Wassermassen in einem wesentlich schmaleren Flussbett und einer insgesamt geringeren Länge aufnehmen.
4. Die Aufforstung der Wälder im oberen Bereich der Abbildung (Einzugsgebiet des Flusses) würde das durch die Schneeschmelze und den Niederschlag auftreffende Wasser zunächst zurückhalten und so den Fluss entlasten. Weiterhin könnte man in der Siedlung Flächen entsiegeln. Eine weitere Maßnahme wäre die natürliche Gestaltung des Flussbettes im gesamten Verlauf (Verbreiterung, Mäander, Begrünung), um auch hier Wasser zu speichern und Überflutungsflächen zu stellen.
5. Da der Mensch sehr nah an den Flüssen wohnt und diese auch für seine Versorgung, den Verkehr etc. benötigt, kann ein hundertprozentiger Hochwasserschutz nicht gewährleistet werden, da dieser beinhalten würde, dass der Mensch sich von den Flüssen komplett zurückzieht.

Literatur

Himbert, S.: Die Jahrhundertflut an der Elbe. Topographie einer Naturkatastrophe. In: Praxis Geographie, H. 11/2007, S. 38–42.
Hoffmann, K. W./Hottinger, R.: „Nach der Flut ist vor der Flut". Gruppenarbeit zum Thema „Nachhaltiger Hochwasserschutz". In: Praxis Geographie, H. 2/2006, S. 13–19.
Reymann, H.: Die Folgen der Rheinbegradigung. In: Praxis Geographie, H. 5/2014, S. 14–17.
Schuler, S.: Problemorientierte Kartenauswertung mit der Methode „Lebendige Karte". Ein Aufgabenbeispiel zu Sturmfluten und Hochwasserschutz in der Hamburger Elbmarsch. In: Praxis Geographie, H. 6/2014, S. 16–22.
Wand, C.: Die Elbe im Wohnzimmer. Eine hausgemachte Katastrophe? In: Praxis Geographie, H. 11/2003, S. 26–29.
Obermann, H.: Modellexperiment zur Flussbegradigung. In: Praxis Geographie, H. 1/1997, S. 12–14.

Filme

FWU:

4254474 Wie entsteht Hochwasser?
4602429 Hochwasser – Grundlagen, Risiken, Abwehr
4984961 Leben mit dem Hochwasser – Rheinauen

Unterrichtsvorschlag

Unterrichtsphase	Inhaltlicher Schwerpunkt	Unterrichtsverlauf	Medien/Materialien
Einstieg	Das Elbehochwasser im Juni 2013	– Der Lehrer liest den Zeitungsartikel (M2) vor. – Die Schüler betrachten M1. – Aufgabe 1 – Leitfragen: Wie kann es zu solchen Hochwasserkatastrophen kommen? Wie kann man sich davor schützen?	M1, M2
Erarbeitung 1	Ursachen von Hochwasser	– gemeinsames Lesen des Lehrbuchtextes – Aufgabe 2 – Aufgabe 3	M3, M4, M6
Erarbeitung 2	Hochwasserschutzmaßnahmen	Aufgabe 4	M4, M5
Vertiefung/Hausaufgabe		Aufgabe 5	

S. 204/205   Gletscher transportieren Gestein

Kompetenzen

Die Schülerinnen und Schüler können
– den Einfluss der eiszeitlichen Gletscher auf die Naturlandschaft erläutern. (Fachwissen)

Grundbegriffe

– Nährgebiet
– Zehrgebiet
– Moräne
– Endmoräne
– Grundmoräne
– Seitenmoräne

Zusatzinformationen zu den Materialien

M1 Der Giebichenstein bei Stöckse ist einer der größten Findlinge Norddeutschlands. Der 330 Tonnen schwere Stein aus Granit ist 7,5 m lang, 4,5 m breit und 2,75 m hoch. Wahrscheinlich wurde der Stein während der Saalekaltzeit vor rund 200 000 Jahren als Teil einer Moräne abgelagert.

Tipps zum Atlaskarteneinsatz

Diercke Weltatlas, 88.1: Europa – Landschaft zur letzten Kaltzeit (Würm/Weichsel, vor 18 000 Jahren); 88/89.3: Mitteleuropa – Geologie/Eiszeitformen; 116/117.2: Rhonegletscher – Gletscherrückzug
Diercke Weltatlas 2, 63.2: Würm-/Weichseleiszeit (letzte Eiszeit) – Vergletscherung; 78/79.2: Rhonegletscher (Schweiz) – Gletscherrückzug 1874/2006
Diercke Drei, 54.1: Landschaften; 101.2: Würm-/Weichseleiszeit

Vorschlag zur Binnendifferenzierung

In der Vertiefungsphase müssen nicht alle Aufgaben von allen Schülern bearbeitet werden.

Lösungen der Arbeitsaufträge

1. Der Neuschnee enthält neben Eis sehr viel Luft. Diese Luft wird durch den Druck der darüberliegenden Schneeschichten herausgepresst, sodass das Eis übrig bleibt. Neuschnee enthält etwa neunmal so viel Luft wie Eis.

2. Die Analogie fokussiert folgende Aspekte:

Kassenschlange	Gletscher	passende Analogisierung	nicht passende Analogisierung
Kassenschlangenende	Nährgebiet	Kontinuierlich kommt neue Masse (Menschen oder Eis) dazu.	Im Gletscher erfolgt diese Zufuhr von oben und über eine riesige Fläche, in der Schlange kommt nur direkt am Ende Neues hinzu.
Menschen in der Kassenschlange	Eis im Gletscher	Alles bewegt sich kontinuierlich in eine Richtung (die einzelnen Menschen bzw. das Eis).	Im Gletscher erfolgt diese Bewegung durch die Schwerkraft und den Druck von hinten, in der Kassenschlange bewegen sich die Menschen von selbst.
Kassenschlangenanfang	Zehrgebiet	Kontinuierlich geht Masse verloren (Menschen verlassen die Schlange bzw. Eis schmilzt).	Die Menschen bleiben Menschen und laufen von sich aus weg. Das Eis wandelt sich um in flüssiges Wasser und fließt weg.
Geldansammlung an der Kasse	Gesteinsansammlung im Zehrgebiet	Kontinuierlich wird Mittransportiertes (Geld bzw. Gestein) abgelegt.	Das Geld kommt von außen, während das Gestein vom Untergrund des Gletschers erodiert und abtransportiert wird.

3. Individuelle Lösung. In der Geschichte sollte deutlich werden, dass das Eisteilchen im Nährgebiet sowohl in das Innere des Gletschers als auch gleichzeitig in Richtung des Zehrgebietes bewegt wird (vgl. die blauen Pfeile in M2, S. 204) und dass das gesamte umgebende Eis der gleichen Bewegung unterliegt. Im Zehrgebiet muss dann ein Schmelzen des Eises zu flüssigem Wasser erfolgen und ein Wegfließen dieses Wassertropfens in Bächen/Flüssen. Eine Weitererzählung im Rahmen des Wasserkreislaufes ist möglich, sodass möglicherweise der Wassertropfen wieder verdunstet, in einer Wolke kondensiert und gefriert und als Schneeflocke erneut auf einen Gletscher fällt. Topographische Angaben sollten die Lage des Eisteilchens zu verschiedenen Zeitpunkten ergänzen.

4. ca. 800 km

5. *Hier liegt auch im Sommer Schnee auf dem Gletscher:* Dort befindet sich das Nährgebiet, in dem es auch im Sommer so kalt ist, dass der Niederschlag überwiegend als Schnee fällt.

Hier liegt im Sommer kein Schnee auf dem Gletscher: Dort befindet sich das Zehrgebiet, in dem das Eis im Sommer kontinuierlich schmilzt. Niederschläge fallen als Regen. Deshalb sind dort das blanke Gletschereis und kein darüberliegender Schnee zu sehen.

Hier fließt ständig ein Bach: Das ständig im Zehrgebiet schmelzende Gletschereis wird als Schmelzwasser vom Bach weggeführt.

Hier liegt ein Stein auf dem Gletschereis: Im Zehrgebiet schmilzt ständig das nachkommende Eis. Das hierbei mittransportierte Gestein taut auf diese Weise aus und bleibt sichtbar auf der Gletscheroberfläche zurück.

Hier liegen viele Steine neben dem Gletscher: Die mittransportierten Gesteine werden am Rand des Gletschers abgelagert. So entsteht eine Seitenmoräne wie im Foto, deren Genese allerdings überwiegend bei einer größeren Gletscherausdehnung erfolgte.

6. a) Das Foto ist im Zehrgebiet entstanden, da nur Eis und kein Schnee zu sehen ist. Im Nährgebiet liegt auch im Sommer Schnee, der dann auch die auf den Gletscher gefallenen Steine (von angrenzenden Felshängen) bedecken würde. Im Zehrgebiet tauen die mittransportierten Gesteine aus.

b) Im Zeitraffer würde zu erkennen sein, dass ständig neues Eis nachrückt, aber etwa genauso viel Eis schmilzt und als flüssiges Wasser wegfließt. Dabei würden ständig neue Steine aus dem Eis ausgetaut und anschließend auf dem Gletscher nach links unten weitertransportiert werden. Dieser Weitertransport erfolgt durch das sich bewegende Gletschereis oder durch Rutschen auf dem Gletschereis.

7. Gletscher sind im Wasserkreislauf „zwischengeschaltet" zwischen Niederschlag und Abfluss. Der Niederschlag fällt als Eis (Schnee). Das Wasser verbleibt dann eine längere Zeit als Eis im Gletscher und wandelt sich dann erst zu flüssigem Wasser um, das über die Bäche und Flüsse ins Meer fließt bzw. davor schon verdunstet. Auch innerhalb des Gletschers „fließt" das Wasser in Form des sich bewegenden Gletschereises langsam vom Nährgebiet ins Zehrgebiet.

Literatur

Merkel, I.: Gletscher im Klassenzimmer. Modelle im Geographieunterricht der Sek. I. In: Praxis Geographie, H. 10/2009, S. 44–46.

Unterrichtsvorschlag

Unterrichtsphase	Inhaltlicher Schwerpunkt	Unterrichtsverlauf	Medien/Materialien
Einstieg	Der Giebichenstein – ein Findling	– Projektion des Fotos des Giebichensteins (M1) – Lehrer gibt Zusatzinfos (erste drei Sätze des Lehrbuchtextes) – Leitfrage: Wie kam der Giebichenstein von Schweden nach Stöckse? – Vermutungen der Schüler	M1 auf Folie oder Präsentation per Beamer
Erarbeitung	Gletscher – Entstehung, Aufbau, Bewegung	– gemeinsames Lesen des Lehrbuchtextes, dabei ständiger Bezug auf M2 – Aufgabe 1 (evtl. auch Demonstration des Luftinhalts von Schnee, falls Schnee verfügbar) – Aufgabe 4	M1, M2, M4, evtl. Schnee
Ergebnissicherung	Gliederung eines rezenten Gletschers	Aufgabe 1 auf dem Arbeitsblatt „Gletscher früher und heute"	Arbeitsblatt „Gletscher früher und heute" (Arbeitsheft)
Vertiefung		– Aufgabe 2 – Aufgabe 5 – Aufgabe 6 – Aufgabe 7 – Aufgabe 3 (auch als Hausaufgabe)	M2–M5, S. 194/195

S. 206/207 Eiszeitliche Gletscher formten Norddeutschland

Kompetenzen

Die Schülerinnen und Schüler können
- den Einfluss der eiszeitlichen Gletscher auf die Naturlandschaft erläutern. (Fachwissen)

Grundbegriffe

- Sander
- Urstromtal
- glaziale Serie

Tipps zum Atlaskarteneinsatz

Diercke Weltatlas, 88.1: Europa – Landschaft zur letzten Kaltzeit (Würm/Weichsel, vor 18 000 Jahren); 88/89.3: Mitteleuropa – Geologie/Eiszeitformen; 116/117.2: Rhonegletscher – Gletscherrückzug

Diercke Weltatlas 2, 2 (Regionalteil Niedersachsen): Landschaften; 36/37.1: Geologie; 63.2: Würm-/Weichseleiszeit (letzte Eiszeit) – Vergletscherung

Diercke Drei, 54.1: Landschaften; 55.2: Das Norddeutsche Tiefland – eiszeitlich geprägt; 101.2: Würm-/Weichseleiszeit

Vorschlag für ein Tafelbild

Glaziale Serie

	Lage während der Eiszeit	Bedeutung während der Eiszeit	heutige Landschaft	Beispiel Niedersachsen
Grundmoräne	unter dem Gletscher	Ablagerungen von durch den Gletscher mitgeführten Gesteinen	leicht hügelig; viel Lehm, Sand und Steine	um Lüneburg
Endmoräne	vor dem Gletscher	Ablagerungen von durch den Gletscher mitgeführten Gesteinen	größere Hügel aus Lehm, Sand und Steinen	Wilseder Berg
Sander	zwischen Gletscher und Urstromtal	durchzogen von Schmelzwasserbächen, Ablagerungen von Sand und kleinen Körnern	eben, sandig	bei Unterlüß
Urstromtal	im Anschluss an den Sander	Schmelzwasserbäche fließen in größeren Fluss, der durch das Urstromtal fließt	breites Tal mit Fluss	Tal der Aller bei Celle

Vorschlag zur Binnendifferenzierung

Die Aufgaben 2–6 müssen nicht alle von allen Schülern bearbeitet werden. Hier kann arbeitsteilig gearbeitet werden.

Lösungen der Arbeitsaufträge

1. a) Aller
b) Der höchste Punkt liegt bei 128 m ü. NN.
2. a) Der Wilseder Berg ist in der vorletzten Eiszeit (Saale-Eiszeit) entstanden, da die Gletscher der letzten Eiszeit (Weichsel-Eiszeit) dieses Gebiet nicht erreichten.
b) Das dazugehörige Urstromtal ist das Allertal, da dieses südlich davon verläuft. Die Schmelzwässer flossen vom eiszeitlichen Gletscher weg in Richtung Süden.
3. a) Grundmoräne: Ackerland, Wiesen, etwas Laub- und Nadelwald
Endmoräne: überwiegend Laubwald, etwas Nadelwald, zum Teil Wiesen und wenig Ackerland
Sander: viel Nadelwald, Heide und Wiesen, wenig Ackerland
Urstromtal: viele Wiesen, an den Rändern Wald
Vorland (Börde): sehr viel Ackerland

b) Auf S. 134 ist zu erfahren, dass sandige Böden besonders ungünstig und dass Böden auf Löss besonders günstig für Ackerbau sind.
Auf der Grundmoräne kommen eher mittelgute Böden, die etwas Sand enthalten, vor. Deshalb erfolgt dort Ackerbau. Es gibt aber auch viele Wiesen und Wälder.
Die Endmoräne ist sehr reich an Steinen und oft recht steil. Deshalb ist Ackerbau dort schwierig, weshalb dort überwiegend Wald wächst.
Auf den Sandern sind die Böden sehr sandig. Deshalb wird dort nur wenig Ackerbau betrieben und die Flächen werden oft als Nadelwald oder Heide genutzt.
Im Urstromtal ist der Boden oft zu feucht für Ackerbau, weshalb diese Gebiete oft als Wiesen genutzt werden.
Im Vorland (Börde) enthält der Boden viel Löss. Er ist damit sehr gut geeignet für Ackerbau. Entsprechend findet man dort fast nur Ackerflächen.
4. A = Sander, B = Urstromtal, C = Endmoräne, D = Grundmoräne, E = Börde
5. a) Durch die eiszeitlichen Gletscher ist Gestein aus Skandinavien nach Norddeutschland dazugekommen, weil Norddeutschland im Zehrgebiet der Gletscher der

vorletzten und vorvorletzten Eiszeit lag. Man findet deshalb heute im Gelände viele Steine und Sandkörner, die aus Skandinavien stammen. Zusätzlich findet man häufig in Norddeutschland Hügel, die aus diesen Steinen und Sandkörnern bestehen. Hierbei handelt es sich um Grund- und Endmoränen. Es erfolgte also (überwiegend) eine Sedimentation und keine Erosion in dieser Zeit.

b) Das Norddeutsche Tiefland ist durch die eiszeitlichen Gletscher höher und etwas unebener geworden. (Das Norddeutsche Tiefland war also schon vor der Eiszeit ein Tiefland, das die meiste Zeit vom Meer bedeckt war.)

6. individuelle Lösung

Literatur

Westerholt, K.: Die Spuren des Eises in Norddeutschland. Binnendifferenziertes Lernen mithilfe eines Lesetagebuches. In: Praxis Geographie, H. 3/2008, S. 32–36.

Filme

FWU:

5500513 Spuren der Eiszeit: In Grönland, in Norddeutschland, im Vorland der Alpen

Unterrichtsvorschlag

Unterrichtsphase	Inhaltlicher Schwerpunkt	Unterrichtsverlauf	Medien/Materialien
Einstieg	Die glaziale Serie in Norddeutschland	Lehrer liest Lehrbuchtext als Fantasiereise vor	
Erarbeitung	Die glaziale Serie in Norddeutschland	– Nachverfolgen der Fantasiereise auf einer Atlaskarte und in der oberen Abbildung von M1 – Aufgabe 1	M1, Atlas
Ergebnissicherung		Aufgabe 2 auf dem Arbeitsblatt „Gletscher früher und heute"	Arbeitsblatt „Gletscher früher und heute" (Arbeitsheft)
Vertiefung		Aufgaben 2–6	M1, M2, M3, Atlas

S. 208/209 Kompetenztraining

Lösungen der Arbeitsaufträge

1. a) Der Vulkan hat eine auffällige Form, da er zwei Gipfel hat, zwischen denen sich deutlich ein Krater bzw. eine Vertiefung abzeichnet. Zum linken Rand des Vulkans ist dieser steiler ansteigend, zum Meer hin (nach rechts) flacher.

b) Hierbei handelt es sich um einen Schichtvulkan. Dies erkennt man zum einen an der Krateröffnung, die durch explosiven Vulkanismus entstanden sein muss, zum anderen verlaufen die Hänge kegelförmig, was ebenfalls auf einen Schichtvulkan hindeutet.

2. Da der Grundriss des Gebäudes sich nach oben verjüngt und der Schwerpunkt des Gebäudes damit tief liegt, ist dieses Gebäude vor großen Schwankungen im oberen Bereich geschützt und weniger anfällig für die Schwingungen des Erdbodens bei Erdbeben.

3. 1 Hier ist das Sea Floor Spreading zu beobachten, bei welchem aufgrund der Konvektionsströme die Erdkruste auseinandergezogen wird.

2 Hier ist eine Subduktionszone erkennbar. Eine ozeanische trifft auf eine kontinentale Platte und sinkt dabei unter diese. Folge hiervon ist u. a. die Entstehung eines Küstengebirges mit vulkanischer Aktivität.

4. individuelle Lösung

5. waagerecht: Lava, Erdmantel, Sander, Mündung
senkrecht: Maar, Granit, Erosion, Magma, Vulkan, Klamm

Lösungen Arbeitsheft

S. 2
Himmelsrichtungen

1. s. Kompass mit Windrose im Lehrbuch S. 12

2. Im Osten geht die Sonne auf. Im Süden hält sie Mittagslauf. Im Westen wird sie untergehn. Im Norden ist sie nie zu sehn.

3. a) Lehrte liegt östlich von Hannover.
Georgsmarienhütte liegt südlich von Osnabrück.
Bad Zwischenahn liegt westnordwestlich von Oldenburg.
Bremerhaven liegt nordnordwestlich von Bremen.
Braunschweig liegt südwestlich von Wolfsburg.
Hildesheim liegt westlich von Salzgitter.
Hannoversch Münden liegt südwestlich von Göttingen.

b) individuelle Lösung

S. 3
Luftbild und Karte

1. individuelle Lösung

2. Karte: Straßenname, mehrspurige Straße
Luftbild: mehrspurige Straße, Baumreihen

3. individuelle Lösung

4. Luftbild: Autos erkennbar, Bäume erkennbar, Grundriss der Häuser erkennbar, Häuserblöcke erkennbar
Karte: Straßennamen, Kirche markiert, wichtige Gebäude beschriftet

S. 4
Wie kommt der Berg in die Karte?

1. individuelle Lösung

2. 0–10 m, 10–20 m, 20–30 m, 30–40 m, über 40 m, Wasserflächen

S. 5
Maßstab

1. a) 1 cm auf der Karte entsprechen 15 000 cm = 150 m in der Wirklichkeit.
Maßstabzahl (Zahl hinter dem Doppelpunkt beim Maßstab): 15 000
Entfernung A–B in der Karte: 4 cm
Entfernung A–B in der Wirklichkeit:
4 cm (Entfernung in der Karte) x 15 000 (Maßstabzahl) = 60 000 cm = 600 m

b) 1 cm auf der Karte entsprechen 200 000 cm = 2000 m = 2 km in der Wirklichkeit.
Maßstabzahl: 200 000
Entfernung A–B in der Karte: 6 cm
Entfernung A–B in der Wirklichkeit:
6 cm (Entfernung in der Karte) x 200 000 (Maßstabzahl) = 1 200 000 cm = 12 000 m = 12 km

c) 1 cm auf der Karte entsprechen 750 000 cm = 7500 m = 7,5 km in der Wirklichkeit.
Maßstabzahl: 750 000
Entfernung A–B in der Karte: 3 cm
Entfernung A–B in der Wirklichkeit:
3 cm (Entfernung in der Karte) x 750 000 (Maßstabzahl) = 2 250 000 cm = 22 500 m = 22,5 km

S. 6/7
Atlasrallye

1. a) Deutschland: von Seite 18 bis Seite 83
b) Amerika: von Seite 206 bis Seite 237

2. a) Asien – Wirtschaft   Seite 166/167
b) Hamburg – Altstadt und HafenCity   Seite 35
c) Südpolargebiet (Antarktis) – Naturraum   Seite 239

3. Beispiele:

Seite	Karten-nummer	genauer Titel der Karte
60	1	Deutschland – Naturgefahren
136/137	2	Golf von Neapel – Leben am Vulkan
207	2	Kalifornien – Erdbeben
242/243	3	Erde – Erdbeben und Vulkanismus

4.

	Seite	Planquadrat
a) Kapstadt	156	B 5
b) Lüneburg	20	F 2
c) Mississippi	212	E 3
d) Schwarzwald	24	D 3/4

5. Städte: Erfurt, Jena, Halle
Flüsse: Saale, Unstrut, Main, Werra, Fulda, Leine, Elbe
Mittelgebirge: Harz, Thüringer Wald, Frankenwald, Fichtelgebirge, Rhön
höchster Berg: Brocken (1142 m)

6. a) Rostock (Planquadrat E 1) 0–100 m
b) Feldberg (Planquadrat B 5) 1493 m
c) Rhön (Planquadrat C/D 3) 500–1000 m

7. a) die Tiefe des Meeresbodens in der Mitte zwischen Skandinavien und Island: 2000–4000 m
b) die tiefste Stelle in der Nordsee: 238 m

8. tropischer Regenwald   Kaffee
Mais   Baumwolle

9. a) Wie hoch ist die Bevölkerungsdichte in Dresden? (Karte 82.1) über 500 Einwohner/km²
b) Welches Getreide wird in Ostfriesland angebaut? (Karte 56.1) Weizen
c) Wie hoch ist die mittlere Jahrestemperatur in München? (Karte 55.2) 8–9 °C

10. s. Karte 30/31 im Diercke Weltatlas

Lösungen Arbeitsheft

S. 8
Unser Sonnensystem
1. 1 Merkur, 2 Venus, 3 Erde, 4 Mars, 5 Jupiter, 6 Saturn, 7 Uranus, 8 Neptun

2. a) Dier Erde hat die Gestalt einer *Kugel.*
b) Die Sonne ist ein *Stern* im Weltall.
c) Die Erde ist ein *Planet* der Sonne.
d) Der Mond ist ein *Trabant* der Erde.

3.

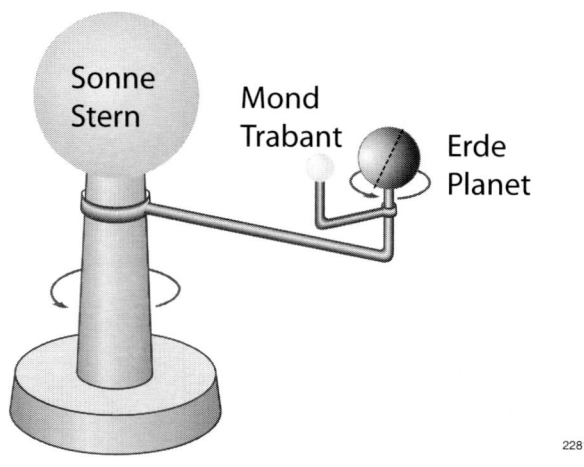

22813E_1

S. 9
Kontinente
1. individuelle Lösung
2. F Asien (44 Mio. km²), D Afrika (30 Mio. km²), A Nordamerika (24 Mio. km²), B Südamerika (18 Mio. km²), C Antarktis (14 Mio. km²), E Europa (10 Mio. km²), G Australien (9 Mio. km²)
3. individuelle Lösung

S. 10
Gradnetz
1.

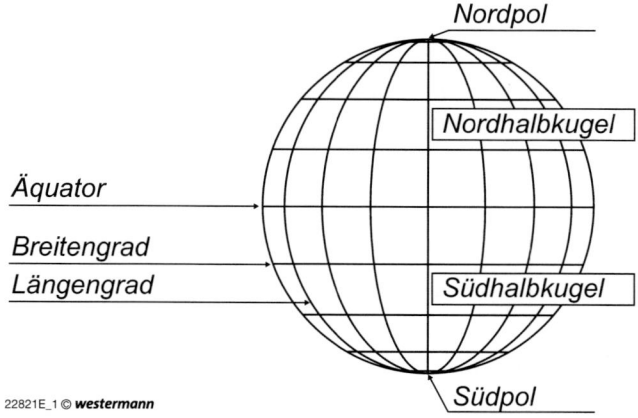

22821E_1 © **westermann**

2. Das *Gradnetz* ist ein Netz aus gedachten Linien, das die Erde umgibt. Der Äquator teilt die Erde in eine *nördliche* und eine *südliche* Hälfte. Der *Äquator* ist der längste Breitengrad. Die *Längengrade* sind alle gleich lang. Die Abstände zwischen den *Breitengraden* sind überall gleich groß. Die Breitengrade verlaufen parallel zum *Äquator.* Alle *Längengrade* verlaufen über die Pole. Der 0°-Längengrad teilt die Erde in eine *westliche* und eine *östliche* Hälfte. Der Abstand zwischen den Längengraden ist am *Äquator* am größten. Es gibt *360* Längengrade. Es gibt *180* Breitengrade.

3. Regensburg 49° n. Br., 12,1° ö. L.; Hamburg 53,5° n. Br., 10° ö. L.; Saarbrücken 49,2° n. Br., 7° ö. L.; Mainz 50° n. Br., 8,2° ö. L.; Halle 51,5° n. Br., 12° ö. L.

4. 32° n. Br., 65° w. L. Bermuda-Inseln; 20° n. Br., 12° ö. L. Sahara; 73° s. Br., 68° ö. L. Antarktis

S. 11
Zeitzonen
1./2.

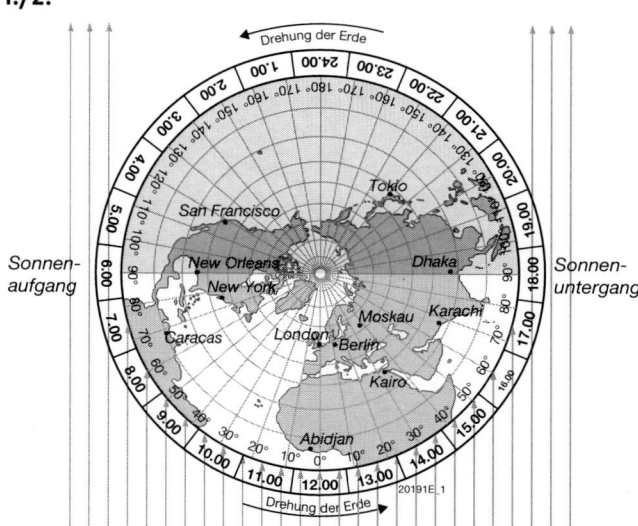

20191E_1

3. San Francisco 4.00 Uhr, Caracas 8.00 Uhr, Kairo 14.00 Uhr, Karachi 17.00 Uhr, New Orleans 6.00 Uhr, London 12.00 Uhr, Berlin 13.00 Uhr, Dhaka 18.00 Uhr, New York 7.00 Uhr, Moskau 14.00 Uhr, Abidjan 12.00 Uhr, Tokio 21.00 Uhr

S. 12
Stadtviertel
1. A City, B Industrie-/Gewerbegebiet, C Altstadt, D Wohngebiet, E Grünfläche
2. A = dunkelbraune Fläche, B = blaue Flächen, C = hellbraune Fläche, D = rote Fläche, E = grüne Flächen
3. Ein Modell bildet die Wirklichkeit stark vereinfacht ab und zeigt nur das Wesentliche. Nimmt man eine beliebige deutsche Großstadt, so stimmt sie zwar grob mit dem hier abgebildeten Modell überein, aber es gibt auch viele Abweichungen.

S. 13
Stadt-Umland-Beziehungen
1. von oben im Uhrzeigersinn: Müllentsorgung, Einkaufsmöglichkeiten, Naherholung im Grünen, Arbeitsstätten, Wohnen im Grünen, Besuch von Behörden
2. Die Stadt bietet für Bewohner aus dem Umland Freizeitmöglichkeiten sowie schulische, medizinische und kulturelle Einrichtungen.
Das Umland bietet für Bewohner der Stadt Versorgung mit Trinkwasser und mit Lebensmitteln.

S. 14
Politische Gliederung Deutschlands
1. individuelle Lösung
2. Schleswig-Holstein – Kiel, Hamburg – Hamburg, Mecklenburg-Vorpommern – Schwerin, Niedersachsen – Hannover, Bremen – Bremen, Sachsen-Anhalt – Magdeburg, Brandenburg – Potsdam, Berlin – Berlin, Nordrhein-Westfalen – Düsseldorf, Hessen – Wiesbaden, Thüringen – Erfurt, Sachsen – Dresden, Rheinland-Pfalz – Mainz, Saarland – Saarbrücken, Baden-Württemberg – Stuttgart, Bayern – München
3. von Norden im Uhrzeigersinn: Dänemark, Polen, Tschechische Republik, Österreich, Schweiz, Frankreich, Luxemburg, Belgien, Niederlande

S. 15
Die Entwicklung der EU
1. Gründungsstaaten der Vorgängerorganisation 1957: Frankreich, Belgien, Niederlande, Luxemburg, Deutschland, Italien
Beitritt 1973: Irland, Großbritannien, Dänemark
Beitritt 1981: Griechenland
Beitritt 1986: Spanien, Portugal
Beitritt 1995: Österreich, Schweden, Finnland
Beitritt 2004: Malta, Zypern, Slowenien, Ungarn, Tschechische Republik, Slowakei, Polen, Estland, Litauen, Lettland
Beitritt 2007: Rumänien, Bulgarien
Beitritt 2013: Kroatien

S. 16
Quer durch Europa
Lösungssatz: *Du bist fit fuer Europa.*

S. 17
Wo ist was möglich auf Amrum?
1. Amrum ist eine Insel in der Nordsee, im Schleswig-Holsteinischen Wattenmeer und liegt südlich von Sylt.

2. Individuelle Lösung. Beispiele:

Nummer	Aktivität	Ort	Begründung des Ortes
1	Schwimmen	Badestrand westlich der Großdüne	breiter Strand, evtl. leerer als Badestrand bei Wittdün, keine Pferde
2	Wattwanderung	Wattenweg nach Föhr	ausgewiesener Wattwanderweg, Besuch von Föhr möglich
3	Einkaufen	Nebel	größter Ort auf Amrum
4	Vogelbeobachtung	Vogelparadies Wriakhörn	ist als Vogelparadies ausgewiesen, ins Vogelschutzgebiet darf man nicht rein
5	Reiten	im nördlichen Bereich des Sandstrandes	hier gibt es eine Badestelle für Pferd und Reiter, ansonsten ist kein Badestrand ausgewiesen
6	Wanderung	im Wald zwischen Norddorf und dem Leuchtturm	Wald ist angenehm zum Wandern, mit Naturpfad Wald, Wandern im Sand sehr anstrengend, daher nicht am Strand oder in den Dünen
7	Aussicht genießen	Leuchtturm	höchster Aussichtspunkt

S. 18
Gezeiten
1. Niedrigwasser: niedrigster Wasserstand im Rahmen der Gezeiten
Hochwasser: höchster Wasserstand im Rahmen der Gezeiten
Ebbe: Zeitraum, in dem der Wasserstand an einer Gezeitenküste sinkt
Flut: Zeitraum, in dem der Wasserstand an einer Gezeitenküste steigt
Gezeiten: regelmäßiger Wechsel von Ebbe und Flut
Tidenhub: Differenz zwischen Niedrig- und Hochwasser
2. von oben nach unten und von links nach rechts:
Hochwasser, Niedrigwasser, Hochwasser, Niedrigwasser
Tidenhub
Flut, Ebbe, Flut, Ebbe

Lösungen Arbeitsheft

S. 19

Küstenformen – Küstenschutz

1. Steilküste, Flachküste

2. Steilküste bei Hochwasser

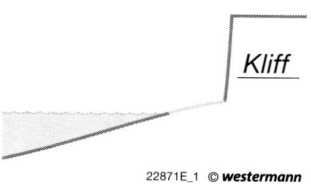

Steilküste bei Niedrigwasser

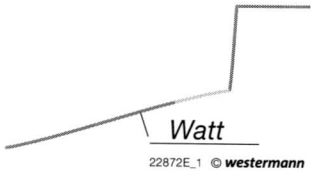

Steilküste bei Sturmflut

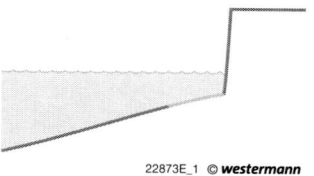

Flachküste bei Niedrigwasser

Flachküste bei Sturmflut

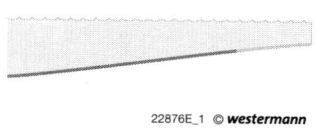

3. Schutzmaßnahmen Steilküste:

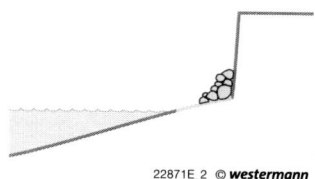

Aufschüttung großer Steine oder Betonabsicherung am Fuße des Kliffs

Schutzmaßnahmen Flachküste:

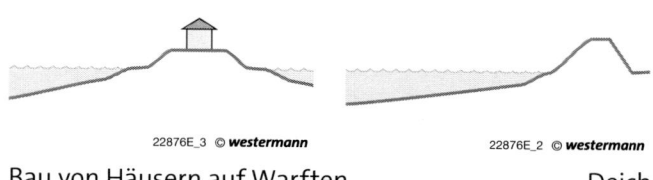

Bau von Häusern auf Warften   Deich

S. 20

Ökologischer Landbau

1. s. Lehrbuch S. 120, M2

2. Die Mineralstoffe, die dem Boden durch die Pflanzen entzogen werden, werden ihm auch wieder zugeführt. Zum einen durch Pflanzenreste, zum anderen durch Gülle und Mist des Viehs. Dadurch wird kein künstlicher Dünger benötigt.

3.

herkömmliche Landwirtschaft	ökologische Landwirtschaft
kostengünstige Produktion mit hohen Erträgen	arbeitsaufwendige Produktion, dadurch hohe Kosten bei geringen Erträgen
zugekauftes Kraftfutter für die Schweinemast	selbsterzeugtes Futter wie Silage oder Kartoffeln
künstlicher Dünger	Flammen von Unkraut
	überwiegend Verkauf im Hofladen und auf dem Wochenmarkt
	Freilandhaltung von Schweinen

S. 21

Landwirtschaft im Wandel

1. *Erwerbstätige in der Landwirtschaft:* Die Zahl der Erwerbstätigen in der Landwirtschaft in Deutschland ist seit 1949 sehr stark zurückgegangen auf etwa ein Achtel.

Während 1949 noch 4,82 Mio. Menschen in der Landwirtschaft arbeiteten, waren es 2013 nur noch 656 000.

Mechanisierung: Der Einsatz immer mehr Maschinen ersetzt menschliche Handarbeit und damit Arbeitskräfte.

Landwirtschaftliche Betriebe: Die Zahl der landwirtschaftlichen Betriebe ist seit 1949 extrem zurückgegangen, von 1,65 Mio. auf 290 000.

Spezialisierung: Die Bauernhöfe spezialisieren sich immer mehr auf einzelne Produkte. Früher wurden oft mehrere Feldfrüchte angebaut und verschiedene Vieharten gehalten, heute gibt es viele Höfe, die z. B. nur Viehhaltung – und dann oft auch nur eine Vieheart – oder nur Getreideanbau betreiben.

Ein Landwirt ernährt so viele Menschen: Während ein Landwirt 1950 nur zehn Menschen ernährte, waren es 2013 142. Ursache dafür ist die höhere Produktivität durch Mechanisierung, Spezialisierung, Intensivierung und größere Betriebe.

Intensivierung: Durch verschiedene Maßnahmen wie Düngereinsatz, Bewässerung oder Schädlingsbekämpfung hat sich die Produktivität erhöht.

Durchschnittliche Betriebsgröße: Da viele Betriebe aufgegeben wurden, haben andere deren Flächen gepachtet oder gekauft, sodass die durchschnittliche Betriebsgröße von 17 ha im Jahr 1970 auf 59 ha im Jahr 2013 stark zugenommen hat.

S. 22

Diagramme zeichnen und auswerten: Die niedersächsische Landwirtschaft

1. a) *M1 Betriebe in Niedersachsen*

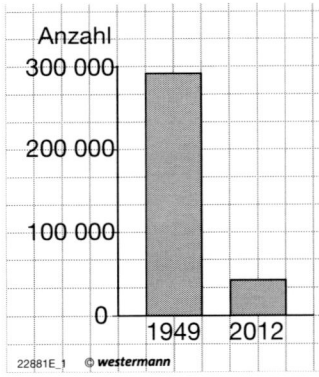

M2 Betriebsgrößen in Niedersachsen

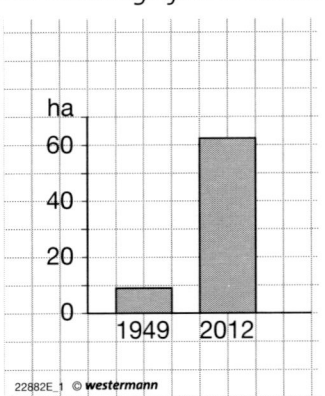

b) Die Anzahl der Betriebe in Niedersachsen hat zwischen 1949 und 2012 stark abgenommen (auf ca. ein Siebtel). Die durchschnittliche Betriebsgröße der Betriebe in Niedersachsen hat zwischen 1949 und 2012 stark zugenommen (versiebenfacht).

2. a) *M3 Ökologisch bewirtschaftete Flächen in Niedersachsen*

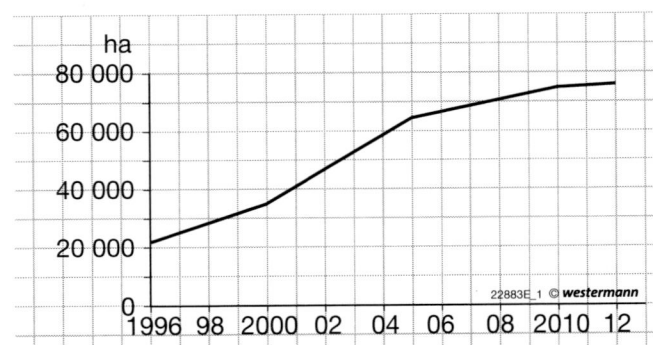

b) Das Diagramm zeigt die Anbaufläche des ökologischen Landbaus in Niedersachsen von 1996 bis 2012. Während 1996 erst ca. 21 500 ha ökologisch bewirtschaftet wurden, stieg dieser Wert bis 2005 sehr stark an. Zwischen 2000 und 2005 kam es fast zu einer Verdoppelung. Danach ging das Wachstum zurück, zwischen 2010 und 2012 kam es fast ganz zum Erliegen. 2012 wurden ca. 74 500 ha ökologisch bewirtschaftet. Insgesamt hat sich die ökologisch bewirtschaftete Fläche zwischen 1996 und 2012 verdreieinhalbfacht, die Zeiten großer Zunahmen scheinen jedoch vorbei zu sein.

S. 23

Feldfrüchte

Weizen: Foto B, hoher Mineralstoffbedarf, mittlerer Wasserbedarf, Lössboden, Nahrungsmittel

Roggen: Foto F, geringer Mineralstoffbedarf, geringer Wasserbedarf, sandige Böden, Nahrungsmittel, Viehfutter

Gerste: Foto D, mittlerer Mineralstoffbedarf, mittlerer Wasserbedarf, sandige Böden, Nahrungsmittel, Viehfutter

Mais: Foto E, geringer Mineralstoffbedarf, geringer Wasserbedarf, lehmige Böden, Viehfutter, Biokraftstoff

Kartoffel: Foto A, geringer Mineralstoffbedarf, geringer Wasserbedarf, sandige Böden, Nahrungsmittel, Viehfutter

Zuckerrübe: Foto C, sehr hoher Mineralstoffbedarf, sehr hoher Wasserbedarf, Lössboden, Nahrungsmittel, Biokraftstoff

S. 24

Landschaftswandel in der Region um El Ejido

1. 1975 wurde die Küstenebene rund um El Ejido nur in

wenigen Bereichen für den Ackerbau genutzt. Der Groß-teil der Flächen war Ödland. 2009 hingegen ist fast die gesamte Küstenebene von Treibhäusern bedeckt. Auch rund um den Ort Berja haben sich in den Tälern die Treib-hauskulturen ausgebreitet.

2. maximale West-Ost-Ausdehnung: ca. 45 km
maximale Nord-Süd-Ausdehnung: ca. 14 km

3.

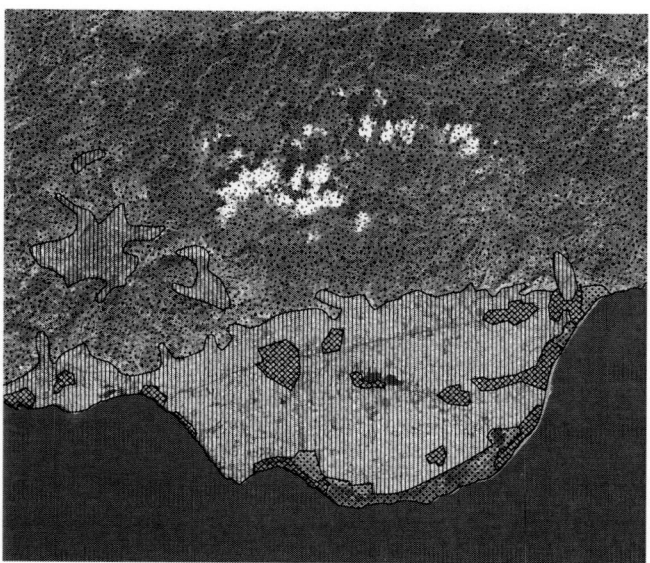

```
▨  Siedlung        ▥  Treibhausanbau
⬚  Ödland          ⠿  sonstige Flächen
```
© *westermann* 22896E_1   0   6   12 km

S. 25

Landschaftswandel durch Braunkohlenabbau

1. Planungen; Umsiedlung und Entschädigung der dort wohnenden Bevölkerung, der Unternehmen und der Landeigentümer; Bau der notwendigen Infrastruktur (Erschließungswege und -bahnen); Abbaggern der Deck-schichten; Absenken des Grundwasserspiegels; evtl. Ver-legung von Gewässern

2. Der Abraumbagger räumt die Deckschichten über dem Braunkohlenflöz ab. Über eine Förderbrücke wird der Abraum zur Abraumkippe transportiert. Oft liegen diese Kippen in bereits ausgekohlten Bereichen des Tage-baus. Mit einem Schaufelradbagger wird der Flöz abge-baut. Über Förderbänder wird die Kohle abtransportiert.

3. Individuelle Lösung. Beispiele: Anlage eines Tagebau-sees zur Erholung, Wiederaufforstung, Anlage landwirt-schaftlich nutzbarer Flächen, Nutzung zur Entsorgung (Müllkippen).

S. 26

Der Wirtschaftsraum Hannover-Braunschweig

1./2. s. M5, S. 163 im Lehrbuch

3. Die Verkehrslage des Wirtschaftsraums Hannover-Braunschweig ist sehr gut. Das Eisenbahnnetz ist sehr dicht und verbindet bis auf Salzgitter alle fünf Zentren des Wirtschaftsraumes. Es gibt zudem Fernverbindun-gen in alle Himmelsrichtungen. Das gleiche gilt für das Autobahnnetz. In Hannover befindet sich zudem ein Flughafen. Die Flüsse sind nicht schiffbar, aber dafür ver-läuft der stark befahrene Mittellandkanal von Westen nach Osten und hat westlich von Braunschweig Richtung Norden Anschluss an den Elbe-Seitenkanal. Im Osten gibt es einen Stichkanal nach Hildesheim.

4. Hannover, Hildesheim, Salzgitter, Braunschweig, Wolfsburg

5. Hannover: Chemie/Kunststoffe, Kraftfahrzeugbau, Universität/Hochschule, Messe, Handelsunternehmen, Verwaltung/Versorgung
Hildesheim: Elektrotechnik/Informationstechnik
Salzgitter: Eisen- und Stahlerzeugung
Wolfsburg: Kraftfahrzeugbau
Braunschweig: –

S. 27

Häfen

1.

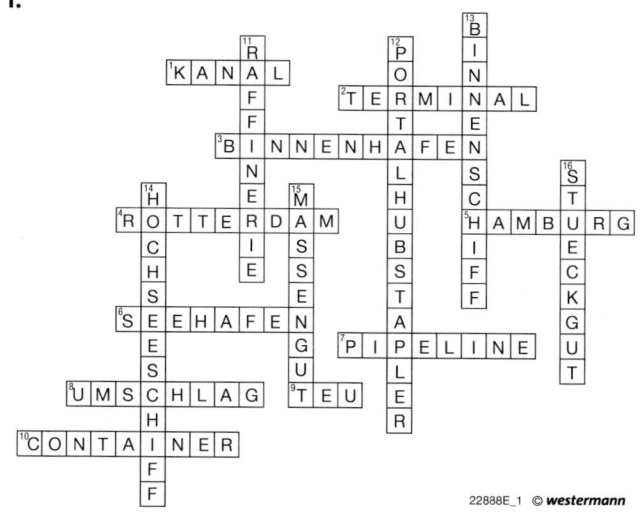

22888E_1 © *westermann*

2. a) Der Güterumschlag im Hafen von Rotterdam ist von 2000 bis 2013 von 322,4 Mio. t auf 440,5 Mio. t angestie-gen, also etwa um ein Drittel. Der Anstieg erfolgte nicht kontinuierlich. So waren 2001, 2009 und 2013 auch Rück-gänge zu verzeichnen.

b) Der starke Anstieg in nur 13 Jahren stellt den Hafen vor große Herausforderungen. Es werden mehr Umschlagplätze benötigt z. B. durch Hafenerweiterung. Oder man muss die Umschlagzeiten durch höhere Automatisierung verkürzen. Auch die Anbindung an das Hinterland muss weiter ausgebaut werden.

S. 28
Vulkantypen

Schichtvulkan

– zähflüssige Lava
– Klimandscharo
– pyroklastische Ströme
– 800 °C heiße Lava
– Mount St. Helens
– sehr gasreiches Magman
– Foto Fujisan (unten rechts)
– Sie werden es kaum glauben! Aber Sie befinden sich hier in einem riesigen Vulkankrater, der vor langer Zeit eingebrochen ist. Auch wenn das gesamte Gebiet stark touristisch erschlossen ist, lauert immer noch eine Gefahr unter der Erde. Irgendwann wird der Druck zu hoch werden und eine gewaltige Explosion wird große Zerstörungen mit sich bringen. Nicht in den kommenden Jahren, aber irgendwann in der Zukunft …
– Vesuv
– Schichten aus Lava und Asche
– Ätna (Der Ätna wird offiziell zu den Schichtvulkanen gezählt. Dagegen spricht die dünnflüssige, basaltische Lava, die gasarm ist. Daher bricht der Ätna auch nicht explosiv aus, sondern die Lava fließt langsam ab – vergleichbar mit den Schildvulkanen auf Hawaii.)

Schildvulkan

– Schichten aus Lava
– Foto Mouna Loa (Mitte links)
– Schon seit mehreren Jahren fließen hier kontinuierlich Lavaströme ins Meer. Ein besonderes Erlebnis ist es, mit dem Hubschrauber über die Lavaströme zu fliegen. Dabei können Sie sogar die Hitze spüren!
– 1100 °C heiße Lava
– Kilauea
– dünnflüssige Lava
– gasarmes Magma

S. 29
Tsunami

1. Ursache für einen Tsunami ist ein Seebeben. Dadurch gerät das Wasser im Meer oberhalb des Epizentrums in Schwingungen. An der Wasseroberfläche breiten sich Wellen konzentrisch aus. Gelangen sie an eine Küste, so werden sie aufgestaut, die Wellenhöhe nimmt zu. Diese hohe Welle (= Tsunami) überschwemmt dann den Küstenstreifen.

2. Schon vor der Küste befindet sich unter dem Meer ein großer Wellenbrecher. Hinter diesem ist der Grund aufgeschüttet worden. Dadurch sollen die Wellen gebrochen und ihre Aufstauung verhindert werden. Falls dann doch noch Wellen bis zur Küste vordringen, werden sie von einem Schutzdeich, auf dem sich ein Schutzwald befindet, zurückgehalten.

3. Bevor die gigantische Welle auf das Ufer zurollt, zieht sich das Meer zurück.

S. 30
Erdplatten

1. 1 Nordamerikanische Platte, 2 Pazifische Platte, 3 Kokos-Platte, 4 Karibische Platte, 5 Nazca-Platte, 6 Südamerikanische Platte, 7 Antarktische Platte, 8 Eurasische Platte, 9 Arabische Platte, 10 Afrikanische Platte, 11 Philippinische Platte, 12 Indisch-Australische Platte

2. individuelle Lösung

3. s. Lehrbuch S. 185, M3 (a aneinander vorbei, b aufeinander zu, c auseinander)

4. Deutschland: Eurasische Platte, Indien: Indisch-Australische Platte, Südafrika: Afrikanische Platte, Brasilien: Südamerikanische Platte, Kanada: Nordamerikanische Platte, Island: Nordamerikanische und Eurasische Platte

S. 31
Wasserkreislauf

1. s. Lehrbuch S. 194, M1

2. a) Das Wasser   James Krüss

1 Vom Himmel fällt der Regen,
und macht die Erde nass,
die Steine auf den Wegen,
die Blumen und das Gras.

2 Die Sonne macht die Runde
in altgewohntem Lauf
und saugt mit ihrem Munde
das Wasser wieder auf.

3 Das Wasser steigt zum Himmel
und wallt dort hin und her,
da gibt es ein Gewimmel
von Wolken grau und schwer.

4 Die Wolken werden nasser
und brechen auseinander
und wieder fällt das Wasser
als Regen auf das Land.

Der Regen fällt ins Freie
und wieder saugt das Licht.
Die Wolke wächst aufs Neue
bis dass sie wieder bricht.

So geht des Wassers Weise:
es fällt, es steigt, es sinkt
in ewig gleichem Kreise
und alles, alles trinkt.

b)

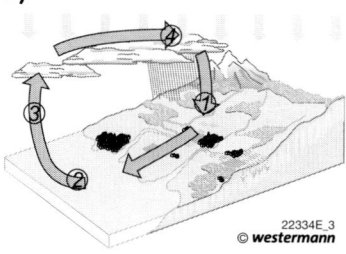

S. 32
Gletscher früher und heute
1.

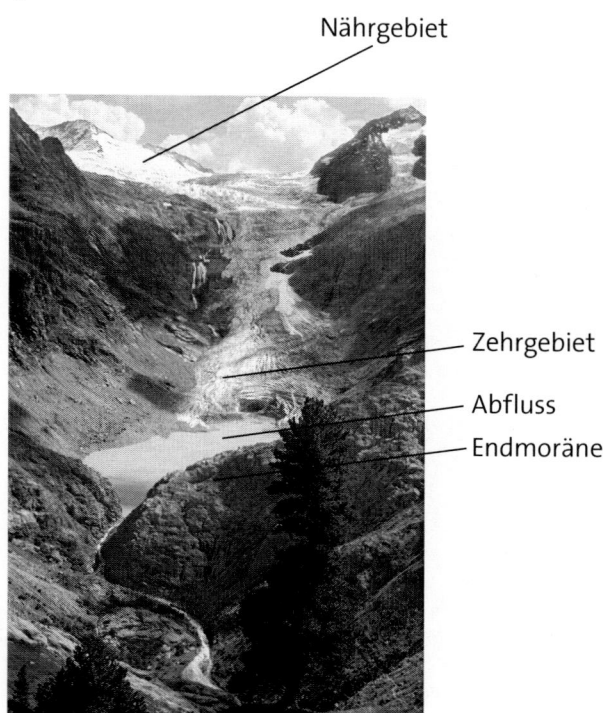

Nährgebiet

Zehrgebiet

Abfluss

Endmoräne

2. obere Abbildung: Gletscher, Findlinge
untere Abbildung (von links oben im Uhrzeigersinn):
Urstromtal, Sander, Seen, Grundmoräne, Endmoräne